SANCTUS

SIMON TOYNE

SANCTUS

Roman

Traduit de l'anglais par Patrick Dusoulier

ÉDITIONS
FRANCE
LOISIRS

Ce livre a été publié sous le titre *Sanctus*
par HarperCollins Publishers

Édition du Club France Loisirs,
avec l'autorisation des Presses de la Cité.

Éditions France Loisirs,
123, boulevard de Grenelle, Paris
www.franceloisirs.com

ISBN : 978-2-298-04529-1

À K.
Pour l'aventure

I

Un homme est un dieu en ruine.

Ralph Waldo Emerson

1

Un éclair traversa son cerveau quand son crâne vint heurter le sol rocheux.

Puis les ténèbres.

Il perçut vaguement le bruit de la lourde porte de chêne qui se refermait derrière lui et le glissement de la barre dans les crochets de fer.

Il resta un moment étendu là où on l'avait jeté, écoutant le battement de son cœur et le gémissement du vent.

Le coup reçu à la tête lui donnait le tournis, mais il ne risquait pas de s'évanouir : le froid glacial ne le permettrait pas. Un froid immobile, aussi immuable et impitoyable que la roche dans laquelle la cellule avait été taillée. Il l'enserrait tel un suaire, figeant les larmes sur ses joues et sa barbe, lui glaçant le sang qui coulait encore des blessures qu'il s'était infligées en se tailladant le torse au cours de la cérémonie. Des images se bousculèrent dans son esprit, celles des scènes effroyables auxquelles il avait assisté et du terrible secret qu'il avait appris.

C'était l'aboutissement d'une vie de recherche. La fin d'un voyage dont il avait espéré qu'il le mènerait à une connaissance ancienne et sacrée, à une compréhension mystique qui le rapprocherait de Dieu. Mais maintenant qu'il avait acquis ce savoir, il ne trouvait rien de divin dans ce qu'il avait vu, seulement un chagrin et un désespoir inimaginables.

Où était Dieu, dans tout cela ?

Les larmes lui piquaient les joues et le froid s'enfonçait toujours plus profondément dans son corps, tel un étau serré autour de ses os. Il entendit un bruit, de l'autre côté de la lourde porte. Un bruit lointain. Un bruit qui avait réussi à remonter jusqu'à lui à travers le labyrinthe de tunnels creusés à la main dans la montagne sacrée.

Ils vont bientôt venir me chercher.

La cérémonie va se terminer, et ils viendront s'occuper de moi…

Il connaissait l'histoire de l'ordre qu'il avait rejoint. Il connaissait les règles sauvages de ses membres – et il connaissait maintenant leur secret. Ils allaient forcément le tuer. Lentement, peut-être, devant ses anciens frères, un rappel de la gravité de leurs vœux collectifs et sans concessions. Une mise en garde pour ceux qui songeraient à les renier.

Non !

Pas ici. Pas comme ça.

Il pressa sa tête contre la roche glacée et réussit à se mettre à quatre pattes. Lentement, péniblement, il remonta sur ses épaules sa soutane dont l'étoffe grossière érafla les blessures qu'il avait aux bras et sur la poitrine. Il rabattit la capuche sur sa tête, s'écroula de nouveau à terre. Il sentait à présent la chaleur de son haleine dans sa barbe. Il se recroquevilla, les genoux repliés contre le menton, afin que la chaleur revienne dans son corps.

D'autres bruits firent entendre leur écho au cœur de la montagne.

Il rouvrit les yeux. Une faible lueur filtrant à travers une fenêtre étroite lui permit de distinguer les principaux détails de sa cellule. Elle était nue et fonctionnelle. Il y avait une pile de gravats dans un coin, indiquant qu'il s'agissait d'une des centaines de pièces de la Citadelle qui n'étaient plus régulièrement utilisées ni entretenues.

Il jeta un coup d'œil vers l'ouverture, guère plus qu'une fissure, dans la roche, une meurtrière taillée des siècles plus tôt pour permettre aux archers de tirer sur les armées ennemies s'approchant dans la plaine en contrebas. Il se releva péniblement et s'en approcha.

L'aube n'était pas encore levée. Il n'y avait pas de lune dans le ciel, seulement des étoiles lointaines. Malgré cela, lorsqu'il regarda par la fenêtre, une lumière soudaine le fit cligner des yeux. Elle provenait de dizaines de milliers de lampadaires, panneaux publicitaires et enseignes au néon qui s'étendaient loin au-dessous de lui jusqu'au pied des montagnes entourant la plaine de tous côtés. C'était la lumière constante et violente de la cité moderne de Ruine, ancienne capitale des Hittites, aujourd'hui destination touristique du sud de la Turquie.

Il contempla cette métropole qui s'étalait sous ses yeux, le monde auquel il avait tourné le dos huit ans plus tôt dans sa quête de la vérité, une quête qui l'avait conduit dans cette antique prison et mené à une découverte qui lui avait déchiré l'âme.

Un autre son étouffé. Plus proche, cette fois.

Il allait devoir faire vite.

Il défit la corde qui lui servait de ceinture et fit rapidement un nœud coulant à chaque extrémité, puis il se pencha par la meurtrière. À tâtons, il explora la paroi de roche glacée à la recherche d'une aspérité qui pourrait supporter son poids. Il finit par trouver une protubérance incurvée au point haut de l'ouverture. Il y glissa l'un des nœuds coulants et tira sur la corde pour le resserrer et en tester la solidité.

Le nœud tint bon.

Il ramena ses longs cheveux blonds derrière ses oreilles, contempla une dernière fois le tapis de lumière qui palpitait en contrebas. Puis, le cœur lourd du fardeau du secret immémorial qu'il portait à présent, il vida l'air de ses poumons et se glissa par la fente étroite avant de plonger dans la nuit.

2

Neuf étages plus bas, dans une pièce aussi vaste et richement décorée que celle décrite précédemment était exiguë et austère, un homme se lavait délicatement les mains pour les rincer du sang qui coulait de ses blessures toutes fraîches.

Il s'agenouilla devant une immense cheminée, comme pour faire ses prières. Ses longs cheveux et sa barbe étaient argentés par l'âge, et le sommet de son crâne était dégarni, ce qui lui donnait un air monastique en accord avec la soutane verte qu'il portait serrée à la taille.

Bien que voûté par les premiers signes de la vieillesse, son corps était encore solide et nerveux. Sa musculature jouait sur ses bras tandis qu'il trempait méthodiquement un carré de mousseline dans le bassin en cuivre posé devant lui, puis l'essorait doucement pour en faire couler l'eau fraîche et le passer sur sa chair meurtrie. Chaque fois, il le maintenait en place un instant avant de répéter le rituel.

Quand les entailles qu'il portait au cou, aux bras et sur la poitrine commencèrent à se refermer, il s'essuya avec une serviette et se remit debout en relevant sa capuche sur la tête. Il sentit sur ses blessures le frottement étrangement réconfortant de l'étoffe grossière. Il éprouvait toujours une profonde sensation de paix immédiatement après la cérémonie, la satisfaction de perpétuer la plus grande des traditions de son ordre ancien. Il essayait toujours de conserver ce sentiment le plus longtemps possible, avant que ses responsabilités temporelles ne le fassent retomber dans les réalités terre à terre de sa fonction.

Un coup discret frappé à la porte vint troubler sa rêverie.

Décidément, ce soir, sa béatitude allait être de courte durée…

— Entrez, fit-il.

Il tendit le bras pour reprendre sa ceinture de corde qu'il avait posée sur le dossier d'une chaise.

La porte s'ouvrit et la lumière du feu de bois se refléta un instant sur sa surface couverte de sculptures dorées. Un moine se glissa silencieusement dans la pièce et referma la porte derrière lui. Lui aussi portait la robe de bure verte de leur ordre, et il avait également de longs cheveux et une barbe.

— Frère Abbé… dit-il.

Il s'exprimait à voix basse avec des airs de conspirateur.

— Pardonnez mon intrusion à une heure aussi tardive, poursuivit-il, mais j'ai pensé que vous deviez être informé immédiatement…

Il baissa les yeux et contempla le plancher, comme s'il ne savait pas comment continuer.

—Eh bien, informez-moi donc *immédiatement*, gronda l'Abbé en nouant sa ceinture et en plaçant sa Crux – une croix de bois en forme de *T* – sous sa soutane.

—Nous avons perdu frère Samuel.

L'Abbé se figea.

—Que voulez-vous dire, «perdu» ? Est-il mort?

—Non, frère Abbé. Je veux dire… qu'il n'est plus dans sa cellule.

La main de l'Abbé se crispa sur sa croix jusqu'à ce que le bois s'incruste dans sa paume. Mais la logique dissipant rapidement ses craintes immédiates, il se détendit.

—Il a dû sauter par la fenêtre, dit-il. Faites fouiller les abords et récupérez le corps avant qu'il ne soit découvert.

Il se retourna pour ajuster sa soutane, s'attendant à ce que son visiteur se dépêche de quitter la pièce.

—Pardonnez-moi, frère Abbé, reprit le moine en se concentrant encore plus sur le bout de ses pieds, mais nous avons déjà entrepris des recherches. Nous avons prévenu frère Athanase dès que nous avons constaté la disparition de frère Samuel. Il a contacté nos correspondants à l'extérieur, et ceux-ci ont soigneusement examiné les fondations basses. Il n'y a aucune trace de corps.

Le sentiment de calme que l'Abbé avait savouré quelques instants plus tôt s'était à présent totalement évaporé.

Un peu plus tôt dans la soirée, frère Samuel avait été intronisé dans les Sancti, le premier cercle de leur ordre, une confrérie tellement secrète que seuls les résidents de ces lieux retirés creusés dans la montagne en connaissaient l'existence. L'initiation s'était déroulée de la façon traditionnelle, jusqu'au moment où l'on révélait enfin à l'impétrant l'antique Sacrement, le secret pour le maintien et la sauvegarde duquel leur ordre avait été fondé. Au

16

cours de la cérémonie, frère Samuel avait manifesté des signes indiquant qu'il n'était pas à la hauteur d'une telle connaissance. Ce n'était pas la première fois qu'un moine se révélait ainsi défaillant au moment de la révélation. Le secret qu'ils étaient tenus de conserver était puissant et dangereux, et peu importait avec quel soin on avait préparé le novice, il arrivait qu'il soit trop lourd pour lui le moment venu. Malheureusement, celui qui possédait la connaissance sans pouvoir en supporter le fardeau était presque aussi dangereux que le secret lui-même. Dans de telles circonstances, il était plus sûr, et peut-être même plus charitable, d'abréger aussi vite que possible les angoisses de la personne en question.

Frère Samuel avait été de ceux-là.

Et il avait maintenant disparu.

Tant qu'il était en liberté, le Sacrement était vulnérable.

— Trouvez-le, dit l'Abbé. Reprenez les recherches, creusez partout s'il le faut, mais trouvez-le.

— Oui, frère Abbé.

— À moins qu'une légion d'anges ne soit passée par là et qu'ils n'aient pris son âme en pitié, il est forcément tombé, et pas très loin d'ici. Et s'il n'est pas tombé, il doit être quelque part dans la Citadelle. Surveillez donc toutes les issues et examinez chaque pièce de chaque aile et chaque oubliette jusqu'à ce que vous ayez retrouvé frère Samuel, ou son cadavre. Me suis-je bien fait comprendre ?

D'un coup de pied, il renversa la bassine de cuivre dans le feu. Un nuage de vapeur en jaillit, remplissant l'air d'une âcre odeur métallique. Le moine continuait de contempler le sol, attendant désespérément l'autorisation de se retirer, mais l'esprit de l'Abbé était ailleurs.

Le sifflement se calma, et il sembla en aller de même de l'humeur de l'Abbé.

17

— Il a dû sauter, dit-il enfin. Son corps doit donc être au pied de la Citadelle. Il est peut-être resté coincé dans un arbre, ou une bourrasque l'aura emporté plus loin, et il se trouve maintenant dans un endroit que nous n'avons pas pensé à explorer. Mais nous devons impérativement le trouver avant l'aube, quand le premier car de touristes ébaubis se présentera.

— Il en sera fait selon votre désir.

Le moine s'inclina et s'apprêtait à sortir quand un coup frappé à la porte le fit sursauter. Il releva les yeux juste à temps pour voir un autre moine entrer sans même avoir attendu que l'Abbé l'y invite. Le nouvel arrivant était un homme de petite taille, assez frêle, dont les traits incisifs et les yeux enfoncés dans les orbites lui donnaient un air d'intelligence tourmentée, comme s'il comprenait plus de choses qu'il ne l'aurait souhaité. Pourtant, il émanait de lui une impression d'autorité tranquille, bien qu'il portât la soutane marron des Administrata, l'échelon le plus bas des guildes de la Citadelle. Chambellan de l'Abbé, Athanase était immédiatement reconnaissable parmi tous les résidents de la montagne, car, contrairement à tous ces hommes rituellement barbus et aux cheveux longs, il était complètement chauve à cause d'une alopécie dont il avait souffert quand il avait sept ans. Il jeta un rapide coup d'œil au visiteur de l'Abbé et détourna aussitôt le regard en voyant la couleur de sa soutane. Selon les règles strictes de la Citadelle, les habits verts – les Sancti – restaient isolés. En tant que chambellan de l'Abbé, il lui arrivait d'en croiser, mais toute communication avec eux était formellement interdite.

— Pardonnez mon intrusion, frère Abbé, dit Athanase en se passant la main sur le crâne comme il avait l'habitude de le faire dans les moments de tension, mais je me devais de vous informer qu'on a retrouvé frère Samuel.

L'Abbé sourit en écartant les bras comme pour accueillir chaleureusement cette nouvelle réconfortante.

—Et voilà, dit-il. Tout est redevenu comme il se doit. Le secret est en sécurité, ainsi que notre ordre. Dites-moi, où ont-ils trouvé le corps ?

La main d'Athanase continuait de caresser lentement le crâne poli.

—Il n'y a pas de corps, répondit-il. Frère Samuel n'a pas sauté au bas de la montagne. Il a réussi à s'accrocher à la paroi et se trouve actuellement à une centaine de mètres au-dessus du sol, sur la face nord.

L'Abbé laissa retomber ses bras et son expression s'assombrit de nouveau.

Dans son esprit, il vit la paroi de granit qui s'élevait verticalement de la plaine glaciale, formant un côté de la forteresse sacrée.

—Peu importe, fit-il avec un geste désinvolte. La paroi à l'est est impraticable, et le jour ne se lèvera que dans quelques heures. Il sera épuisé bien avant cela et fera une chute mortelle. Et même si, par miracle, il arrivait à rejoindre les pentes au-dessous, nos frères de l'extérieur mettront la main sur lui. Il sera trop fatigué pour opposer la moindre résistance.

—Bien sûr, frère Abbé, dit Athanase. Sauf que…

Il continua de se lisser des cheveux qui avaient depuis longtemps disparu.

—Sauf que quoi ? fit sèchement l'Abbé.

—Sauf que frère Samuel ne tente pas de *descendre* de la montagne.

19

La main d'Athanase se détacha enfin de son crâne tandis qu'il ajoutait :

— Il est en train de l'*escalader*.

3

Le vent soufflait dans la nuit, glissant sur les pics et le glacier à l'est de la ville, absorbant son froid préhistorique et se chargeant de fragments de moraine détachés par le dégel.

Il prenait de la vitesse en plongeant dans la plaine encaissée de Ruine, encerclée, tel un immense bassin, par un anneau ininterrompu de sommets déchiquetés. Il sifflait à travers les vignes, les oliveraies et les vergers de pistachiers qui s'accrochaient aux pentes basses, puis se dirigeait vers la lumière des néons et des lampes à sodium de l'agglomération, là où il avait autrefois fait claquer la toile des tentes et le drapeau marqué du soleil rouge et or d'Alexandre le Grand, le *Vexillum* de la 4e légion romaine, et tous les étendards des armées impuissantes qui avaient frissonné de froid en faisant le siège de la grande montagne sombre, tandis que leurs commandants levaient vers la Citadelle des yeux brillant de convoitise pour le secret qu'elle renfermait.

Le vent balayait à présent la ville en mugissant au-dessus de la grande artère de l'est, devant la mosquée bâtie par Soliman le Magnifique et à travers le balcon de pierre de l'hôtel Napoléon, où le grand général s'était tenu, écoutant son armée mettre la ville à sac tandis qu'il levait les yeux vers les remparts de pierre sculptée de la montagne dressée tel un poignard vers le ciel, qui resterait invincible et percerait le flanc de son empire incomplet, avant de hanter ses rêves tandis qu'il agoniserait en exil.

Le vent remontait en gémissant, débordant par-dessus les murailles de la vieille ville, se faufilant par les rues délibérément étroites pour gêner la charge de chevaliers en armure, se glissant sur les côtés de maisons anciennes remplies jusqu'aux poutres du plafond d'objets modernes, agitant les panneaux touristiques accrochés là où s'étaient balancés autrefois les corps pourrissants d'ennemis massacrés.

Enfin, il sautait par-dessus le muret de la berge, franchissait l'étendue d'herbe où des douves noires avaient coulé autrefois et se heurtait à la montagne que même lui ne pouvait pénétrer, jusqu'à ce que, remontant en tourbillons, il déniche une silhouette solitaire vêtue de la soutane verte d'un ordre qu'on n'avait plus vu depuis le XIIIe siècle, escaladant lentement et inexorablement la paroi glacée.

4

Cela faisait très longtemps que Samuel n'avait eu à escalader quelque chose d'aussi difficile que la Citadelle. Des milliers d'années de grêle et de vent chargé de glace avaient poli la surface de la montagne comme du verre, et il ne trouvait guère de prises tandis qu'il poursuivait péniblement son ascension vers le sommet.

Et il y avait le froid.

Le vent glacial qui avait poli la roche pendant des siècles en avait aussi gelé le cœur. Le froid collait la peau de Samuel à la paroi, lui donnant quelques instants précieux pour exercer une traction jusqu'à ce qu'il soit de nouveau obligé de s'en arracher. Ses mains et ses genoux étaient à vif. Le vent soufflait autour de lui en bourrasques qui tiraient sur sa soutane tels des doigts invisibles, déterminés à le détacher de la paroi et à le précipiter dans la mort.

La corde enroulée autour de son bras droit lui frottait le poignet à chaque fois qu'il la lançait vers de minuscules aspérités qui seraient autrement restées hors de portée. Et chaque fois il tirait fermement pour resserrer le nœud coulant autour de l'ancrage précaire qu'il avait réussi à attraper. Il se hissait alors de quelques centimètres le long de ce monolithe invincible, en priant pour que la corde ne glisse pas.

La cellule d'où il s'était échappé était proche de la pièce où le Sacrement était conservé, dans la partie supérieure de la Citadelle. Plus haut il parviendrait à monter, moins il risquerait de se trouver à portée d'autres cellules d'où ses geôliers pourraient l'attendre.

La roche, jusqu'ici dure et lisse comme du verre, se fit soudain friable et rugueuse. Il avait franchi une strate géologique très ancienne pour atteindre maintenant une couche plus tendre, affaiblie et fendue par le gel. De profondes fissures à la surface facilitaient son escalade, mais se révélaient aussi infiniment plus traîtres. Les prises s'effritaient sans prévenir, des fragments de roche tombaient dans les ténèbres glacées. Poussé par la peur et le désespoir, il enfonçait profondément les mains et les pieds dans les crevasses déchiquetées, qui supportaient bien son poids mais lui lacéraient les chairs.

Tandis qu'il grimpait et que le vent forcissait, la paroi rocheuse commença à s'incurver sur elle-même. La force de gravité, qui l'avait jusqu'ici aidé à maintenir sa prise, tendait maintenant à l'arracher de la montagne. Par deux fois, quand une aiguille de roche se brisa dans sa main, la seule chose qui l'empêcha de plonger trois cents mètres plus bas fut la corde liée à son poignet – et aussi la conviction inébranlable que le voyage de sa vie n'était pas terminé.

Enfin, après ce qui lui parut une éternité, et alors qu'il tendait la main à la recherche d'une prise, il ne trouva que le vide. Il la posa sur une sorte de rebord, amorce d'un plateau à travers lequel le vent soufflait librement dans la nuit.

Il se hissa péniblement, ses pieds lacérés et engourdis par le froid calés dans des anfractuosités de la roche, et se retrouva sur une plate-forme de pierre aussi glacée que la mort. À tâtons, il en explora les contours et rampa jusqu'au centre pour éviter d'être emporté par une bourrasque. L'espace n'était guère plus grand que la cellule d'où il venait de s'échapper, mais, alors qu'il y avait été un captif impuissant, il éprouvait ici cette même sensation qu'il avait toujours eue après avoir conquis un sommet invincible – un sentiment d'exaltation, d'extase et de liberté infinie.

5

Le soleil printanier surgit tôt dans un ciel dégagé, projetant de longues ombres dans la vallée. À cette époque de l'année, il se levait au-dessus des sommets rougeoyants des monts Taurus et éclairait directement le grand boulevard au cœur de la ville, là où la route entourant la Citadelle rejoignait trois autres artères anciennes, chacune marquant un point cardinal précis.

Avec l'aube venait aussi le cri lugubre du muezzin depuis la mosquée à l'est de la ville, appelant à la prière tous les croyants d'une autre confession, comme il le faisait depuis que la cité chrétienne était tombée aux mains des armées arabes, au VIIe siècle. Apparaissait alors le premier car de touristes, lesquels se rassemblaient devant la grande herse, les yeux encore bouffis de sommeil et l'estomac lourd d'avoir dû se lever tôt et avaler trop rapidement leur petit déjeuner.

Tandis qu'ils attendaient en bâillant que leur journée culturelle commence, l'appel du muezzin prit fin, laissant place à un autre son étrange qui semblait flotter le long des rues antiques au-delà de la lourde porte en bois. Il rampa jusqu'à eux, éveillant leurs peurs intimes, les forçant à ouvrir davantage les yeux et à serrer leurs manteaux pour protéger leurs corps fragiles qui prenaient soudain conscience du froid pénétrant du matin. On aurait dit le bruit d'une ruche qui se réveillerait dans les profondeurs de la terre, ou d'un gigantesque navire qui se briserait en gémissant avant de plonger dans un océan sans fond. Quelques touristes échangèrent des regards inquiets, frissonnant involontairement tandis que ce bruit les enveloppait, jusqu'à ce qu'il prenne forme et devienne reconnaissable : le bourdonnement de centaines de voix d'hommes psalmodiant des paroles sacrées dans une langue que peu de gens pouvaient identifier, et que personne ne comprenait.

L'immense herse commença à se lever dans son logement de pierre, faisant sursauter la plupart des touristes rassemblés. Des moteurs électriques la hissèrent à l'aide de câbles renforcés cachés dans la muraille pour préserver son aspect d'antiquité. Le bourdonnement des moteurs couvrit celui des incantations des moines. La lourde grille s'effaça enfin et la horde de touristes put envahir lentement les rues pentues menant à la plus ancienne forteresse du monde, dans un silence médusé.

Ils s'avancèrent dans un dédale tortueux de ruelles pavées, passant devant les thermes où les vertus miraculeuses des eaux de Ruine avaient été appréciées bien avant que les Romains ne s'emparent de l'idée. Ils longèrent ensuite les armureries et les forges – devenues des restaurants et des boutiques de souvenirs où l'on trouvait des graals, des flacons d'eau thermale et des croix sacrées – jusqu'à ce qu'ils atteignent la grand-place, bordée sur un côté par l'immense église ouverte au public, le seul bâtiment religieux auquel ils auraient accès.

Il arrivait que des touristes un peu plus stupides que la moyenne s'arrêtent là et, après avoir contemplé la façade, se plaignent à leur accompagnateur de ce que la Citadelle ne correspondait pas du tout à la description faite dans les guides. Après qu'on leur avait indiqué un imposant portail au bout de la place, ils franchissaient un dernier coude… et s'arrêtaient net. Grise, monumentale, immense, une tour de pierre se dressait majestueusement devant eux, avec des remparts et des créneaux taillés par endroits et

25

quelques fenêtres recouvertes d'un vitrail – le seul indice de la nature sacrée de la montagne –, tels des joyaux incrustés dans la roche.

6

Le soleil qui suivait l'armée de touristes dans sa lente progression réchauffait également Samuel, qui gisait, immobile, plus de trois cents mètres au-dessus d'eux.

La chaleur ranimait ses membres engourdis, apportant avec elle une douleur presque insoutenable. Il se redressa, réussit à s'asseoir. Il resta ainsi un long moment, les yeux fermés, ses mains abîmées posées à plat sur la roche dont le froid primordial lui apportait un peu de réconfort. Il ouvrit enfin les yeux et contempla la ville de Ruine, étendue à ses pieds.

Il se mit à prier, comme il le faisait chaque fois qu'il parvenait à un sommet.

Notre Père qui êtes aux cieux…

Mais alors que sa bouche commençait à former les mots, une image lui revint. Après l'enfer dont il avait été témoin au cours de la nuit, et l'obscénité qui avait été perpétrée en Son Nom, il n'était plus très sûr de savoir à qui ni à quoi il adressait sa prière. Il sentit la roche glacée sous ses doigts, cette roche dans laquelle, quelque part sous lui, avait été taillée la salle où le Sacrement était conservé. Il la revit en esprit, ainsi que ce qu'elle contenait, et fut envahi d'un sentiment de terreur et de honte.

Les larmes lui vinrent aux yeux, et il chercha quelque chose pour remplacer cette image qui le hantait. L'air chaud qui montait apportait avec lui une odeur d'herbe grillée par le soleil qui lui fit revenir un souvenir à l'esprit. Une image commença à se former, celle d'une jeune fille, d'abord vague et indistincte, mais se précisant à mesure qu'il se concentrait. Un visage à la fois étrange et familier, un visage rempli d'amour émergeant du flou de son passé.

Il porta instinctivement la main à son côté, là où se trouvait sa plus ancienne cicatrice. Ce faisant, il sentit un objet au fond de sa poche. Il le sortit et vit qu'il s'agissait d'une petite pomme, le reste du simple repas qu'il n'avait pas réussi à avaler la veille au réfectoire. Il avait été trop agité, sachant que dans quelques heures il allait être initié dans la confrérie la plus ancienne et la plus sacrée qui soit. Et maintenant, il se trouvait là, au sommet du monde, dans son propre enfer personnel.

Il dévora la pomme, sentit sa douceur se répandre dans son corps meurtri, le réchauffant de l'intérieur en alimentant ses muscles épuisés. Il mangea même le trognon et recracha les pépins dans la paume de sa main. Un fragment de roche y était enfoncé. Du bout des dents, il le retira et sentit une brève douleur.

Il le recracha dans sa main. On eût dit une réplique en miniature du piton rocheux sur lequel il se trouvait. Du bout du pouce, il essuya le sang qui le recouvrait et contempla un instant la pierre grise. Elle était de la même couleur que le livre hérétique qu'on lui avait montré dans les profondeurs de la grande bibliothèque pendant sa préparation. Ses pages étaient faites d'une pierre similaire dont la surface était couverte de symboles gravés par une main depuis longtemps redevenue poussière. Les mots qu'il y avait lus, en forme de prophétie, semblaient prédire la fin de toutes choses si le Sacrement venait à être connu au-delà des murailles de la Citadelle.

Il regarda la ville qui s'étendait à perte de vue. Le soleil matinal fit briller ses yeux verts et éclaira ses pommettes hautes. Il imagina tous ces gens qui y vivaient leur vie, s'efforçant en pensée comme en actes de faire le bien, de se rapprocher de Dieu. Après les tragédies de sa propre existence, il était venu ici, à la source de la foi, pour se consacrer aux même buts. Et il était maintenant agenouillé, aussi haut qu'il était possible de l'être sur la plus sacrée des montagnes…

Et il ne s'était jamais senti aussi loin de Lui.

Des images flottaient dans son esprit obscurci : des images de ce qu'il avait perdu et de ce qu'il avait appris. Alors, tandis que défilaient dans sa mémoire les paroles prophétiques gravées dans la pierre secrète du livre hérétique, il y vit quelque chose de nouveau. Ce qu'il avait d'abord pris pour une mise en garde lui apparaissait maintenant comme une révélation.

Il avait déjà transporté hors des murs de la Citadelle la connaissance du Sacrement. Ne pouvait-il pas l'emporter encore plus loin ? Il pourrait devenir l'instrument qui projetterait la lumière sur cette sombre montagne et mettrait fin à ce dont il avait été témoin. Et même s'il se trompait, si ses doutes n'étaient que la marque de la faiblesse d'un homme incapable de percevoir le but de ce qu'il avait vu, alors Dieu interviendrait sûrement. Le secret resterait intact, et qui pleurerait la mort d'un moine aux pensées confuses ?

Il leva les yeux, vit que le soleil était plus haut dans le ciel – le messager de lumière, qui apporte la vie. Il sentait sa chaleur tandis qu'il contemplait de nouveau la pierre dans sa main, l'esprit aussi tranchant que l'arête déchiquetée.

Alors, il sut ce qu'il devait faire.

7

À huit mille kilomètres à l'ouest de Ruine, une jeune femme blonde et mince, aux traits typiquement scandinaves, se tenait sur le Bow Bridge, dans Central Park. Une main posée sur le parapet, dans l'autre une enveloppe marron adressée à Liv Adamsen. L'enveloppe était froissée à force d'avoir été manipulée, mais elle n'était pas encore ouverte. Liv contempla le reflet gris de New York à la surface de l'eau et se souvint de la dernière fois qu'elle était venue ici, avec lui, ils se promenaient et le soleil brillait. Ce n'était pas le cas aujourd'hui.

Le vent ridait les eaux du lac et faisait s'entrechoquer les quelques barques oubliées qui étaient amarrées à la jetée. Elle écarta de ses yeux une mèche de cheveux blonds et regarda l'enveloppe. Ses yeux verts étaient secs sous l'effet du vent, mais aussi de ses efforts pour ne pas pleurer. L'enveloppe était apparue dans son courrier près d'une semaine plus tôt, nichée telle une vipère au milieu des propositions habituelles de cartes de crédit et de livraison de pizza à domicile. Au début, elle avait pensé que ce n'était qu'une facture, jusqu'à ce qu'elle remarque l'adresse de l'expéditeur imprimée dans un coin. Elle recevait très souvent des lettres de ce genre à l'*Inquirer*,

29

des listings d'informations qu'elle avait demandés pour un article sur lequel elle travaillait. L'enveloppe venait du Bureau américain de l'état civil, le dépositaire des informations publiques sur la « sainte trinité » de la plupart des existences humaines : la naissance, le mariage et la mort.

Elle avait fourré l'enveloppe dans son sac, tétanisée par le choc de sa découverte, et celle-ci y était restée au milieu des reçus, carnets de notes et accessoires de maquillage, attendant le bon moment pour être ouverte, même s'il ne pourrait jamais y avoir vraiment de bon moment. Finalement, après une semaine pendant laquelle elle l'avait aperçue chaque fois qu'elle devait prendre ses clés ou répondre à son portable, quelque chose avait murmuré dans son esprit. Elle avait déjeuné tôt avant de prendre le train pour se rendre du New Jersey jusqu'au cœur de l'immense cité anonyme, où personne ne la connaissait, où les souvenirs s'accordaient aux circonstances et où, si elle perdait le contrôle d'elle-même, personne ne s'en formaliserait.

Elle s'éloigna du pont en longeant la rive et plongea la main dans son sac pour en retirer un paquet de Lucky Strike un peu cabossé. Elle en alluma une en se protégeant du vent avec les mains et resta un moment au bord de l'eau, inhalant la fumée et écoutant le bruit des canots entrechoqués et le lointain murmure de la ville. Puis elle passa un doigt sous le rabat de l'enveloppe, le déchira.

Elle contenait une lettre et un document plié en deux. La mise en page et le langage lui étaient familiers, mais les mots étaient terriblement différents. Elle balaya rapidement le texte des yeux, percevant des groupes de mots plutôt que des phrases complètes : ... *huit années d'absence... aucun élément nouveau... officiellement décédé...*

Elle déplia le document, y lut son nom et sentit quelque chose céder en elle, la barrière qui avait contenu ses émotions refoulées pendant toutes ces années. Elle se mit à sangloter sans retenue, des larmes qui ne venaient pas seulement de cet accès de chagrin qui la soulageait étrangement, mais aussi de la sensation de solitude absolue qu'elle savait maintenant toute proche.

Il lui revint à l'esprit les souvenirs de la dernière journée passée avec lui. Tels deux touristes lambda, ils avaient visité la ville, et ils avaient même loué une de ces barques qui flottaient non loin d'elle, maintenant froides et vides. Seuls des fragments remontaient à la surface de sa mémoire : le mouvement rythmé de son long corps nerveux tandis qu'il ramait, ses manches de chemise relevées aux coudes révélant le duvet blond sur ses bras légèrement bronzés, la couleur de ses yeux et la façon dont ils se plissaient quand il souriait. Ses traits restaient indistincts. Autrefois, il avait toujours été là, il suffisait de prononcer la formule magique de son nom. Mais aujourd'hui, le plus souvent, c'était un imposteur au visage flou qui apparaissait, semblable au jeune garçon qu'elle avait connu mais jamais tout à fait pareil.

Elle s'efforça de se concentrer pour le rendre plus net, s'agrippant à la substance glissante de la mémoire jusqu'à ce qu'une image nette se mette en place. Elle le revit enfant, assis dans une barque et s'efforçant de soulever des rames bien trop lourdes pour lui. Ils étaient sur le lac près de la maison de Mamy Hansen, qui les avait poussés vers le large en leur criant : «Vos ancêtres étaient des Vikings ! Je ne vous laisserai revenir que quand vous aurez su conquérir l'eau… »

Ils étaient restés toute la journée sur le lac, ramant à tour de rôle et manœuvrant jusqu'à ce que leur embarcation fasse partie d'eux-mêmes. Leur grand-mère leur avait préparé un pique-nique de victoire sur l'herbe baignée de soleil, et les avait appelés Ask et Embla, d'après les premiers humains sculptés par les dieux nordiques dans des arbres abattus sur un autre rivage. Elle les avait ensuite régalés de contes de leur patrie ancestrale, des histoires de géants de glace, de Valkyries sillonnant les airs et de funérailles de chefs vikings incinérés dans leurs longues barques. Plus tard, dans la pénombre de la soupente où ils attendaient que le sommeil vienne, il lui avait chuchoté que quand il mourrait, dans quelque combat héroïque, il voulait partir de la même façon : que son esprit se mêle à la fumée d'une barque en flammes et monte ainsi lentement jusqu'au Walhalla.

Elle regarda de nouveau le certificat de décès, où son nom était inscrit, ainsi que le verdict de sa mort officielle. Non pas une mort d'un coup de lance ou d'épée, ni dans un acte extraordinaire de courage et d'abnégation, mais simplement par le fait d'une période d'absence, mesurée par un fonctionnaire et considérée comme suffisamment probante. Avec des gestes également appris dans l'enfance, elle replia le document pour en faire un petit bateau, puis elle s'accroupit au bord du lac et l'y déposa. En protégeant du vent la voile pointue, elle l'alluma avec son briquet. Quand le papier commença à brûler et noircir, elle le poussa doucement vers le milieu du lac. Les flammes vacillèrent un instant, cherchant de quoi s'alimenter, avant de s'éteindre dans la brise. Elle regarda le bateau s'éloigner jusqu'à ce qu'une vaguelette finisse par le faire chavirer.

Elle fuma une cigarette en attendant qu'il coule, mais il se contenta de rester là, à flotter sur le reflet de la grande ville, tel un esprit prisonnier des limbes.

Pas terrible, pour des funérailles de Viking…

Elle se releva et s'éloigna pour aller prendre le train qui la ramènerait dans le New Jersey.

8

— Mesdames et messieurs, si je peux avoir votre attention un instant, implora le guide en s'adressant à ses ouailles éberluées qui levaient les yeux vers la Citadelle. Écoutez le mélange de langues autour de vous : italien, français, allemand, espagnol, néerlandais, autant de langages différents qui racontent tous l'histoire de cette structure, la plus ancienne au monde qui ait été habitée en permanence. Et cette cacophonie de langages, mesdames et messieurs, nous évoque le célèbre passage de la Bible concernant la tour de Babel, dans le livre de la Genèse, construite non pour l'adoration de Dieu mais pour la gloire de l'Homme, si bien que Dieu fut pris de colère et « confondit leur langage », obligeant l'humanité à se disperser à travers les nations de la Terre, laissant l'ouvrage inachevé. De nombreux érudits pensent que cette histoire fait allusion à la Citadelle de Ruine. Notez également que l'histoire concerne une construction qui n'était pas destinée à louer Dieu. Si vous examinez bien la Citadelle, mesdames et messieurs, poursuivit-il avec un geste théâtral pour désigner la structure massive que tous avaient devant les yeux, vous remarquerez qu'il n'y a aucun signe extérieur exprimant un but religieux. Pas de croix ni d'anges, aucune représentation iconographique d'aucune sorte. Cependant, les apparences peuvent être trompeuses et, malgré cette absence d'ornementation religieuse, la Citadelle est sans conteste une maison de Dieu. La toute première Bible a été écrite à l'intérieur de ces murs chargés de mystère, et a servi de pierre de fondation spirituelle sur laquelle la foi chrétienne a été bâtie.

De fait, la Citadelle a été le point d'origine de l'Église chrétienne. Son transfert au Vatican, à Rome, s'est effectué en l'an 326 de notre ère pour lui permettre une meilleure exposition publique dans sa rapide expansion. Qui parmi vous a eu l'occasion de visiter le Vatican ?

Des mains se levèrent, sans grand enthousiasme.

— Ah, vous êtes quelques-uns à l'avoir vu. Et sans aucun doute vous y aurez admiré la chapelle Sixtine et exploré la basilique Saint-Pierre, ou les tombeaux des papes, ou vous aurez peut-être même assisté à une audience du Saint-Père. Malheureusement, même si la Citadelle a la réputation de contenir des merveilles comparables, vous ne pourrez en voir aucune, car les seules personnes autorisées à y pénétrer sont les moines et les prêtres qui y vivent. Cette règle est tellement stricte que même les remparts que vous voyez devant vous, taillés dans les flancs de la montagne, n'ont pas été construits par des ouvriers mais par les habitants de cette montagne sacrée. C'est une pratique qui a non seulement contribué à donner à cet endroit son aspect délabré, mais qui a également donné son nom à la ville.

Pourtant, malgré ses apparences, ce n'est pas une ruine. C'est la plus ancienne forteresse au monde, et la seule qui soit restée invaincue, bien que les envahisseurs les plus infâmes et les plus déterminés aient tenté de s'en emparer au cours de l'histoire. Et pourquoi tous ces efforts? À cause de la relique légendaire que la montagne est censée renfermer: le secret sacré de Ruine – le Sacrement.

Il laissa le mot flotter dans l'air un instant, tel un spectre qu'il aurait invoqué.

—Le plus ancien et le plus grand secret du monde, poursuivit-il en baissant la voix. Certains pensent qu'il s'agit de la vraie croix du Christ. D'autres disent que c'est le Saint-Graal dans lequel le Christ a bu, et qui peut guérir toutes les blessures et conférer la vie éternelle. Nombreux sont ceux qui croient que le corps du Christ Lui-même, mystérieusement préservé, repose quelque part dans les profondeurs de la montagne silencieuse. Mais il y a aussi ceux qui pensent qu'il ne s'agit que d'une légende, une histoire sans fondement. La simple vérité, mesdames et messieurs, est que personne n'en sait rien. Et comme le secret et les mystères sont les pierres sur lesquelles la légende de la Citadelle s'est construite, je doute fort que quelqu'un l'apprenne un jour.

Et maintenant, y a-t-il des questions? ajouta-t-il sur un ton qui trahissait son désir secret qu'il n'y en ait pas.

Ses petits yeux furtifs balayèrent les visages de ses ouailles, qui continuaient de contempler l'immense forteresse en cherchant une question à poser. En général, personne n'en trouvait, ce qui signifiait qu'ils auraient encore une vingtaine de minutes pour errer aux alentours, acheter quelques souvenirs et prendre quelques photos ratées avant de se retrouver à l'autocar pour se rendre ailleurs. Le guide s'apprêtait à les en informer quand une main se leva pour pointer vers le ciel.

—Qu'est-ce que c'est que ce truc? demanda un homme rougeaud d'une cinquantaine d'années, avec un fort accent du nord de l'Angleterre. Ce machin, là, qui ressemble à une croix ?

— Eh bien, comme je vous l'ai déjà dit, la Citadelle ne comporte aucune croix dans sa...

Le guide s'arrêta net. Il plissa les yeux pour mieux voir.

Là-haut, sur le sommet totalement nu de l'antique forteresse, se dressait une croix minuscule.

— Vous savez, je ne... je ne suis pas sûr de ce que ça peut être...

Il n'alla pas plus loin. De toute façon, plus personne ne l'écoutait. Tous s'efforçaient de mieux distinguer ce qui se trouvait au sommet de la montagne.

Le guide fit comme eux. L'objet semblait se balancer légèrement. On aurait dit la lettre « T ». Un oiseau, ou un effet d'optique ?

— Un homme ! C'est un homme ! s'écria quelqu'un, dans un autre groupe non loin d'eux.

Le guide se tourna vers lui et vit un touriste d'une quarantaine d'années, sans doute hollandais d'après son accent, qui examinait l'écran de sa caméra vidéo.

— Regardez !

L'homme se recula pour que d'autres puissent partager sa découverte.

Le guide regarda l'écran par-dessus leurs épaules. La caméra était réglée sur le zoom maximal et l'on pouvait voir l'image instable d'un homme vêtu d'une sorte de robe de bure verte. Ses longs cheveux blond foncé flottaient dans le vent autour de son visage barbu, mais il se tenait parfaitement immobile au bord du sommet, les bras écartés, la tête baissée, évoquant une croix humaine – ou une image vivante et solitaire du Christ.

9

Au milieu des collines s'élevant à l'ouest de Ruine, dans un verger qui avait donné ses premiers fruits à la fin du Moyen Âge, Kathryn Mann menait en silence un petit groupe de six personnes, toutes vêtues d'une même combinaison blanche en toile épaisse, avec un chapeau à larges bords d'où pendait un voile de gaze noire qui leur couvrait le visage et leur descendait jusqu'aux épaules. Dans la lumière du matin, on aurait dit des druides se rendant à un sacrifice.

Ils arrivèrent enfin devant un fût recouvert d'une bâche, et Kathryn entreprit de retirer les pierres qui la maintenaient en place. Le groupe la regarda faire en silence. L'humeur joyeuse qui avait régné dans le minibus, tandis qu'ils se frayaient un chemin à l'aube dans les rues désertes, s'était depuis longtemps dissipée. Kathryn retira la dernière pierre et quelqu'un lui tendit l'enfumoir. D'habitude, plus il faisait chaud et plus les abeilles étaient actives, et plus il fallait de fumée pour les calmer. Mais là, malgré la chaleur qui commençait à monter, Kathryn pouvait déjà voir que cette ruche n'était pas différente des précédentes. On n'y entendait aucun bourdonnement, et la brique rouge qui leur servait de perchoir était vide.

Elle se contenta de vaporiser un peu de fumée au fond de la ruche et souleva la bâche. Huit baguettes de bois étaient disposées à intervalles réguliers sur les bords du fût. C'était un modèle très simple de ruche, qu'on pouvait fabriquer à partir de n'importe quels matériaux de récupération, comme c'était le cas pour celle-ci. Cette expédition dans le verger devait servir de démonstration pratique des techniques de base de l'apiculture, un savoir-faire que les bénévoles qui l'accompagnaient pourraient utiliser dans les différentes régions du monde où ils seraient affectés dans les mois prochains. Mais lorsqu'ils s'étaient mis à ouvrir et examiner les ruches, l'une après l'autre, une découverte des plus troublantes avait commencé à se faire jour.

Une fois la fumée dissipée, Kathryn souleva délicatement une des baguettes et se tourna vers le groupe. Un bloc de forme irrégulière y était accroché, des alvéoles presque entièrement dépourvues de miel. Jusqu'à il y a peu encore, la ruche avait été prospère. À présent, à part une poignée d'ouvrières récemment écloses qui se déplaçaient sans but apparent sur la surface cireuse, la ruche était vide.

— Un virus ? fit une voix d'homme de sous l'un des voiles de gaze.

— Non, répondit Kathryn en secouant la tête. Regardez…

Ils se rapprochèrent en cercle autour d'elle.

— Quand une ruche est infectée par le CPV ou l'APV, les virus de la paralysie chronique ou aiguë, les abeilles frissonnent et deviennent incapables de voler, de sorte qu'elles meurent dans la ruche ou à proximité. Mais regardez par terre…

Six chapeaux se penchèrent, et le groupe examina l'herbe touffue qui poussait à l'ombre du pommier.

— Rien. Et maintenant, regardez dans la ruche.

Les chapeaux se relevèrent et leurs larges bords se chevauchèrent.

— Si un virus était responsable, le fond de la ruche serait rempli d'abeilles mortes. Elles sont comme nous. Quand elles se sentent malades, elles rentrent chez elles et attendent que ça aille mieux. Mais on ne voit rien de tel ici. Les abeilles ont tout simplement disparu. Mais il y a encore autre chose…

Elle souleva un peu plus la baguette et montra la partie inférieure du bloc de rayons de miel, où les cellules hexagonales étaient couvertes de minuscules opercules de cire.

— Des larves non encore écloses, dit Kathryn. Normalement, les abeilles n'abandonnent pas une ruche où il reste des larves à venir.

— Qu'est-ce qui s'est passé, alors ?

Kathryn reposa la baguette dans la ruche silencieuse.

— Je n'en sais rien, dit-elle. Mais ça se produit un peu partout.

Elle commença à s'éloigner pour rejoindre l'ancienne cidrerie au bord du verger.

— On a signalé ce phénomène en Amérique du Nord, en Europe, et même jusqu'à Taiwan. Pour l'heure, personne n'a réussi à en identifier la cause. La seule chose sur laquelle tout le monde s'accorde, c'est que ça ne fait que s'aggraver.

Arrivée au minibus, elle retira ses gants et les déposa dans un récipient en plastique. Les autres l'imitèrent.

— En Amérique, on désigne ça sous le nom « syndrome d'effondrement des colonies d'abeilles ». Certains pensent que c'est la fin du monde. Einstein a dit que si les abeilles venaient à disparaître de la surface de la Terre il ne nous resterait plus que quatre ans à vivre. Plus d'abeilles, plus de pollinisation. Plus de récoltes. Plus de nourriture. Plus d'humanité.

Elle défit la fermeture de sa protection de gaze et retira son chapeau, révélant un visage ovale au teint clair et des yeux très foncés. Il y avait en elle une sorte de naturel sans âge, un air vaguement aristocratique, et elle suscitait régulièrement des fantasmes chez certains des jeunes gens qui l'accompagnaient, bien qu'elle fût sans doute en âge d'être leur mère… D'une main, elle défit une barrette qui retenait une mèche de cheveux de la couleur du chocolat.

— Et qu'est-ce qu'on fait pour résoudre ça ?

Celui qui avait posé la question était un grand gaillard aux cheveux blonds originaire du Midwest. Il avait cet air que partageaient tous les bénévoles quand ils rejoignaient l'organisation humanitaire pour travailler avec Kathryn : enthousiaste, plein de santé et d'espoir, sans une once de cynisme, rayonnant de toute la bonne volonté du monde. Elle se demanda ce qu'il en serait après un an au Soudan, à regarder les enfants mourir lentement de faim, ou dans la Sierra Leone, à tenter de convaincre les villageois affamés de ne pas labourer les champs de leurs arrière-grands-parents, truffés de mines antipersonnel par les milices de la guérilla.

— On a mené de nombreuses études pour tenter d'établir une corrélation entre les effondrements de colonies et les cultures d'OGM, les nouveaux types de pesticides à base de nicotinoïdes, le réchauffement climatique, les parasites et les infections connues… Il y a même une théorie selon laquelle les ondes émises par les téléphones portables perturberaient les systèmes de navigation des abeilles et leur feraient perdre leurs repères…

Elle se débarrassa de sa combinaison et la laissa tomber par terre.

— Mais vous, qu'est-ce que vous en pensez ?

Kathryn regarda le jeune homme et vit les premiers signes d'un froncement de sourcils sur un visage qui avait à peine connu les soucis.

— Je n'en sais trop rien, répondit-elle. C'est peut-être une combinaison de tous ces facteurs. En fait, les abeilles sont des créatures très simples. Leur société est simple, elle aussi. Mais il ne faut pas grand-chose pour les déstabiliser. Elles savent gérer le stress, mais si la vie devient trop compliquée, au point qu'elles ne reconnaissent plus leur société, il est possible qu'elles l'abandonnent. Elles préfèrent peut-être s'envoler vers la mort plutôt que de continuer à vivre dans un monde qu'elles ne comprennent plus.

Elle leva les yeux. Ils s'étaient tous figés, leurs combinaisons à moitié retirées, et une expression inquiète assombrissait leurs visages juvéniles.

— Bon, fit Kathryn en essayant de détendre l'atmosphère, ne faites pas attention à ce que je dis. Je passe trop de temps sur Wikipédia, voilà tout. Et puis, vous avez vu que ça n'arrive pas à toutes les ruches. Il y en a encore plus de la moitié qui bourdonnent joyeusement. Allez, ajouta-t-elle en tapant dans ses mains – ce qui lui donna aussitôt l'impression d'être une maîtresse de maternelle demandant aux enfants de chanter. Il nous reste des tas de choses à faire. Emballez vos combinaisons et commencez à sortir le matériel. Il va falloir remplacer toutes ces ruches mortes.

Elle ouvrit le couvercle d'une autre caisse en plastique posée sur l'herbe.

— Là-dedans, il y a tout ce dont vous aurez besoin. Des outils, des instructions pour construire une ruche à baguettes, des morceaux de vieilles caisses et des planches. Mais n'oubliez pas : sur le terrain, vous construirez des ruches avec tout ce que vous pourrez récupérer. Ce n'est pas que vous trouverez grand-chose là où vous irez.

Les gens qui n'ont rien ont tendance à ne rien jeter à la poubelle.

Surtout, n'utilisez aucun matériau venant des ruches mortes. Si c'est une sorte de spore ou de parasite qui a détruit la colonie, vous risqueriez de contaminer la nouvelle.

Kathryn ouvrit la portière du côté conducteur. Il fallait qu'elle prenne un peu de distance. La plupart des bénévoles venaient de milieux aisés et instruits, ce qui signifiait qu'ils étaient pleins de bonne volonté mais plutôt dépourvus d'esprit pratique. Ils allaient passer des heures à discuter de la meilleure façon de faire les choses, au lieu de simplement retrousser leurs manches et de s'y mettre. La seule façon de les guérir était de les jeter dans le grand bain et de les laisser apprendre par eux-mêmes.

— Je reviendrai dans une demi-heure pour voir où vous en êtes. Si vous avez besoin de moi, je serai dans mon bureau.

Elle claqua la portière avant qu'ils aient pu lui poser d'autres questions.

Elle entendit le bruit des outils qu'ils triaient et le premier dans ce qui s'annonçait comme une longue série de débats théoriques. Elle alluma la radio. Si elle entendait ce qu'ils se disaient, son instinct maternel finirait par la pousser à intervenir, et ça n'irait pas dans le bon sens. Une fois qu'ils seraient sur le terrain, elle ne serait plus là pour les aider.

Une station locale couvrit le bruit des conversations avec des infos sur la circulation et les grands titres de l'actualité. Kathryn prit sur le siège à côté d'elle une grosse enveloppe en papier kraft. Sur la couverture était inscrit un seul mot – *Ortus* –, à côté d'un logo représentant une fleur à quatre pétales avec la Terre en son centre.

L'enveloppe contenait un rapport technique détaillant un projet complexe visant à irriguer et à replanter une portion d'un désert créé par des déforestations illégales dans le delta de l'Amazone. Il fallait qu'elle décide aujourd'hui si l'organisation caritative avait les moyens d'y participer. Il lui semblait, et cela même si les dons atteignaient un niveau historique, qu'il y avait de plus en plus de régions du monde qui avaient besoin d'être soignées.

« ... donc, disait le commentateur sur le ton un peu amusé qu'on réserve aux faits divers après avoir parlé des choses sérieuses, si vous allez au centre de Ruine aujourd'hui, attendez-vous à une grosse surprise – un individu déguisé en moine a réussi à grimper au sommet de la Citadelle ! »

Kathryn leva les yeux de son document et regarda fixement la petite radio incrustée dans le tableau de bord.

« Pour l'instant, nous ignorons s'il s'agit d'une opération publicitaire, poursuivit le journaliste, mais il est apparu ce matin, peu après l'aube, et il étend maintenant les bras pour former une sorte de... de croix humaine. »

Kathryn sentit son estomac se serrer. Elle tourna la clé de contact et enclencha la première. Elle avança jusqu'à l'une de ses assistantes en baissant la vitre.

— Il faut que je retourne au bureau, lui dit-elle. Je serai de retour dans une heure.

La jeune fille hocha la tête, avec une expression un peu inquiète, comme si elle craignait d'être abandonnée, mais Kathryn n'y prêta pas attention. Son regard était déjà fixé devant elle, sur la brèche dans la haie qui permettait de rejoindre la grand-route qui la ramènerait à Ruine.

10

À mi-hauteur entre la foule qui se rassemblait et le sommet de la Citadelle, l'Abbé était assis devant l'âtre aux braises rougeoyantes, fatigué par une longue nuit passée à attendre des nouvelles fraîches. Il regardait l'homme qui venait enfin de lui en apporter.

— Nous pensions que la face est était impraticable, dit Athanase en se passant la main sur son crâne chauve.

— Eh bien, nous aurons au moins appris quelque chose cette nuit, n'est-ce pas ?

L'Abbé jeta un coup d'œil par la grande fenêtre, dont le soleil commençait à éclairer les antiques vitres vert et bleu. Cela ne contribua en rien à dissiper son humeur.

— Ainsi donc, dit-il enfin, nous avons un moine renégat qui se tient au sommet de la Citadelle, dans une position qui forme un symbole provocant et qui a sans doute déjà été vu par des centaines de touristes, et Dieu sait qui encore, et nous ne pouvons ni l'en empêcher ni le récupérer…

— C'est exact, acquiesça Athanase. Mais, tant qu'il est là-haut, il ne peut parler à personne, et il faudra bien qu'il finisse par redescendre, car sinon, où pourrait-il aller ?

— Il peut aller au diable ! cracha l'Abbé. Et le plus tôt sera le mieux.

— Voici comment je vois la situation, insista Athanase, qui savait par expérience que la meilleure façon d'affronter la mauvaise humeur de l'Abbé était de l'ignorer. Il n'a ni nourriture ni eau. Il n'y a qu'un chemin pour redescendre de la montagne, et même s'il attend la nuit, les caméras à infrarouge le repéreront dès qu'il aura atteint les premiers remparts. Nous avons des capteurs au sol et des gardes à l'extérieur chargés de l'appréhender. De plus, il est piégé à l'intérieur du seul bâtiment au monde dont personne n'a jamais réussi à s'échapper.

L'Abbé lui lança un regard préoccupé.

— Ce n'est pas exact, dit-il.

Athanase resta muet d'étonnement. L'Abbé poursuivit:

— Des gens se sont échappés. Pas récemment, mais certains y sont parvenus. Avec une histoire aussi longue que la nôtre, c'était… inévitable. Bien sûr, ils ont toujours été capturés et réduits au silence – au nom de Dieu –, ainsi que tous les malheureux avec qui ils pouvaient avoir été en contact lors de leur séjour hors de nos murs.

Il vit qu'Athanase pâlissait.

— Le Sacrement doit être protégé, lâcha l'Abbé.

L'Abbé avait toujours trouvé regrettable que son chambellan n'ait pas l'estomac assez solide pour assumer les charges plus complexes de leur ordre. C'est pour cette raison qu'Athanase portait encore le marron des guildes inférieures, plutôt que le vert foncé d'un Sanctus pleinement ordonné. Et pourtant, son zèle et son dévouement étaient tels que l'Abbé oubliait parfois qu'il n'avait pas appris le secret de la montagne et qu'une grande partie de l'histoire de la Citadelle lui était inconnue.

— La dernière fois que le Sacrement a été menacé, reprit l'Abbé en fixant les cendres grises dans la cheminée comme si le passé y était écrit, c'était pendant la Première Guerre mondiale. Un jeune novice a sauté par une fenêtre et a plongé dans les douves. C'est pourquoi nous les avons vidées. Heureusement, il n'était pas encore pleinement ordonné, et il ignorait le secret de notre ordre. Il a réussi à atteindre la France occupée avant que nous ne parvenions à… le rattraper. Dieu était avec nous. Quand nous l'avons retrouvé, le champ de bataille avait fait le travail à notre place.

Il releva les yeux vers Athanase.

— Mais c'était une époque différente, où l'Église avait de nombreux alliés, où le silence pouvait facilement être acheté et les secrets gardés. C'était avant que l'Internet permette à n'importe qui d'envoyer une information à des millions de gens en un instant. Aujourd'hui, nous ne pourrions plus cacher un incident de ce genre. C'est pourquoi nous devons faire en sorte qu'il ne se reproduise plus.

Il jeta de nouveau un coup d'œil par la fenêtre, maintenant pleinement éclairée par le soleil. Le motif du paon brillait de verts et de bleus chatoyants – un symbole archaïque du Christ et de l'immortalité.

— Frère Samuel connaît notre secret, conclut simplement l'Abbé. Il ne doit pas quitter cette montagne.

11

Liv appuya sur le bouton de la sonnette et attendit.

Elle se trouvait devant une jolie maison, dans un lotissement récent de Newark, à quelques rues de Baker Park. L'homme qui habitait là, Myron, était technicien de laboratoire à l'université d'État, toute proche. De petites barrières marquaient les limites de chaque propriété et longeaient les chemins dallés menant à chaque porte d'entrée. Quelques mètres carrés de pelouse les séparaient de la rue. Le rêve américain en miniature. Si elle avait eu un autre genre d'article à écrire, Liv aurait utilisé cette image pour en tirer quelque chose de poignant. Mais elle n'était pas venue pour ça.

Elle entendit un bruit dans la maison, des pas lourds sur un sol glissant, et elle s'efforça de prendre une expression qui ne traduise pas le sentiment de solitude absolue qu'elle éprouvait depuis sa veillée silencieuse dans Central Park. La porte s'ouvrit, révélant une jolie jeune femme tellement enceinte qu'elle bloquait pratiquement l'entrée.

— Vous devez être Bonnie, dit Liv d'une voix enjouée qui devait appartenir à quelqu'un d'autre. Je suis Liv Adamsen, de l'*Inquirer*.

Le visage de Bonnie s'éclaira.

— La journaliste des bébés !

Elle ouvrit la porte toute grande et lui fit signe d'entrer dans le couloir beige clair immaculé.

Liv n'avait jamais rien écrit de sa vie sur les bébés, mais elle laissa passer la remarque. Elle se contenta de garder un sourire crispé tandis que Bonnie l'entraînait dans sa kitchenette impeccablement équipée, où un homme au visage juvénile était en train de faire du café.

— Myron, mon chéri, c'est la journaliste qui va faire un article sur l'accouchement.

Liv lui serra la main. Elle commençait à avoir des crampes aux joues à force de sourire. Elle n'avait qu'une idée en tête : rentrer chez elle, ramper sous la couette et pleurer. Au lieu de quoi elle examina la pièce, notant les murs crème et tous les objets soigneusement disposés – les bougies parfumées mêlant leur odeur de rose à celle du café, les paniers en osier qui ne contenaient que du vide –, le genre d'articles qu'on vend par trois devant les caisses chez Ikea.

— C'est ravissant, chez vous…

Elle savait que c'était ce qu'il fallait dire. Elle pensa à son propre appartement envahi par les plantes et l'odeur du terreau. «Une cabane de jardinier avec un lit», comme l'avait appelé un de ses ex. Pourquoi ne pouvait-elle pas vivre comme tout le monde, heureuse et satisfaite ? Elle jeta un coup d'œil au jardin impeccablement soigné, un carré d'herbe bordé de cyprès qui domineraient la maison d'ici deux étés s'ils n'étaient pas élagués régulièrement. Deux des arbres commençaient déjà à jaunir. La nature se chargerait peut-être elle-même du travail. C'était sa connaissance des plantes, et en particulier de leurs vertus médicinales, qui avait valu à Liv de se voir confier cet article.

«Adamsen, vous connaissez bien les plantes et tout ce bazar…»

La conversation avait démarré sur ce mode assez prosaïque quand Rawls Baker, propriétaire et directeur du *New Jersey Inquirer*, l'avait coincée dans l'ascenseur au début de la semaine. Sans bien savoir comment, elle s'était retrouvée avec pour mission d'écrire deux mille mots sous le titre «Accouchement naturel – comme la Nature l'a voulu ?» pour la page santé du supplément du dimanche, alors que son domaine journalistique habituel était la rubrique des affaires criminelles… Il lui était arrivé de faire un papier sur le jardinage, mais elle n'avait jamais rien écrit en rapport avec la médecine, avait-elle tenté de faire valoir.

«Pas vraiment grand-chose à voir avec la médecine, avait répondu Rawls en sortant de l'ascenseur. Trouvez-moi simplement quelqu'un qui soit suffisamment sain d'esprit mais qui ait quand même envie d'accoucher dans une piscine ou dans une clairière, sans analgésiques à part des extraits de plantes, et mélangez l'aspect humain avec quelques infos factuelles. Et débrouillez-vous pour que ce soit une citoyenne honorable. Je ne veux pas entendre parler de foutus hippies. »

Liv avait déniché Bonnie grâce à ses contacts habituels. La jeune femme était agent de la circulation dans la police de l'État du New Jersey, et on pouvait difficilement imaginer moins hippie que ça. Il était difficile de pratiquer le « peace and love » dans le cauchemar quotidien de l'échangeur du New Jersey. Et pourtant, elle était maintenant là, radieuse sur son canapé en L, tenant la main de son laborantin de mari et parlant avec passion de l'accouchement naturel.

Oui – c'était son premier enfant, ou plutôt ses premiers enfants, car elle attendait des jumeaux.

Non – elle ne savait pas leur sexe. Ils préféraient que ce soit une surprise.

Oui – Myron avait émis quelques réserves, avec ses idées scientifiques et tout ça, et *non* – elle avait bien envisagé les méthodes obstétriques classiques, mais puisque les femmes avaient accouché pendant des siècles sans l'aide de la médecine moderne, elle était convaincue que c'était mieux pour les bébés de laisser les choses suivre leur cours naturel.

— C'est elle qui va avoir les bébés, avait ajouté Myron avec sa gentillesse d'adolescent en caressant les cheveux de sa femme et en lui souriant affectueusement. Elle n'a pas besoin que je lui dise ce qu'elle doit faire.

Quelque chose dans l'intimité et l'abnégation touchantes de cet instant perça l'armure de Liv, et à son grand désarroi elle sentit des larmes couler sur ses joues.

Elle s'excusa auprès de Bonnie et Myron, qui s'étaient aussitôt précipités pour la réconforter, et réussit à se reprendre suffisamment pour terminer l'interview, en se sentant coupable d'avoir apporté le sombre nuage de sa tristesse dans le sanctuaire lumineux de leur vie simple.

Elle rentra directement chez elle et se jeta tout habillée sur son lit défait, en écoutant le gargouillis du système d'irrigation qui arrosait les plantes dont son appartement était envahi. Ces plantes qui lui permettaient, en un sens, de croire qu'elle partageait sa vie avec d'autres êtres vivants. Elle repensa aux événements de la journée et s'enveloppa de sa couette en frissonnant, persuadée que la glace de sa solitude ne pourrait jamais fondre et qu'elle ne pourrait jamais connaître la chaleur d'une existence comme celle de Bonnie et de Myron.

12

Kathryn Mann engagea le minibus dans une petite cour derrière une grande maison et s'arrêta dans un nuage de poussière. Ce quartier situé à l'est de la ville était encore connu sous le nom de quartier des Jardins, bien que les vastes pelouses qui lui avaient valu ce surnom aient disparu depuis longtemps. Même vue de l'arrière, la maison dégageait encore une aura de grandeur passée. Elle était bâtie dans la même pierre couleur de miel que l'église et une bonne partie de la vieille ville, où l'on pouvait encore la distinguer par endroits sous les épaisses couches noires dues à la pollution.

Kathryn se glissa à bas de son siège et s'avança vers la maison en passant devant une série d'arceaux – vides, pour l'heure – servant à garer les vélos et scellés là où un puits fournissait autrefois de l'eau potable. Elle sortit maladroitement son porte-clés de sa poche. Elle était encore tremblante d'avoir frôlé plusieurs fois l'accident tant elle conduisait distraitement. Elle finit par trouver la bonne clé et ouvrit la petite porte de service.

L'intérieur de la maison était frais et sombre après l'éclat du soleil printanier. La porte se referma derrière elle lorsqu'elle composa le code pour neutraliser le système d'alarme. Elle s'engagea rapidement dans le couloir plongé dans la pénombre et se retrouva dans la lumière du hall de réception, à l'avant du bâtiment.

Une série d'horloges sur le mur derrière le comptoir d'accueil, permettaient de savoir l'heure qu'il était à Rio, New York, Londres, Delhi, Jakarta –, partout où l'organisation caritative avait des bureaux. Il était huit heures moins le quart à Ruine, encore trop tôt pour que la plupart des gens aient commencé leur journée de travail. Le silence qui flottait par l'élégant escalier de bois lui confirma qu'elle était seule. Elle en gravit les marches quatre à quatre.

C'était une maison de cinq étages assez étroite, dans le style de nombre de bâtisses médiévales, et les marches grincèrent sous ses pas tandis qu'elle passait devant les portes vitrées des bureaux qui occupaient les quatre premiers étages. En haut de l'escalier, il y avait une autre porte, renforcée par de lourds panneaux d'acier. Elle la poussa et entra dans ses appartements privés. Chaque fois qu'elle en franchissait le seuil, elle avait l'impression de remonter dans le temps. Les murs étaient lambrissés et peints en gris clair, le salon était rempli de mobilier ancien. La seule note moderne était apportée par un petit poste de télévision à écran plat posé sur une table basse chinoise dans un coin de la pièce.

Kathryn prit la télécommande sur la chauffeuse et la braqua vers le poste tout en s'approchant d'une bibliothèque intégrée au mur du fond. Les étagères allaient du sol au plafond et étaient remplies de la meilleure littérature que pouvait offrir le XIXᵉ siècle. Elle appuya sur le dos d'un *Jane Eyre* relié de cuir noir et avec un léger clic le quart inférieur pivota, révélant un profond placard qui contenait un coffre-fort, un fax, une imprimante – tout le nécessaire de la vie moderne. Sur l'étagère du bas, posée sur une pile de revues de décoration, il y avait la paire de jumelles que son père lui avait offerte pour ses treize ans, la première fois qu'il l'avait emmenée en Afrique. Elle les prit et se dirigea vers une lucarne aménagée dans le plafond mansardé. Une nuée de pigeons s'envolèrent lorsqu'elle l'ouvrit et y passa la tête. À travers les jumelles, elle vit une confusion de tuiles rouges et de ciel bleu jusqu'à ce qu'elle les braque enfin sur le monolithe noir qui se dressait à quelque cinq cents mètres à l'ouest. Des images commencèrent à défiler sur l'écran derrière elle, et elle put entendre la fin d'un reportage sur le réchauffement climatique. Kathryn cala ses coudes sur le rebord de la fenêtre et commença à remonter lentement le long de la Citadelle vers son sommet.

Elle le vit enfin.

Les bras écartés, la tête baissée.

C'était une image qui lui était familière. Elle l'avait vue toute sa vie, mais taillée dans la pierre au sommet d'une autre montagne, à l'autre bout du monde. Dès l'enfance, on lui en avait inculqué la signification. Et maintenant, après des générations d'action collective pour tenter de déclencher la série d'événements qui changeraient le destin de l'humanité, voici qu'elle se déployait sous ses yeux, par la volonté d'un homme agissant seul. Tout en essayant de maîtriser le tremblement de ses mains, elle entendit le présentateur annoncer les grands titres :

« Dans la prochaine demi-heure, nous aborderons la réunion au sommet sur le réchauffement climatique et ferons le point sur la situation des marchés financiers, et nous vous révélerons comment l'antique forteresse de la ville de Ruine a finalement été conquise ce matin… Mais d'abord, quelques messages publicitaires… »

Kathryn jeta un dernier coup d'œil à la vision extra-ordinaire, puis elle redescendit de sa lucarne pour aller voir comment le reste du monde allait réagir.

13

La télé passait une pub pour une voiture de sport quand Kathryn s'installa sur le vieux canapé. Elle jeta un coup d'œil au bas de l'écran qui indiquait l'heure : huit heures vingt-huit, soit quatre heures vingt-huit du matin à Rio. Elle appuya sur une touche du téléphone et l'écouta débiter une longue série de bips tout en regardant la fin du spot publicitaire, jusqu'à ce que, quelque part sur la face sombre de l'autre côté de la Terre, quelqu'un décroche :

— *Alô ?*

Une voix de femme, calme mais attentive. Kathryn fut soulagée de constater que ce n'était pas la voix de quelqu'un qu'elle aurait tiré du sommeil.

— Mariella, c'est Kathryn. Désolée d'appeler si tard… enfin, si tôt. J'ai pensé qu'il était peut-être déjà réveillé.

Elle savait que son père avait des horaires de plus en plus bizarres.

— *Sim, Senhora*, répondit Mariella. Il est levé depuis déjà un moment. J'ai allumé un feu dans son bureau. Il fait très frais, cette nuit. Quand je l'ai quitté, il lisait.

— Est-ce que je pourrais lui parler ?

— *Certamente*.

Kathryn entendit un froissement de robe et un léger bruit de pas, et elle imagina la gouvernante de son père parcourant le couloir au parquet sombre pour rejoindre la lueur du feu de bois dans le bureau à l'autre bout de la petite maison. Les pas s'arrêtèrent et elle entendit une brève conversation étouffée en portugais avant que le combiné ne change de main.

— Kathryn…

La voix chaleureuse de son père flotta à travers les continents et elle se sentit aussitôt apaisée. Au ton de sa voix, elle sut qu'il souriait.

— Papa…

Elle sourit elle aussi, malgré le poids des nouvelles qu'elle apportait.

— Et quel temps fait-il à Ruine, ce matin ?

— Ensoleillé.

— Il fait froid, ici, dit-il. J'ai fait allumer un feu.

— Je sais, papa, Mariella me l'a dit. Écoute, il se passe quelque chose, ici. Allume ta télé et branche-toi sur CNN…

Elle l'entendit demander à Mariella d'allumer le petit poste dans un coin de son bureau, et elle jeta un bref coup d'œil au sien. Le logo de la station pivotait sur l'écran, puis il fut remplacé par le commentateur. Elle remit le son. Dans son téléphone, elle entendit des bribes d'un jeu télévisé, d'une sitcom et de quelques pubs – le tout en portugais –, et enfin le monologue de la chaîne d'actualités internationales.

Kathryn releva la tête en voyant se préciser l'image derrière le journaliste : c'était celle d'un homme vêtu de vert, debout au sommet de la montagne.

Elle entendit la réaction de son père :

— Mon Dieu, fit-il à voix basse. Un Sanctus…

« Pour l'instant, poursuivait le journaliste, il n'y a eu aucun commentaire de la part des occupants de la Citadelle pour confirmer ou démentir que cet homme ait un lien quelconque avec eux. Mais nous avons avec nous une invitée qui va pouvoir nous éclairer un peu sur ce mystère, spécialiste de Ruine et auteur de nombreux ouvrages sur la Citadelle, le professeur Miriam Anata… »

Le journaliste se tourna dans son fauteuil pour s'adresser à une femme d'une cinquantaine d'années à l'air peu commode. Elle portait un costume bleu marine à rayures et un simple tee-shirt blanc. Ses cheveux argentés étaient coupés court, en une masse asymétrique.

— Professeur Anata, comment interprétez-vous les événements de ce matin ?

— Je crois que nous assistons à quelque chose d'extraordinaire, répondit-elle en penchant la tête en avant pour fixer le journaliste de ses yeux bleus glacés par-dessus ses lunettes en demi-lune. Cet homme n'a rien à voir avec les moines qu'on aperçoit parfois occupés à réparer les remparts ou les vitraux. Sa soutane est verte et non

55

marron, ce qui est très significatif. Un seul ordre porte cette couleur, et ses membres ont disparu il y a neuf siècles à peu près.

— Et qui sont-ils ?

— On sait très peu de choses sur eux, car ils ont toujours vécu à l'intérieur de la Citadelle, mais, les rares fois où on les a vus, ils étaient très haut sur la montagne, et nous pensons donc que leur ordre est d'un niveau élevé, peut-être chargé de la protection du Sacrement.

Le journaliste posa une main sur son oreillette.

— Je crois que nous pouvons maintenant nous rendre en direct à la Citadelle… »

L'écran afficha une nouvelle image beaucoup plus nette du moine, sa soutane flottant doucement dans la brise, les bras toujours écartés, parfaitement immobile.

— Oui, fit le commentateur. Le voilà, au sommet de la Citadelle, faisant le signe de la croix avec son corps.

— Ce n'est pas une croix, chuchota Oscar dans le téléphone tandis qu'un zoom arrière révélait la hauteur terrifiante de la montagne. Le signe qu'il fait est celui du Tau.

Dans son bureau sur les collines à l'ouest de Rio de Janeiro, dans la douce lueur du feu de bois, Oscar de la Cruz gardait les yeux fixés sur l'écran. Ses cheveux parfaitement blancs formaient un contraste saisissant avec sa peau foncée, hâlée et tannée par plus d'une centaine d'étés. Mais, malgré son grand âge, ses yeux noirs étaient encore vifs et brillants, et son corps trapu rayonnait toujours d'une énergie inlassable. On aurait dit un général enchaîné à son bureau en temps de paix.

— Qu'en penses-tu ? murmura la voix de sa fille à son oreille.

56

Il réfléchit à la question. Il avait passé la plus grande partie de sa vie à attendre qu'un événement de ce genre se produise, ainsi qu'une grande partie à œuvrer dans ce sens… et voilà maintenant qu'il ne savait pas trop quoi faire.

Il se leva péniblement de son fauteuil et s'approcha des portes-fenêtres qui donnaient sur une terrasse dont les dalles brillaient faiblement dans le clair de lune.

— Ça n'a peut-être aucune signification particulière, dit-il enfin.

Il entendit sa fille pousser un profond soupir.

— Tu le crois vraiment ? demanda-t-elle avec une franchise directe qui le fit sourire.

Il lui avait appris à toujours tout mettre en question.

— Non, avoua-t-il. Non, pas vraiment.

— Alors ?

Il hésita un instant, presque effrayé d'exprimer à voix haute les pensées qui s'agitaient dans sa tête et les sentiments qui habitaient son cœur. Il porta son regard à travers le bassin jusqu'au sommet du Corcovado, où O Cristo Redentor, la statue du Christ Rédempteur, écartait les bras et baissait les yeux avec béatitude sur les habitants de Rio encore endormis. Il avait aidé à sa construction, dans l'espoir qu'il annoncerait la nouvelle ère. La statue était effectivement devenue aussi célèbre qu'il l'avait espéré, mais c'était tout. Il repensa au moine, debout au sommet de la Citadelle, à l'attitude de cet homme qui faisait le tour du monde en moins d'une seconde, transportée par les médias… Et cette attitude était la même que celle qu'il avait mis neuf ans à reproduire, avec de l'acier, de la pierre et du béton. Il porta la main à son cou, toujours protégé par un pull à col roulé.

— Je crois que la prophétie est peut-être en train de se réaliser, chuchota-t-il. Je pense que nous devons nous préparer.

14

Le soleil brillait maintenant de tous ses feux au-dessus de la ville de Ruine. Samuel regardait les ombres raccourcir le long du boulevard à l'est, jusqu'au pied des montagnes rouges à l'horizon. C'est à peine s'il sentait la douleur qui brûlait dans ses épaules d'avoir maintenu les bras écartés aussi longtemps.

Cela faisait un moment qu'il avait remarqué l'activité en contrebas, les foules qui se rassemblaient et l'arrivée des équipes de télévision. Le murmure de leur présence flottait parfois jusqu'à lui, porté par les courants ascendants, et ils semblaient alors étrangement proches. Mais il ne pensait qu'à deux choses : la première était le Sacrement, et la seconde le visage de la femme de son passé. Tandis qu'il dégageait son esprit de tout le reste, les deux semblaient se fondre en une seule image puissante, qui le calmait et le réconfortait.

Il jeta un coup d'œil par-dessus le bord, au-delà de l'escarpement qu'il avait dû escalader quelques heures plus tôt – il avait l'impression qu'il y avait des jours de cela –, jusqu'aux douves asséchées, à plus de trois cents mètres en contrebas.

Il glissa les pieds dans les fentes qu'il avait découpées au bas de sa soutane, puis il passa les pouces dans deux fentes similaires au bout de ses manches. Il écarta les jambes et sentit l'étoffe de son habit se tendre sur son corps et tirer sur ses mains et ses pieds. Il jeta un dernier coup d'œil en bas. Il sentit le souffle des courants ascendants tandis que le soleil du matin réchauffait la terre. Il entendit le bruit des conversations apportées par la brise qui se renforçait. Il se concentra sur l'endroit qu'il avait choisi, juste au-delà du mur, où un groupe de touristes se tenait près d'un minuscule carré d'herbe verte.

Il déplaça légèrement son poids.

Il se pencha en avant.

Et s'élança dans le vide.

Il lui fallut trois secondes pour franchir la distance dont l'escalade lui avait pris des heures d'une grande souffrance. Des ondes de douleur parcouraient ses bras et ses jambes épuisés tandis qu'il s'efforçait de maintenir l'étoffe de sa soutane déployée dans le vent. Il gardait les yeux fixés sur le carré d'herbe, comme s'il pouvait l'atteindre par la seule force de sa volonté.

Il entendait à présent des cris par-dessus le hurlement du vent dans ses oreilles. Il tendit les bras de toutes ses forces pour augmenter la résistance et s'efforça d'incliner son corps vers l'avant pour corriger sa trajectoire. Il vit des gens s'éparpiller autour du carré d'herbe qu'il visait et qui se précipitait vers lui. Plus proche, maintenant, encore plus proche…

Il sentit une forte traction sur sa main droite alors que la fente de sa manche se déchirait. L'absence soudaine de résistance le fit pivoter et il s'engagea dans une vrille. Il réussit à saisir la manche qui flottait et la tendit de nouveau. Le vent la lui arracha aussitôt. Il était trop faible.

C'était trop tard. La vrille s'accentua. Le sol était trop proche. Il bascula sur le dos…

Et atterrit dans un affreux craquement d'os qui se brisent à deux mètres du muret de la douve, juste à côté de la petite étendue d'herbe, les bras toujours écartés et les yeux contemplant le ciel bleu sans un nuage. Les cris qui avaient commencé dès qu'il s'était jeté du haut de la montagne avaient maintenant gagné toute la foule. Ceux qui étaient tout près de lui détournèrent les yeux ou, au contraire, regardèrent avec une fascination horrifiée le sang qui commençait à s'étaler sous son corps et s'écoulait dans les crevasses des dalles blanchies par le soleil, imprégnant l'étoffe de sa soutane déchirée et lui donnant une teinte sombre et sinistre.

15

Kathryn Mann retint son souffle en regardant l'événement se dérouler en direct à la télévision. Un instant, le moine se tenait fermement au sommet de la Citadelle. L'instant d'après, il avait disparu… L'image sautilla tandis que le cameraman tentait de suivre la chute, puis elle fut remplacée par celle du commentateur s'efforçant de meubler alors que la plupart des spectateurs semblaient sous le choc. Kathryn avait déjà traversé la pièce pour braquer de nouveau ses jumelles sur la Citadelle. La vue agrandie du sommet désert et le lointain mugissement des sirènes lui apportèrent la confirmation dont elle avait besoin.

Elle reprit le téléphone posé sur le canapé et appuya sur la touche *bis*, avec une sensation d'engourdissement. Le répondeur se déclencha aussitôt, et elle entendit la voix grave et réconfortante de son père lui demandant de laisser un message. Elle composa alors son numéro de portable, en se demandant où il avait bien pu partir aussi soudainement. Mariella devait être avec lui, sinon elle aurait décroché. Elle bascula directement sur la messagerie.

— Le moine est tombé, dit-elle simplement.

En raccrochant, elle s'aperçut qu'elle avait les larmes aux yeux. Cela faisait si longtemps qu'elle attendait ce signe, comme l'avaient fait des générations avant elle. Et maintenant, il semblait que ce fût encore une aube trompeuse. Elle jeta un dernier coup d'œil vers le sommet désert, puis elle rangea les jumelles dans le placard secret et tapa une séquence de quinze chiffres sur le clavier du coffre-fort. Au bout de quelques secondes, il y eut un faible déclic.

Une boîte de la taille d'un ordinateur portable et trois fois plus épaisse était posée derrière la porte en titane à l'épreuve des explosifs, enchâssée dans un écrin de mousse de polystyrène grise. Kathryn l'en dégagea et l'emporta jusqu'à la chauffeuse.

La résine de polycarbonate, un matériau d'une solidité extraordinaire, ressemblait à de la pierre. Kathryn dégagea les fixations cachées qui maintenaient le couvercle en place. Deux fragments d'ardoise étaient posés à l'intérieur, l'un au-dessus de l'autre. De faibles marques étaient gravées à la surface. Elle regarda ces deux objets qui lui étaient si familiers. Ils avaient été soigneusement détachés d'une veine par une main préhistorique. Ces symboles gravés, bien antérieurs à ceux de la Bible, étaient tout ce qui restait d'un livre très ancien et ne pouvaient donner qu'une faible idée de ce qu'il avait contenu. Cette langue était connue sous le nom de « malan », celui de l'ancienne tribu de Mala – les ancêtres de Kathryn. Dans la pénombre, elle examina les lignes familières :

C'était la forme sacrée du Tau, adoptée par les Grecs pour leur lettre « t » mais antérieure à l'invention du langage, symbole du soleil et du plus ancien des dieux. Pour les Sumériens, c'était Tammuz. Les Romains l'appelaient Mithra, tandis qu'il était Attis pour les Grecs. Ce symbole était si sacré qu'on le plaçait sur les lèvres des pharaons d'Égypte quand on les initiait aux grands mystères. Il représentait la vie, la résurrection et le sacrifice du sang. C'était le symbole que le moine avait formé avec son corps et montré au monde entier du haut de la Citadelle.

Kathryn relut les mots, en les traduisant mentalement cette fois, rapprochant leur signification du puissant symbolisme et des événements de ces dernières heures.

Le vrai signe de la croix apparaîtra sur la terre
Tous le verront en un seul instant, émerveillés
La croix tombera
La croix se relèvera
Pour ouvrir le Sacrement
Instaurant un nouvel âge

Sous la dernière ligne, elle pouvait distinguer le haut d'autres symboles, mais l'ardoise avait été brisée à cet endroit et il était impossible de les reconstituer.

Les deux premières lignes étaient assez simples à interpréter.

Le vrai signe de la croix était le signe du Tau, bien plus ancien que la croix des chrétiens, et il était apparu sur la Terre au moment où le moine avait écarté les bras.

Tous l'avaient vu, en un seul instant, à travers le réseau d'actualités international. Tous s'étaient émerveillés de cet événement extraordinaire et sans précédent, et personne ne savait ce qu'il signifiait.

Arrivée là, Kathryn hésita. Elle savait que le texte était incomplet, mais elle ne pouvait aller plus loin.

La croix était effectivement tombée, comme l'annonçait la prophétie, mais la croix avait été un homme…

Elle regarda par la fenêtre. La Citadelle mesurait trois cent cinquante mètres de sa base jusqu'au sommet, et le moine était tombé le long de la paroi verticale.

Comment pouvait-on se relever d'une telle chute ?

16

Tenant serré contre sa poitrine une liasse de papiers, Athanase frappa à la porte dorée des appartements de l'Abbé. N'obtenant pas de réponse, il se glissa à l'intérieur et constata avec soulagement que la pièce était vide. Cela signifiait que, pour l'instant du moins, il n'aurait pas à discuter avec l'Abbé des raisons pour lesquelles le problème de frère Samuel n'avait pas été réglé. Cela ne lui avait apporté aucune joie. Frère Samuel avait été l'un de ses amis les plus proches avant qu'il choisisse la voie des Sancti et disparaisse pour toujours dans les hauteurs isolées de la montagne. À présent, il était mort.

Il s'approcha du bureau et y déposa ses documents, en les répartissant en deux piles. La première concernait les informations quotidiennes sur le fonctionnement interne de la Citadelle, l'inventaire des provisions et le planning des opérations de maintenance et de réparation. La seconde, beaucoup plus épaisse, comprenait les rapports sur les vastes intérêts de l'Église au-delà des murailles de la Citadelle – les découvertes récentes effectuées sur des sites archéologiques répartis dans le monde entier, les résumés d'articles théologiques et de livres soumis à publication. Il y avait même parfois des propositions pour des émissions de télévision ou des documentaires. La plus grande partie de ces informations provenait de divers organismes officiels financés ou même détenus entièrement par l'Église, mais certaines avaient été glanées par l'immense réseau d'informateurs qui œuvraient en silence dans tous les secteurs de la société moderne, et qui faisaient autant partie de la tradition et de l'histoire de la Citadelle que les prières et les sermons constituant la journée de dévotion ordinaire.

Athanase jeta un coup d'œil au premier document de la pile. C'était un rapport transmis par un agent du nom de Kafziel – l'un des espions les plus prolifiques de l'Église. On avait découvert des fragments d'un manuscrit ancien dans les ruines d'un temple sur un site en Syrie, et il recommandait de procéder immédiatement à une «A & I» – Acquisition et Investigation – afin d'apprendre quelle menace il pouvait contenir et de la neutraliser aussitôt.

Athanase secoua la tête. Encore un objet d'une antiquité inestimable qui se retrouverait sans doute enfermé dans la pénombre de la grande bibliothèque. Dans la Citadelle, ses sentiments sur cette politique n'étaient un secret pour personne. Avec frère Samuel et le père Thomas – qui avait imaginé et mis en œuvre tant d'améliorations dans le fonctionnement de la bibliothèque –, il avait fait valoir l'idée que la thésaurisation des connaissances et la censure d'idées nouvelles étaient le signe d'une Église affaiblie dans un monde moderne et ouvert. Tous les trois, ils avaient souvent évoqué en privé le jour où l'immense réservoir de connaissances de la Citadelle pourrait être partagé avec l'extérieur, pour la plus grande gloire de Dieu et le bien de l'humanité. C'est alors que Samuel avait choisi de suivre l'antique chemin secret des Sancti, et Athanase ne pouvait s'empêcher de penser que tous leurs espoirs étaient morts avec lui. Tout ce à quoi Samuel avait pu être associé lors de son séjour dans la Citadelle serait désormais suspect.

Il sentit des larmes perler au coin de ses yeux en regardant ces piles de documents et en imaginant les informations qu'ils recevraient dans les semaines à venir :

des rapports interminables concernant le moine qui était tombé, et la façon dont le monde percevait cet événement.

Il se glissa hors de la pièce en s'essuyant les yeux d'un revers de main et retourna dans le labyrinthe creusé dans la montagne. Il lui fallait trouver un endroit plus intime où il pourrait donner libre cours à ses émotions.

La tête baissée, il marchait d'un pas déterminé dans les tunnels climatisés. Les grandes artères brillamment éclairées laissèrent place à un escalier plongé dans la pénombre menant à un étroit couloir situé sous la grande caverne de la cathédrale. De part et d'autre, une succession de portes donnaient sur des petites chapelles privées. Tout au bout du passage, une bougie allumée était posée dans un creux taillé à même la roche à côté d'une de ces portes, indiquant que la pièce était déjà occupée. Athanase y entra. Les flammes des quelques cierges votifs qui éclairaient la pièce vacillèrent quand il referma la porte, et la lumière se refléta sur le plafond bas taché de suie et sur la croix en forme de T posée dans une niche creusée dans le mur du fond. Un homme vêtu d'une simple soutane noire était agenouillé devant elle, plongé dans ses prières.

Le prêtre commença à tourner la tête, mais Athanase n'avait pas besoin de voir son visage pour savoir qui il était. Il s'agenouilla à côté de lui et le prit soudain dans ses bras, avec l'énergie du désespoir. Le bruit de ses sanglots fut étouffé par l'étoffe épaisse de la soutane de son compagnon. Ils se tinrent ainsi pendant de longues minutes, sans parler, unis dans un même profond chagrin. Enfin, Athanase s'écarta et regarda le visage rond et pâle du père Thomas, ses yeux bleus brillant d'intelligence, ses cheveux noirs légèrement dégarnis, ses tempes grisonnantes et ses joues mouillées de larmes qui reflétaient la lumière des cierges.

— J'ai le sentiment que tout est perdu.

— Nous sommes encore là, frère Athanase. Et ce dont nous avons discuté tous les trois dans cette pièce, cela n'est pas perdu.

Athanase réussit à sourire, réconforté par les paroles de son ami.

— Et au moins, poursuivit le père Thomas, nous pouvons nous souvenir de Samuel tel qu'il était vraiment. Même si les autres ne le feront pas.

17

L'Abbé se tenait au centre de la *Capelli Deus Specialis* – la Chapelle du Saint Secret de Dieu –, tout en haut de la montagne. C'était un petit espace au plafond bas, une sorte de crypte. Il y faisait cependant si sombre qu'il était difficile de se faire une idée de ses dimensions. Elle avait été taillée dans le roc par les fondateurs de la Citadelle et n'avait pas été modifiée depuis : les murs portaient encore les marques des outils primitifs utilisés. L'Abbé sentait encore flotter dans l'air l'odeur métallique du sang de la cérémonie de la veille. Elle montait des rigoles creusées dans le sol qui brillaient à la faible lueur de la bougie. Il les suivit des yeux pour remonter à l'autel où l'on distinguait à peine la silhouette du Sacrement se dressant dans l'obscurité.

Il remarqua au pied de l'autel une nouvelle volute végétale émergeant du sol de pierre, une fine pousse de lierre-de-sang, cette étrange plante rouge qui se développait autour du Sacrement, jaillissant plus vite qu'on ne pouvait la déraciner. La fécondité de cette plante avait quelque chose de dégoûtant. Il allait s'en approcher quand il entendit le grondement sourd de l'énorme porte de pierre qui s'ouvrait derrière lui, déplaçant légèrement l'atmosphère épaisse à l'intérieur de la chapelle et faisant vaciller les flammes des chandelles qui se reflétaient sur les rangées d'instruments accrochés aux murs. Deux hommes entrèrent et la porte se referma derrière eux.

Ils portaient tous deux la longue barbe et la soutane verte de l'ordre du Sacrement, mais il y avait une subtile différence dans leurs attitudes. Le plus petit des deux se tenait légèrement en retrait, les yeux fixés sur l'autre et la main posée sur la croix en forme de T accrochée à sa ceinture. L'autre avait la tête inclinée, les yeux baissés et les épaules voûtées, comme si le poids de sa soutane était trop lourd à porter.

— Eh bien, mes frères ?

— Le corps a atterri au-delà des limites de notre juridiction, dit le plus petit des moines. Nous n'avions aucun moyen de le récupérer.

L'Abbé ferma les yeux et relâcha lentement son souffle. Il avait espéré que les nouvelles amélioreraient son humeur au lieu de l'aggraver. Il rouvrit les yeux et fixa du regard le Sanctus qui ne s'était pas encore exprimé.

— Et maintenant, dit-il d'une voix douce mais chargée de menace, où est-il ?

— À la morgue municipale.

Les yeux du moine ne remontèrent pas plus haut que la poitrine de l'Abbé. Il ajouta :

— Nous pensons qu'ils pratiquent une autopsie…

— Vous *pensez* qu'ils pratiquent une autopsie ! cracha l'Abbé. Ne *pensez* pas qu'ils fassent quoi que ce soit. *Sachez*-le, ou ne dites rien. Ne venez pas dans cette pièce pour me faire part de vos pensées. Quand vous venez ici, apportez-moi seulement la vérité.

Le moine tomba à genoux.

— Pardonnez-moi, frère Abbé, implora-t-il. J'ai failli à mes devoirs envers vous.

L'Abbé regarda avec dégoût l'homme à ses pieds. Frère Gruber était celui qui avait jeté frère Samuel dans la cellule d'où il avait réussi à s'échapper. C'était la faute de Gruber si le Sacrement avait été compromis.

— Vous avez failli à vos devoirs envers nous tous, dit l'Abbé.

Il se retourna et contempla de nouveau le secret de leur ordre. Il sentait presque les yeux du monde se tourner vers la Citadelle, traversant les murailles tels des rayons X dans une quête insatiable de ce qu'elles renfermaient. Il était fatigué, irrité par cette longue nuit d'attente, et il sentait encore ses blessures rituelles sous sa soutane. Elles se cicatrisaient toujours aussi vite, mais il avait remarqué récemment qu'elles le faisaient chaque fois souffrir plus longtemps. L'âge commençait à le gagner – lentement, mais sûrement.

Il ne voulait pas s'emporter contre le moine tremblant à ses genoux. Il voulait simplement en finir avec cette situation, et que le regard capricieux du monde se tourne vers un autre sujet d'intérêt. La Citadelle allait devoir soutenir un siège, comme elle l'avait toujours fait.

— Relevez-vous, dit-il d'une voix douce.

Gruber obéit, les yeux toujours baissés, de sorte qu'il ne vit pas l'Abbé adresser un léger signe de tête au moine derrière lui, ni celui-ci saisir sa Crux et en retirer le haut, révélant la lame étincelante de la dague de cérémonie qui était à l'intérieur.

— Regardez-moi, ordonna l'Abbé.

Tandis que Gruber relevait les yeux pour croiser le regard de l'Abbé, l'autre moine passa rapidement sa lame en travers de la gorge exposée.

— La connaissance est tout, dit l'Abbé en reculant pour éviter d'être éclaboussé par la fontaine de sang jaillissant du cou de Gruber.

Il observa le visage du moine, sur lequel la surprise avait fait place à la confusion tandis qu'il levait la main vers sa gorge tranchée. Il le regarda retomber à genoux, la vie s'écoulant de son corps pour rejoindre les rainures creusées dans le sol.

— Trouvez ce qu'est précisément devenu le cadavre, dit l'Abbé. Contactez quelqu'un au conseil municipal, ou dans le département de la police, qui ait accès aux informations dont nous avons besoin et qui soit prêt à les partager avec nous. Il faut que nous sachions quelles conclusions ont été tirées de la mort de frère Samuel. Nous avons besoin de savoir à quoi les événements de ce matin risquent de conduire. Et par-dessus tout, nous devons récupérer le corps de frère Samuel.

Le moine contempla un instant Gruber qui s'agitait faiblement sur le sol de la chapelle. Les jets de sang rythmés jaillissant de son cou s'atténuaient à chaque battement de son cœur mourant.

— Bien sûr, frère Abbé, dit le petit moine. Athanase a déjà entrepris de traiter les demandes de la presse à travers son intermédiaire à l'extérieur. Et je crois – je veux dire, je *sais* qu'il y a déjà eu un contact avec la police.

L'Abbé crispa la mâchoire en sentant de nouveau les yeux du monde braqués sur lui.

— Tenez-moi informé, dit-il. Et envoyez-moi Athanase.

Le moine hocha la tête.

— Bien sûr, frère Abbé. Je vais faire passer le message que vous souhaitez le voir dans vos appartements…

— Non.

L'Abbé s'approcha de l'autel et arracha le lierre-de-sang jusqu'à la racine.

— Pas là-bas, dit-il.

Il leva les yeux vers le Sacrement. Son chambellan n'était pas un Sanctus et n'en connaissait donc pas l'identité, mais, pour qu'il soit efficace dans la gestion de la situation actuelle, il allait devoir en savoir un peu plus sur ce à quoi ils avaient affaire.

— Dites-lui de me rejoindre dans la grande bibliothèque.

Il se dirigea vers la porte en jetant la plante sur le cadavre de frère Gruber.

— Il me trouvera dans la crypte interdite.

Il saisit une barre fixée à la porte et pesa dessus de tout son poids. Le grondement de la pierre frottant contre la pierre résonna dans la chapelle tandis que l'air frais de l'antichambre s'infiltrait par l'ouverture. L'Abbé jeta un dernier coup d'œil par-dessus son épaule au corps de Gruber, dont le visage formait une tache pâle au milieu de la mare de sang dans laquelle dansaient les reflets des bougies.

— Et débarrassez-moi de ça, ajouta-t-il.

Puis il se retourna et quitta la pièce.

18

Les bureaux de l'officier de police judiciaire étaient situés dans les sous-sols d'un bâtiment de pierre qui avait été, au fil des époques, un dépôt de poudre et de munitions, un entrepôt de glace, une réserve de poisson puis de viande, et même, pendant une brève période au XVIe siècle, une prison. Sa solidité et la fraîcheur qui régnait dans ses sous-sols étaient parfaites pour le nouveau département de médecine légale que le conseil municipal avait décidé de créer à la fin des années 1950.

Dans l'une de ces caves voûtées réaménagées, sur l'une des trois tables d'autopsie d'un modèle ancien en céramique, reposait le corps brisé de frère Samuel, sous l'éclairage cru des plafonniers et les regards attentifs de deux hommes.

Le premier était le Dr Bartholomew Reis, médecin légiste résident dont la blouse blanche – la marque de sa profession – recouvrait les atours noirs de sa tribu sociale. Il était arrivé d'Angleterre quatre ans plus tôt, dans le cadre d'un programme d'échanges internationaux entre services de police. Les formalités administratives avaient été facilitées par le fait que son père était turc et qu'il avait la double nationalité. Il était censé rester six mois, mais il ne s'était jamais décidé à repartir. Ses longs cheveux, également noirs, par le miracle de la chimie plus que par celui de la nature, encadraient son mince visage au teint pâle comme une paire de rideaux à moitié ouverts. Cependant, malgré cet aspect sombre, Reis était connu de tous les policiers de Ruine comme le plus joyeux médecin légiste qu'on ait jamais vu. Comme il se plaisait à le répéter, il avait trente-deux ans, gagnait bien sa vie, et alors que la plupart des amateurs de romans gothiques rêvaient simplement de vivre parmi les morts, lui-même en avait fait une réalité.

L'autre homme semblait beaucoup moins à l'aise. Un peu en retrait derrière Reis, il mâchait une barre de céréales qu'il avait retrouvée au fond de sa poche. Plus grand que Reis, il donnait l'impression de se tasser et son costume gris pendait sur des épaules voûtées par le poids de près de vingt années de service dans la police. Ses épais cheveux noirs, parsemés de fils d'argent, étaient ramenés en arrière et dégageaient un visage plein d'intelligence qui réussissait à paraître à la fois amusé et triste. Une paire de lunettes en demi-lune perchées sur son long nez en bec d'aigle complétait l'image d'un homme qui ressemblait plus à un professeur d'histoire fatigué qu'à un inspecteur de la brigade criminelle.

David Arkadian était une personnalité un peu à part au sein de la police de Ruine. À ce stade avancé de sa carrière, ses capacités indéniables auraient dû normalement le hisser au grade d'inspecteur en chef, ou mieux encore. En fait, il avait passé la plus grande partie de sa vie de policier à regarder une succession ininterrompue d'hommes moins compétents obtenir des promotions tandis qu'il restait lui-même noyé dans la masse des inspecteurs anonymes qui comptaient les jours les séparant de la retraite. Si Arkadian valait beaucoup mieux que cela, il avait fait très tôt un choix professionnel qui avait projeté une ombre démesurée sur la suite de sa carrière.

Une chose très simple, en vérité : il avait rencontré une femme, il en était tombé amoureux et il l'avait épousée.

Il était déjà assez rare pour un inspecteur d'être heureux en ménage, mais Arkadian avait fait encore plus fort : la femme qu'il avait épousée exerçait le métier de prostituée lorsqu'il l'avait rencontrée, à une époque où il était encore sous-inspecteur à la brigade des mœurs. Elle avait accepté de témoigner contre les hommes qui l'avaient fait venir de ce qu'on appelait encore le bloc de l'Est et l'avaient réduite en esclavage. La première fois qu'il lui avait parlé, il avait pensé que c'était la personne la plus courageuse, la plus belle et la plus terrorisée qu'il ait jamais connue. Il avait été chargé de s'occuper d'elle jusqu'à ce que l'affaire passe en jugement. Il plaisantait souvent en disant qu'il devrait demander le paiement de toutes les heures supplémentaires qu'il lui avait consacrées, car, douze ans plus tard, il continuait de le faire. Durant tout ce temps, il avait réussi à la désintoxiquer des drogues que ces hommes lui avaient fait prendre pour l'asservir, il avait payé ses études en vue d'obtenir un diplôme d'enseignante et l'avait rétablie dans l'existence qu'elle aurait dû normalement avoir dès le départ. Dans son cœur, il savait que c'était ce qu'il avait fait de mieux dans sa vie, mais dans sa tête il connaissait le prix que cela lui avait coûté. Un policier de haut rang ne pouvait être marié avec une ancienne prostituée, même totalement réhabilitée.

C'est ainsi qu'il végétait à un rang subalterne, où il risquait moins d'attirer l'attention du public, se voyant parfois confier une enquête digne de ses capacités mais récupérant le plus souvent les affaires embarrassantes auxquelles aucun policier de plus haut rang ne voulait toucher.

À présent, il regardait le corps disloqué du moine, et les verres de ses lunettes agrandissaient ses yeux marron tandis qu'il notait les détails. L'équipe technique qui avait soigneusement examiné son corps à la recherche d'indices éventuels l'avait laissé habillé. La soutane verte en étoffe grossière était sombre de tout le sang coagulé. Les bras, restés si longtemps écartés pour faire le signe de la croix, étaient maintenant repliés sur les côtés. Et le double anneau de corde qui avait entouré son poignet droit était soigneusement posé à côté de sa main déchirée.

Arkadian examinait ce spectacle macabre en fronçant les sourcils. Ce n'était pas qu'il eût une quelconque réticence à se trouver là en cet instant – il avait vu plus que sa part d'autopsies au cours de sa carrière –, mais il se demandait simplement pourquoi on lui avait demandé d'assister à celle-ci.

Reis remit une mèche de cheveux noirs sous son bonnet de chirurgien, puis entra quelques données sur l'ordinateur posé sur un chariot à côté de lui et ouvrit un nouveau fichier.

— Que pensez-vous du garrot ? demanda-t-il.

Arkadian haussa les épaules.

— Il envisageait peut-être de se pendre avec, et aura finalement jugé que c'était trop banal.

Il fit une boulette de l'emballage de sa confiserie et la lança à travers la pièce. Elle rebondit sur le bord de la corbeille à papiers, finit sa course sous une paillasse. La journée se présentait décidément bien mal. Il jeta un coup d'œil sur l'écran de télévision accroché au mur du fond. La chaîne d'infos sélectionnée repassait la séquence du moine au sommet de la montagne.

— Ça, c'est nouveau pour moi, dit-il en allant récupérer son emballage. D'abord regarder l'émission de télé, ensuite disséquer le cadavre.

Reis sourit et fit pivoter l'écran de l'ordinateur vers lui. Il prit un casque sans fil accroché derrière et le mit sur sa tête, puis il plaça le petit micro devant sa bouche avant d'appuyer sur un carré rouge dans un coin de l'écran. Le carré se mit à clignoter : un fichier MP3 commença à enregistrer l'autopsie.

19

Oscar de la Cruz était assis au fond de la chapelle privée, vêtu de son éternel pull blanc à col roulé sous une veste de lin marron foncé. La tête légèrement baissée, il priait en silence pour le moine, sans savoir s'il était déjà mort. Puis il ouvrit les yeux et balaya du regard cet endroit qu'il avait aidé à construire soixante-dix ans plus tôt.

Il n'y avait aucun ornement dans la chapelle, pas même une fenêtre. La lumière douce qui l'éclairait provenait d'un réseau de lampes cachées dont l'intensité augmentait à mesure qu'on levait les yeux – une astuce architecturale destinée à attirer le regard vers le haut. C'était une idée qu'il avait empruntée aux grandes cathédrales gothiques européennes. Après tout, l'Europe leur avait volé beaucoup plus, à son peuple et à lui…

Une vingtaine de personnes se livraient là à la méditation, d'autres oiseaux de nuit comme lui, des membres de la congrégation secrète qui avaient entendu les informations et étaient venus ici pour prier et pour réfléchir à ce que le signe pouvait représenter pour eux et leurs frères. Oscar en reconnaissait la plupart et en connaissait très bien quelques-uns. Bien sûr, cette chapelle n'était pas destinée à tout le monde, et peu de gens en connaissaient l'existence.

Mariella était assise à côté de lui, plongée dans ses propres contemplations et murmurant une prière dans un langage plus ancien que le latin. Quand elle eut fini, son regard croisa celui d'Oscar.

— Tu priais pour quoi ? demanda-t-il.

Elle se contenta de sourire et de regarder le grand Tau suspendu au-dessus de l'autel. Pendant toutes ces années où ils étaient venus ici, elle n'avait jamais répondu à sa question.

Il repensa à sa première rencontre avec la petite fille de huit ans, qui avait rougi quand il lui avait adressé la parole. La chapelle était encore toute récente, et la statue dans laquelle elle avait été construite portait tous les espoirs de leur tribu. À présent, un homme à l'autre bout du monde les tenait tous dans ses bras tendus.

— Quand vous avez construit cet endroit, lui murmura Mariella en ramenant son attention sur la pièce silencieuse, avez-vous vraiment cru que cela changerait les choses ?

Oscar réfléchit à la question. C'est lui qui avait suggéré la statue du Christ Rédempteur, et il avait joué un rôle crucial en la finançant. L'idée avait été présentée au peuple brésilien comme un grand symbole de leur nation catholique, mais il s'était agi en réalité d'une tentative de réaliser l'antique prophétie d'une religion beaucoup plus ancienne.

Le vrai signe de la croix apparaîtra sur la terre
Tous le verront en un seul instant, émerveillés

Quand la statue avait enfin été révélée aux médias du monde entier, après neuf ans de construction, des images en avaient été diffusées à travers la planète. Ça ne s'était pas fait exactement « en un seul instant », mais tous l'avaient vue, et le concert de louanges qui avait suivi témoignait de l'émerveillement ressenti.

Mais il ne s'était rien passé.

Au cours des années qui avaient suivi, la renommée de la statue n'avait cessé de grandir, mais toujours sans qu'il se passe quoi que ce soit – ou du moins pas ce qu'Oscar avait espéré. Il n'avait réussi qu'à créer un site touristique pour le Brésil. Sa seule consolation était qu'il avait également pu construire une chapelle secrète dans les fondations de l'immense statue, taillée dans la roche en une sorte de réplique de la Citadelle, une église sans montagne.

— Non, dit-il en réponse à la question de Mariella. J'*espérais* que cela changerait les choses, mais je ne peux pas dire que j'y aie cru.

— Et le moine ? Pensez-vous qu'il y parviendra ?

Il la regarda.

— Oui, fit-il. Oui, je le crois.

Mariella se pencha vers lui et l'embrassa sur la joue.

— Voilà ce pour quoi je priais, dit-elle. Et maintenant, je vais prier pour que vous ayez raison.

Il y eut soudain de l'agitation du côté de l'autel.

Un petit groupe de fidèles s'y était rassemblé et le bruit de leurs chuchotements animés résonnait dans la chapelle comme une brise qui se lève. L'un d'eux s'écarta et s'engagea dans l'allée. Oscar reconnut Jean-Claude

Landowski, le petit-fils du sculpteur français qui avait érigé la structure dans laquelle ils étaient en train de se recueillir. Il s'arrêta près de chaque fidèle en prière pour lui murmurer quelques mots d'un air solennel.

Oscar observait la réaction de chacun des interlocuteurs de Jean-Claude quand il sentit la main de Mariella serrer la sienne. Il n'avait pas besoin d'entendre les mots pour savoir ce qui se disait.

20

— Très bien, dit Reis de son ton le plus professionnel. Dossier numéro 18694/E. Il est dix heures dix-sept. Les participants sont moi-même, docteur Bartholomew, du bureau de police judiciare, et l'inspecteur David Arkadian, de la police urbaine de Ruine. Le sujet est un homme blanc de type caucasien non identifié, âge estimé vingt-cinq ans. Taille…

Reis dégagea le double mètre incorporé à la table et le déroula d'un coup sec.

— … un mètre quatre-vingt-huit. L'examen visuel préliminaire est compatible avec les témoignages oculaires, détaillés dans le dossier, d'un corps qui a subi des traumatismes majeurs consécutifs à une chute d'une grande hauteur.

Reis fronça les sourcils et posa le doigt sur le carré rouge clignotant pour interrompre l'enregistrement.

— Dites-moi, Arkadian, lança-t-il, pourquoi vous a-t-on mis sur cette affaire ? Ce type s'est jeté du haut d'une montagne et il en est mort. Je ne vois pas bien dans tout ça ce qui peut nécessiter la présence d'un détective…

Arkadian relâcha lentement son souffle et projeta l'emballage froissé directement dans la corbeille. Puis il se dirigea vers une petite table où trônaient une cafetière et tout le nécessaire pour une petite pause café.

— Une question intéressante, dit-il en versant du café dans deux mugs. Apparemment, notre ami ici présent n'a pas choisi la méthode la plus discrète pour se suicider…

Il prit le pack de lait et en versa la plus grande partie dans l'un des mugs.

— Notre homme ne s'est pas contenté de se jeter du haut d'*une* montagne. Vous savez à quel point ceux qui nous dirigent ont horreur des affaires qui semblent, comment pourrait-on dire… «contraires à l'esprit de famille». Ils craignent que de tels incidents ne dissuadent les gens de venir visiter notre merveilleuse cité, ce qui aurait un impact désastreux sur les ventes de tee-shirts du Saint-Graal et d'autocollants «Vraie Croix du Christ». Et ils n'aiment pas ça du tout. Il faut donc qu'ils donnent l'impression de tout mettre en œuvre pour réagir à un incident aussi tragique.

Reis hocha lentement la tête.

— Et c'est pour ça qu'ils mettent un inspecteur sur le coup…

Il but une gorgée de café au lait.

— Exactement, fit Arkadian. Comme ça, ils peuvent tenir une conférence de presse et annoncer qu'après avoir déployé toute l'expertise et la diligence des forces de police ils sont en mesure d'affirmer qu'un type déguisé en moine s'est jeté du haut de la Citadelle et qu'il s'est tué. À moins, bien sûr, que *vous* ne découvriez autre chose.

Reis but une autre gorgée de son café tiédasse et rendit son mug à Arkadian.

— Ma foi, dit-il en appuyant sur le bouton rouge pour reprendre l'enregistrement, nous allons bien voir.

21

Kathryn Mann était assise à son bureau au deuxième étage de la maison, entourée de piles de documents rédigés dans plusieurs langues. Comme toujours, sa porte était ouverte et elle pouvait entendre des bruits de pas dans les couloirs, des sonneries de téléphone et des bribes de conversations tandis que les gens commençaient leur journée de travail.

Elle avait envoyé quelqu'un au verger pour y récupérer les bénévoles. Elle voulait rester seule un moment avec ses pensées et ses émotions, et elle ne se sentait pas capable pour l'instant d'affronter une nouvelle discussion sur les abeilles mortes. En pensant à la mort du moine et aux ruches vides, elle se mit à frissonner. Les anciens avaient une grande prédilection pour les présages révélés par le comportement inhabituel des animaux. Elle se demanda ce qu'ils auraient pensé des événements surnaturels qui se produisaient aujourd'hui dans le monde : la fonte des calottes glaciaires, le climat tropical dans des zones jusqu'ici tempérées, des marées et des ouragans sans précédent, des récifs de corail empoisonnés par l'acidité des mers, la disparition des abeilles… Ils auraient cru à la fin du monde.

Elle avait devant elle le rapport récupéré dans le minibus. Il n'avait guère contribué à égayer son humeur. Elle n'en avait lu que la moitié et savait déjà que le projet dépasserait leurs capacités de financement. C'était peut-être encore un de ces petits morceaux du monde qu'ils allaient devoir laisser dépérir et mourir. Elle regardait les diagrammes et les courbes soigneusement annotées décrivant les coûts d'investissement initiaux et les projections dans le futur, mais dans son esprit elle revoyait les symboles taillés dans les fragments d'ardoise et la forme que dessinait le moine avant sa chute.

— Vous avez vu les infos ?

Surprise, Kathryn releva la tête et vit le visage souriant d'une jeune femme svelte qui se tenait sur le seuil. Elle essaya de se souvenir de son nom, mais il défilait tellement de gens dans le bâtiment qu'elle avait du mal à tous les mémoriser. Rachel, peut-être – ou Rebecca ? Envoyée ici par une université anglaise pour un stage de trois mois…

— Oui, répondit Kathryn, j'ai vu.

— Il y a des embouteillages incroyables, là-bas. C'est pour ça que je suis en retard.

— Ce n'est pas grave, dit Kathryn en se replongeant dans son dossier.

Les nouvelles de ce matin, si lourdes de signification pour elle, n'étaient manifestement qu'une source de gêne pour la plupart des gens – un simple sujet de conversation qui serait vite oublié.

— Hé, ça vous dirait, un café ? demanda la jeune femme.

Kathryn releva les yeux vers ce visage aux traits paisibles, et le nom lui revint soudain à l'esprit.

— Ce serait formidable, Becky, dit-elle.

Le visage de la jeune femme s'éclaira.

— Super !

Elle se retourna en faisant voler sa queue-de-cheval et partit en courant vers la cuisine.

La plus grande partie du travail de l'organisation était effectuée par des bénévoles comme Becky. Des gens de tous âges, prêts à donner librement leur temps non par obligation religieuse ou par patriotisme, mais simplement parce qu'ils aimaient leur planète et voulaient faire quelque chose pour la préserver. C'était ce que faisait l'organisation caritative : elle apportait de l'eau là où les terres étaient devenues arides, et elle plantait des arbres et des cultures là où ils avaient été dévastés par la guerre ou empoisonnés par les activités industrielles. Cependant, ce n'était pas ainsi qu'Ortus avait démarré, et ce n'était pas le travail qu'elle avait toujours fait.

Le téléphone sonna.

— Ortus. Puis-je vous aider ? dit-elle en s'efforçant d'avoir un ton enjoué.

— Kathryn.

C'était la voix chaleureuse d'Oscar, et elle se sentit aussitôt un peu mieux.

— Hello, papa ! Où étais-tu ?

— Je priais.

— Tu as entendu la nouvelle ?

Elle ne savait pas très bien comment formuler la question. Elle reprit :

— Tu sais que… que le moine…

— Oui, dit-il, je suis au courant.

Elle ravala sa salive en s'efforçant de contenir ses émotions.

— Ne te désespère pas, dit son père. Nous ne devons jamais perdre espoir.

— Mais comment faire autrement ?

Elle jeta un coup d'œil vers la porte et poursuivit, en baissant la voix :

— La prophétie ne peut plus se réaliser. Comment la croix pourrait-elle se relever ?

Le craquement de parasites sur la ligne remplit le long silence avant que son père réponde enfin :

— Des gens sont revenus du royaume des morts. Regarde dans la Bible.

— La Bible est pleine de mensonges. C'est toi qui me l'a appris.

— Non, ce n'est pas ce que je t'ai appris. Je t'ai parlé d'erreurs particulières et délibérées. Il reste encore beaucoup de choses dans la Bible officielle qui sont vraies.

La ligne redevint silencieuse, à part le sifflement de la liaison à longue distance.

Elle aurait vraiment voulu le croire, mais dans son cœur elle sentait que continuer d'espérer aveuglément que tout irait bien n'était pas très différent de fermer les yeux en croisant les doigts.

— Tu penses vraiment que la croix va se relever ?

— Elle pourrait bien. Je reconnais que c'est difficile à croire, mais si tu m'avais dit hier qu'un Sanctus sortirait de nulle part pour grimper au sommet de la Citadelle et faire le signe du Tau, j'aurais trouvé ça tout aussi difficile à croire. Et pourtant, c'est bel et bien ce qui s'est passé.

Elle ne pouvait le prendre en défaut. Il était rare qu'elle y arrive. C'est pour cela qu'elle aurait aimé pouvoir lui parler quand elle avait appris la nouvelle. Peut-être qu'elle n'aurait pas sombré dans une telle mélancolie…

— Alors, dit-elle, à ton avis, que devrions-nous faire ?

— Nous devons surveiller le corps. C'est la clé. C'est la croix. Et si jamais il se relève, nous devrons le protéger de ceux qui lui voudraient du mal.

— Les Sancti.

— Je pense qu'ils vont essayer de récupérer le corps le plus tôt possible, et ensuite le détruire afin de mettre fin à la séquence prophétique. En tant que Sanctus, il n'a certainement pas de famille, et personne ne se présentera pour le réclamer.

Ils se turent en songeant à ce qui pourrait se passer dans ces conditions. Kathryn imagina le moine étendu dans l'obscurité d'une pièce sans fenêtres, quelque part dans la Citadelle, tandis que son corps brisé commençait à se réparer lentement, par quelque processus miraculeux. Et puis, émergeant de l'ombre, des silhouettes encagoulées, des hommes vêtus de vert brandissant des dagues et autres instruments de torture…

De l'autre côté du monde, des images similaires défilaient dans l'esprit de son père. Mais elles n'étaient pas un simple effet de son imagination. Il les avait vues de ses propres yeux, et il savait ce dont les Sancti étaient capables.

22

Athanase avait une profonde aversion pour la grande bibliothèque.

Il y avait dans son obscurité anonyme et ses salles labyrinthiques quelque chose de sinistre, qui lui procurait une sensation de claustrophobie. Mais c'était là que l'Abbé l'avait convoqué, et c'était donc là qu'il se rendait maintenant.

La bibliothèque occupait au tiers de la montagne un réseau de cavernes, choisies par les architectes d'origine car elles étaient suffisamment sombres et bien ventilées pour empêcher la lumière et l'humidité d'endommager les manuscrits anciens et les rouleaux de parchemin. À mesure qu'elles se remplissaient de textes d'une valeur inestimable, on avait décidé que la préservation de tels trésors ne pouvait simplement dépendre de la pénombre et d'un courant d'air frais, et on avait entrepris une série d'améliorations. La bibliothèque occupait à présent quarante-deux salles de dimensions diverses qui contenaient une collection unique de livres, sans aucun doute la plus riche au monde. Parmi les théologiens et autres spécialistes religieux de la communauté internationale, une plaisanterie – teintée d'amertume – circulait, selon laquelle c'était la plus grande collection de textes anciens que personne n'avait jamais vus.

Athanase s'approcha de l'entrée, rongé par son habituel sentiment d'inquiétude. La froide lumière bleue d'un scanner balaya la paume de sa main pour vérifier son identité et une porte s'ouvrit en s'enfonçant dans la roche, lui donnant accès à un sas. Il y entra, entendit la porte se refermer derrière lui. Sa sensation de claustrophobie s'accentua. Il savait qu'elle ne le quitterait pas tant qu'il serait dans la bibliothèque. Une lumière clignota au-dessus d'un deuxième scanner, indiquant que le sas procédait aux opérations nécessaires pour s'assurer qu'aucune atmosphère polluée ne l'accompagnerait dans le monde hermétiquement scellé qui l'attendait derrière la dernière porte. Il attendit. Il sentait l'air desséché qui commençait déjà à aspirer l'humidité au fond de sa gorge. La lampe cessa de clignoter. Une deuxième porte s'effaça et Athanase pénétra dans la bibliothèque.

Au moment même où il s'engageait dans l'obscurité, un cercle de lumière apparut et l'enveloppa. Il s'étendait sur un ou deux mètres autour de lui et suivait précisément chacun de ses mouvements, le conservant en son centre tandis qu'il traversait le hall de réception pour rejoindre le passage menant à la partie principale. De même que le système de climatisation – qui maintenait une température constante de vingt degrés Celsius et un taux d'humidité relative de trente-cinq pour cent –, l'éclairage était une merveille de technologie moderne. Il avait été également amélioré au fil des générations : les bougies s'étaient effacées devant les lampes à huile, qui à leur tour avaient cédé la place à l'électricité. Non seulement le système utilisé à présent était le plus avancé au monde, mais il était unique en son genre. Comme la plupart des récentes améliorations techniques, il avait été imaginé et réalisé par un seul homme : le grand ami d'Athanase, le père Thomas.

Dès son arrivée dans la Citadelle, quelque dix ans plus tôt, le père Thomas avait fait l'objet d'un traitement différent de celui réservé au tout-venant. Comme pour la plupart des habitants de la montagne, on ignorait tout de son passé, mais, quoi qu'il ait pu faire dans son existence à l'extérieur, il avait été tout de suite évident qu'il était un expert dans la conservation de documents anciens doublé d'un génie en électronique. Très tôt, il s'était vu accorder une autorité spéciale, par le Prélat en personne, en vue de réaménager de fond en comble la bibliothèque. Cette tâche lui avait pris près de sept années, dont la première avait été consacrée uniquement à expérimenter différentes fréquences lumineuses et à en étudier l'effet sur toute une gamme d'encres et de supports. Le système d'éclairage qu'il avait ensuite conçu était une merveille de simplicité. Il s'était inspiré des premiers érudits qui avaient parcouru les lieux à la lueur d'une seule bougie éclairant leur voisinage immédiat, tandis que le reste de la bibliothèque restait plongé dans le noir.

À l'aide d'une batterie de détecteurs de mouvement, de pression et de chaleur, le père Thomas avait créé un environnement dans lequel chaque visiteur de la bibliothèque était pris en charge par un ordinateur central qui fournissait une étroite colonne de lumière, suffisante pour éclairer les alentours immédiats. Cette lumière l'accompagnait ensuite dans ses déplacements, repoussant constamment les ténèbres sans contaminer les autres zones inoccupées. Le système était d'une telle sensibilité que chaque moine pouvait être identifié par d'infimes différences de température corporelle et de légères fluctuations de l'air dues à sa taille et à son poids. Cela signifiait que non seulement l'ordinateur pouvait suivre les mouvements de chaque visiteur, mais qu'il savait également qui il était et où il allait, fournissant ainsi une sécurité supplémentaire dans l'utilisation que faisaient les moines de la bibliothèque.

Athanase quitta le hall et suivit la succession de minuscules ampoules incrustées dans le sol qui traçaient un chemin dans l'obscurité. Il apercevait parfois d'autres moines se déplaçant telles des lucioles, chacun enveloppé de son halo personnel, de plus en plus indistincts à mesure qu'il s'enfonçait dans les profondeurs de la grande bibliothèque.

L'autre grande innovation du père Thomas avait été de découper la bibliothèque en zones selon des critères d'ancienneté, de types d'encre et de support, et d'ajuster l'éclairage de chacune de ces zones à leurs caractéristiques. Ainsi, tandis qu'Athanase s'aventurait dans des endroits où des textes de plus en plus anciens étaient conservés, son cercle de lumière s'atténuait progressivement, prenant une teinte plus orangée. C'était comme s'il remontait le temps, retrouvant les conditions mêmes qui avaient régné lorsque ces documents avaient été rédigés.

La salle la plus éloignée de l'entrée était la plus petite et la plus sombre de toutes. C'est là qu'étaient entreposés les documents les plus fragiles. Des fragments de parchemin usés par le temps et des mots antiques subsistant à peine sur des morceaux de pierre friable. Dans les rares occasions où la crypte interdite était éclairée, c'était d'une lueur qui évoquait les braises d'un feu mourant.

Seules trois personnes avaient accès à cette pièce : le Prélat, l'Abbé et le père Malachi, le bibliothécaire en chef. D'autres pouvaient se voir accorder par une de ces trois personnes une autorisation spéciale d'y pénétrer, mais c'était rare. Si quelqu'un venait à entrer ici sans une telle autorisation, que ce soit à dessein ou par erreur, les lumières resteraient éteintes tandis qu'une alarme silencieuse alerterait les gardes postés en permanence à l'entrée, et ceux-ci se rueraient aussitôt dans les couloirs sombres pour s'occuper de l'intrus.

Le châtiment traditionnel pour une telle transgression était sévère et toujours infligé en public. Il constituait le moyen le plus efficace pour dissuader quiconque serait tenté par l'aventure. Dans le passé, les coupables avaient été amenés devant le collège des prêtres et des moines. On leur crevait alors les yeux afin d'en extirper ce qu'ils avaient pu voir, on leur arrachait la langue avec des pinces rougies au feu afin qu'ils ne puissent répéter ce qu'ils avaient pu apprendre, et du plomb fondu était versé dans leurs oreilles pour brûler les mots interdits qui auraient pu leur être chuchotés.

Le corps brisé du condamné était alors expulsé de la Citadelle afin de mettre les autres en garde contre les dangers de la désobéissance et de la recherche du savoir interdit. Ce rituel macabre avait donné naissance à l'expression : «Ne rien voir de mal, ne rien entendre de mal, ne rien dire de mal.» Il existait une quatrième partie, moins connue : «Ne pas faire de mal aux autres», un conseil qui semblait incompatible avec l'origine de l'expression.

Comme tous les habitants de la Citadelle, Athanase avait entendu ce qu'on disait du sort réservé à ceux qui s'aventuraient dans la crypte, mais à sa connaissance cela faisait plusieurs siècles que personne n'avait subi ce châtiment. Cela tenait en partie au fait que le monde avait évolué et que de telles manifestations de barbarie n'étaient plus tolérées, mais la vraie raison était que personne n'osait y pénétrer sans l'autorisation nécessaire. Il n'y était entré lui-même qu'une fois, quand il avait été nommé chambellan, et il avait alors formé le souhait que ce serait aussi la dernière…

Tout en s'avançant lentement dans la pénombre, les yeux fixés sur le mince filament lumineux incrusté dans le sol, il s'interrogeait sur le motif de cette convocation. Y avait-il eu une nouvelle découverte effroyable ? Samuel avait peut-être réussi à accéder à la bibliothèque avant d'entreprendre son ascension mortelle. Peut-être même était-il entré dans la crypte interdite, y avait-il volé ou détruit l'un des textes irremplaçables et secrets…

Devant lui, le filet de lumière tournait à droite et disparaissait derrière un mur de pierre invisible. Il marquait l'endroit où le chemin débouchait sur le dernier couloir menant à la crypte la plus éloignée.

Quelle que soit la raison pour laquelle l'Abbé l'avait fait venir, il l'apprendrait bien assez tôt…

23

— La victime présente des signes de lacération et des traumatismes récents aux mains et aux pieds, annonça Reis, plongé dans son examen préliminaire. Les coupures sont nombreuses. Profondes. Jusqu'à l'os, dans certains cas. Il y a des fragments de ce qui semble être de la roche dans certaines des blessures. Je les retire et les mets de côté pour analyse…

Il posa la main sur son micro et se tourna vers Arkadian.

— Il a grimpé là-haut avant de se jeter dans le vide, c'est bien ça ?

Arkadian acquiesça.

— Ils n'ont pas d'ascenseur, là-dedans, du moins à notre connaissance.

Reis examina les mains et les pieds déchiquetés du moine, revit en esprit la masse imposante de la Citadelle.

— Une sacrée escalade, dit-il doucement avant de dégager la main de son micro pour reprendre l'enregistrement. Les coupures sur les mains et les pieds de la victime, bien que récentes, présentent des signes de coagulation avancée, ce qui laisse supposer que les blessures remontent à plusieurs heures avant la mort. Il y a du tissu cicatriciel sur quelques-unes des entailles plus petites, qui recouvrent dans certains cas les fragments de roche. Sur la simple base de l'étendue de cette cicatrisation, je dirais qu'il est resté là-haut plusieurs jours avant de sauter.

Il reposa la main du moine sur la surface glacée de la table de céramique et examina le bras découvert.

— Le morceau de corde fixé au poignet droit de la victime a frotté la peau au point d'en arracher l'épiderme. C'est une corde de chanvre tressée, solide et abrasive…

— C'est également sa ceinture, dit Arkadian.

Reis leva les yeux en fronçant les sourcils.

— Regardez sa soutane, ajouta Arkadian. Là, au niveau de la taille.

Reis examina le vêtement souillé et repéra sur un côté une épaisse boucle de cuir grossièrement cousue, tandis qu'il y avait une déchirure dans le tissu du côté opposé. Il avait remarqué d'autres déchirures dans la soutane, deux au-dessus de l'ourlet du bas et deux au niveau des poignets, mais celle-là lui avait échappé.

— La corde pourrait être la ceinture de la victime, dit-il dans son micro. Il y a plusieurs boucles de cuir autour de la taille, mais il semble en manquer une. Encore une fois, je vais emballer le tout et l'envoyer au labo d'analyses.

Arkadian tendit le bras derrière Reis et appuya sur le bouton rouge clignotant pour suspendre l'enregistrement.

— En d'autres termes, dit-il, notre gars a escaladé la montagne en se servant de sa ceinture, il s'est coupé les mains et les pieds sur les rochers, il est resté suffisamment longtemps au sommet pour que ses blessures commencent à se cicatriser, et il s'est jeté dans le vide dès qu'il y a eu une foule suffisante pour me gâcher ma matinée. L'affaire est bouclée. Et maintenant, malgré le plaisir que j'éprouve à être en votre compagnie, j'ai d'autres affaires moins prestigieuses mais néanmoins méritoires qui m'attendent. Par conséquent, si vous n'y voyez pas d'inconvénient, je vais me servir de votre téléphone et me mettre à mon vrai travail de détective.

Il fit demi-tour et disparut derrière l'éclairage violent de la table d'autopsie.

— Si vous trouvez des indices, ajouta-t-il, faites-moi signe, je suis là pour un bout de temps.

— Comptez sur moi, dit Reis en attrapant une grosse paire de ciseaux. Vous êtes sûr que vous ne voulez pas rester ? Je vais découper ses vêtements. Ce n'est pas tous les jours qu'on peut voir un moine tout nu.

— Reis, vous êtes un vrai malade…

Arkadian décrocha le téléphone en se demandant à laquelle de ses six affaires en cours il allait s'attaquer en premier.

Reis baissa les yeux vers le cadavre en souriant.

— Malade… murmura-t-il. Essayez un peu de faire ce boulot tous les jours, et vous verrez si vous pouvez rester normal !

Il ouvrit ses ciseaux, glissa une des lames sous le col du moine, commença à couper.

Athanase, suivant toujours le filament de lumière, s'engagea dans le long couloir sombre au bout duquel la crypte interdite l'attendait. Si quelqu'un se trouvait devant lui, il ne pouvait le voir. L'éclairage rougeâtre de la pièce n'était pas conçu pour porter loin. Il détestait l'obscurité, et il détestait encore plus le fait de ne pouvoir rien entendre. Thomas lui en avait expliqué un jour la raison – quelque chose à voir avec un signal constant à basse fréquence, inaudible pour l'oreille humaine, qui perturbait toutes les ondes sonores et les empêchait de se propager au-delà du cercle de lumière qui vous entourait. On pouvait donc se trouver à trois mètres de quelqu'un et être incapable d'entendre ce qu'il disait. Ce système garantissait un silence permanent dans la bibliothèque, quand bien même ses quarante-deux salles seraient remplies d'érudits débattant avec passion de questions théologiques. Cela voulait dire aussi que, malgré sa progression rapide et déterminée à travers ces couloirs obscurs, Athanase ne pouvait même pas être réconforté par le bruit de ses propres pas.

Il était à mi-chemin dans le couloir quand il l'aperçut. Brièvement, à la limite de la lumière. Un éclair blanc dans l'obscurité.

Athanase fit un pas de côté. Quelque chose le heurta dans le dos et il pivota sur lui-même. C'était un pan d'étagère en pierre. Il essaya de pénétrer du regard l'obscurité menaçante.

Il la revit. Une silhouette presque indistincte, d'abord, comme un filet flottant dans le noir. Et puis, à mesure que la chose avançait, elle commença à se solidifier et Athanase entrevit la forme décharnée d'un homme qui semblait avoir à peine la force de porter la soutane accrochée à ses épaules osseuses comme une deuxième peau. Quelques rares cheveux pendaient devant ses yeux aveugles. Malgré l'aspect effrayant du moine qui s'approchait lentement de lui, Athanase se détendit.

—Frère Ponti, dit-il dans un souffle. Vous m'avez vraiment fait peur.

Ce vieux moine avait été choisi spécialement pour s'occuper du nettoyage et de l'entretien de la grande bibliothèque, car du fait de sa cécité il n'avait pas besoin de lumière pour travailler. Il tourna la tête en direction de la voix, transperça Athanase de son regard laiteux.

—Je suis désolé, dit-il d'une voix rendue rauque par l'air desséché. J'essaie de rester près des murs pour ne pas me cogner contre les gens, mais cette partie est plutôt étroite, frère… ?

—Athanase.

—Ah, oui, fit-il en hochant la tête. Athanase. Je me souviens de vous. Vous êtes déjà venu ici, n'est-ce pas ? ajouta-t-il avec un geste en direction de la crypte.

—Une fois, répondit Athanase.

—C'est ça.

Frère Ponti hocha la tête comme pour se confirmer la chose.

—Eh bien, dit-il en se tournant vers la sortie, je ne voudrais pas vous retenir. Vous verrez qu'il y a déjà quelqu'un, et à votre place, frère, je ne le ferais pas attendre.

Sur ces mots, il disparut dans les ténèbres.

Il fallut plusieurs minutes à Reis pour découper le tissu imbibé de sang. Il commença par le col et coupa jusqu'au bas de la robe, puis le long de chaque bras, en prenant bien soin de ne pas entamer la peau. Il fit rouler légèrement le corps sur le côté pour dégager le vêtement, qu'il déposa dans un plateau en acier, prêt pour une analyse séparée.

Ce type était vraiment en bonne forme physique… ou du moins l'aurait-il été s'il n'avait pas fait une chute de trois cents mètres, se dit Reis.

Il tapota le carré rouge sur son écran pour reprendre l'enregistrement.

—Mes premières impressions du corps du sujet correspondent à ce qu'on peut s'attendre à voir après une chute d'une grande hauteur : traumatismes majeurs sur le torse, fragments de côtes brisées dépassant en plusieurs endroits du thorax, parfaitement cohérents avec les types de fractures par compression lors de la décélération considérable d'un corps en chute libre percutant le sol…

Le corps est couvert de sang coagulé, épais et sombre, provenant de multiples coupures. Les deux clavicules sont fracturées en plusieurs endroits, la droite ressort à la base du cou. Il semble qu'il y ait également…

Il se pencha pour mieux voir.

— … une sorte d'incision ancienne, uniforme, horizontale, allant d'une épaule à l'autre.

Il saisit le tuyau rétractable suspendu au-dessus de la table d'examen et appuya sur la gâchette, projetant un jet d'eau sur le cou et la poitrine du cadavre pour les débarrasser de la couche de sang poisseuse.

— Nom de Dieu… lâcha le légiste entre ses dents.

Il dirigea le jet vers le reste du corps, d'abord les bras puis les jambes. Il mit encore une fois l'enregistrement sur «pause».

— Hé, Arkadian, lança-t-il par-dessus son épaule sans quitter des yeux le corps livide étendu devant lui. Vous avez dit que vous vouliez un indice… Qu'est-ce que vous pensez de ça?

26

Athanase s'arrêta devant la porte, parfaitement conscient qu'il n'avait pas le droit de pénétrer dans la pièce, tout en se demandant ce qui pourrait se passer s'il entrait néanmoins, sans y avoir été invité.

Il se contenta d'un coup d'œil à l'intérieur.

La silhouette imposante de l'Abbé se dressait dans cet espace étroit. La lumière rouge semblait émaner de lui comme s'il était un démon brillant dans l'obscurité. Il tournait le dos à la porte et ne pouvait donc pas voir Athanase. Il avait les yeux fixés sur un quadrillage de quinze petites niches creusées dans le mur du fond, chacune contenant une boîte faite du même matériau que les boîtes noires des avions. Athanase se souvint de ce que le père Malachi lui avait dit: ces boîtes étaient suffisamment solides pour protéger leur précieux contenu même si la montagne entière s'écroulait sur elles. Il n'en éprouva qu'un médiocre réconfort.

Il baissa les yeux vers la ligne presque invisible tracée dans le sol et imagina un instant de s'avancer dans la pièce sans plus attendre, mais la phrase «Ne rien voir de mal, ne rien entendre de mal» lui vint aussitôt à l'esprit. Il attendit donc, immobile, jusqu'à ce que l'Abbé, soit parce qu'il avait senti sa présence, soit parce qu'il s'étonnait de son absence, se retourne et le regarde fixement. Athanase fut soulagé de voir que le visage de son maître, malgré cette troublante lueur rougeâtre, n'avait pas l'expression d'un homme sur le sentier de la guerre, mais plutôt celle d'un homme pensif qui a un problème à résoudre.

— Entrez, dit l'Abbé.

Il sortit une des boîtes de sa niche et la déposa sur le lutrin placé au centre de la pièce. Sentant qu'Athanase hésitait encore, il lui dit :

— J'ai parlé à Malachi en venant ici. Vous pouvez entrer dans la crypte – au moins pendant une heure.

Athanase obéit et un deuxième halo rouge l'accompagna aussitôt, confirmant que sa présence était – pour l'instant – légitime.

Le lutrin était disposé face à l'entrée, la partie destinée à la lecture tournée de l'autre côté, de sorte que la personne qui se tenait devant pouvait voir une éventuelle lumière qui s'approcherait, et qu'on ne pouvait apercevoir de l'extérieur le livre qu'elle consultait.

— Je vous ai fait venir ici, dit l'Abbé, parce que je veux vous montrer quelque chose…

Il déverrouilla la boîte et en souleva doucement le couvercle.

— Avez-vous une idée de ce dont il s'agit ?

Athanase se pencha en avant et son halo se joignit à celui de l'Abbé pour éclairer un livre relié d'une seule feuille d'ardoise sur laquelle était gravé un symbole – celui du Tau.

Athanase retint son souffle. Il avait su aussitôt ce que c'était, tant par les descriptions qu'il en avait lues que par les circonstances dans lesquelles il le découvrait maintenant.

— Une Bible hérétique, répondit-il.

— Non, le corrigea l'Abbé. Pas *une* Bible hérétique, mais *la* Bible hérétique. C'est le dernier exemplaire existant.

Athanase contempla la couverture en ardoise.

— Je croyais qu'elles avaient toutes été détruites.

— C'est ce que nous voulons que les gens croient. Quel meilleur moyen de les empêcher de chercher un objet que de les persuader qu'il n'existe plus ?

Athanase réfléchit au bien-fondé de cette remarque. C'est à peine s'il avait pensé à ce livre légendaire depuis des années, puisqu'il pensait que c'était exactement ça – une légende. Et pourtant, il était là, à portée de sa main.

— Ce livre, dit l'Abbé entre ses dents, contient treize pages de mensonges venimeux, tortueux et scandaleux. Des mensonges qui osent contredire et pervertir la parole même de Dieu telle qu'elle a été recueillie et notée dans notre vraie Bible.

Athanase regarda la couverture à l'aspect si inoffensif.

— Mais alors, demanda-t-il, pourquoi conserver cet exemplaire, s'il est si dangereux ?

— Parce que, répondit l'Abbé en pointant le doigt vers la boîte, on peut détruire des livres, mais leur contenu parvient toujours à survivre. Et si nous voulons pouvoir confondre et vaincre nos ennemis, il est utile de connaître d'abord leurs pensées. Laissez-moi vous montrer quelque chose…

Il posa le doigt sur le bord de la couverture et l'ouvrit. Les pages à l'intérieur étaient également en ardoise, maintenues ensemble par trois lanières de cuir. Tandis que l'Abbé les tournait, Athanase ressentit la tentation presque irrésistible de lire ce qui était gravé à leur surface. Malheureusement, à la vitesse à laquelle l'Abbé le feuilletait, et dans cette lumière rougeâtre, la tâche était presque impossible. Athanase put voir que chaque page comportait deux colonnes d'un texte très dense, mais il lui fallut un moment avant de remarquer qu'il était rédigé en malan, le langage des premiers hérétiques. Maintenant que son cerveau était en phase, il parvint à en saisir deux fragments. Deux fragments, deux phrases – qui toutes deux ajoutèrent à l'état de choc dans lequel il se trouvait déjà.

—Là, déclara l'Abbé en atteignant la dernière page. Cette partie correspond à notre version de la Genèse. Vous êtes familier avec leur langue bâtarde, je crois?

Athanase hésita, l'esprit encore tremblant sous l'effet des mots interdits qu'il venait juste de lire.

—Oui, réussit-il enfin à dire sans que sa voix le trahisse. Je l'ai… étudiée.

—Eh bien, lisez, dit l'Abbé.

Contrairement aux pages précédentes, la dernière tablette d'ardoise ne comportait que sept lignes de texte, disposées en un calligramme formant le signe du Tau – le même symbole que Kathryn Mann avait regardé deux heures plus tôt. Celui-ci, cependant, était complet:

Le vrai signe de la croix apparaîtra sur la terre
Tous le verront en un seul instant, émerveillés
La croix tombera
La croix se relèvera
Pour ouvrir le Sacrement
Instaurant un nouvel âge
Par sa mort miséricordieuse

Athanase releva les yeux vers l'Abbé. Les pensées se bousculaient dans sa tête.

— Voilà pourquoi je vous ai fait venir ici, dit l'Abbé. Je voulais que vous voyiez de vos propres yeux la façon dont la mort de frère Samuel pourrait être interprétée par nos ennemis.

Athanase examina de nouveau la prophétie. Les trois premières lignes semblaient effectivement une description des remarquables événements de la matinée. C'étaient les quatre autres qui faisaient refluer le sang de son visage. Ce qu'elles suggéraient était considérable, incroyable, inouï…

— Voilà pourquoi nous avons conservé le livre, dit l'Abbé d'un ton solennel. La connaissance est le pouvoir, et savoir ce que croient nos ennemis nous procure un avantage. Je veux que vous gardiez un œil attentif sur le corps de frère Samuel. Car si ces mots pervers contiennent le moindre soupçon de vérité, et s'il est bien la croix mentionnée ici, il pourrait encore se relever – et être considéré par nos ennemis comme une arme à utiliser contre nous.

27

Reis et Arkadian regardaient fixement le corps étendu devant eux, quadrillé d'un réseau complexe de cicatrices livides. Certaines étaient anciennes, d'autres plus récentes – mais toutes infligées délibérément. Dans le décor sinistre de la salle d'autopsie, elles donnaient l'impression que le moine était une sorte de monstre de film d'horreur, un patchwork de différentes parties de cadavres cousues ensemble.

Reis relança l'enregistrement :

— Le sujet présente sur une grande partie du corps un ensemble de cicatrices importantes et uniformes, le résultat d'incisions répétées à l'aide d'un instrument clinique affûté, comme un scalpel ou un rasoir, probablement au cours d'une sorte de cérémonie rituelle.

Il entreprit d'en faire l'inventaire macabre :

— En commençant par la tête… Une ancienne cicatrice entourant entièrement le cou à la jointure avec le torse. Des cicatrices similaires entourent les deux bras à hauteur de l'épaule et les deux jambes au niveau de l'aine. Celle située en haut du bras gauche a été récemment rouverte, mais présente déjà des signes de cicatrisation. L'incision a elle aussi des bords très nets, d'une précision quasi chirurgicale, infligée par une lame extrêmement aiguisée… Également sur le bras gauche, à la jonction du biceps et du triceps, on distingue une cicatrice en forme de T, plus épaisse que les autres, provoquée par des traumatismes thermiques répétés.

Il se tourna vers Arkadian pour ajouter :

— On dirait que ce garçon s'est retrouvé du mauvais côté d'un fer à marquer les bestiaux.

Arkadian regarda le «T» en relief sur le bras du moine, et oublia dans l'instant ses autres affaires en instance. Il saisit l'appareil photo de Reis. L'écran affichait une miniature du moine étendu sur la table d'autopsie. D'une simple pression sur le bouton, l'image fut transférée par Wi-Fi dans le dossier.

— Il y a encore une cicatrice en haut de la cage thoracique et une autre qui la coupe à angle droit, allant du sternum au nombril.

Reis s'interrompit un instant avant de reprendre :

— Par leur forme et leur taille, on dirait l'incision en «Y» que nous pratiquons pour retirer les organes lors d'une autopsie… Quatre lignes perpendiculaires partent de l'aréole gauche, formant une sorte de croix. Elles ne sont pas récentes non plus, et mesurent…

Reis ressortit son mètre.

— … vingt centimètres.

Il se pencha pour mieux voir.

— Il y a une autre croix sur le torse, à droite en bas de la cage thoracique. Elle est différente des autres et mesure… une quinzaine de centimètres en largeur. On voit aussi une cicatrice verticale plus courte, de cinq centimètres. Le tout évoque un crucifix posé sur le côté et légèrement enfoncé. On note des marques d'étirement de la peau tout autour, elle doit donc être très ancienne. Elle n'a pas subi de réouverture rituelle. Elle n'est peut-être pas aussi significative que les autres.

Arkadian prit une autre photo, puis il examina la cicatrice de près. Elle ressemblait exactement à une croix qui serait tombée. Il s'écarta en réfléchissant à une signification possible de ce réseau d'incisions.

103

— Vous avez déjà vu quelque chose comme ça ?

Reis secoua la tête, coupa le micro.

— Je dirais que c'est une histoire de rite d'initiation. Mais comme la plupart de ces cicatrices ne sont pas très récentes, je ne saurais dire si elles ont un rapport avec sa chute.

— Il ne s'est pas contenté de sauter, dit Arkadian.

— Que voulez-vous dire ?

— Dans la plupart des suicides, la mort est l'objectif principal. Mais pas ici. Sa mort était en quelque sorte… secondaire. Je crois que son mobile principal était ailleurs.

Reis haussa les sourcils.

— Quand on se jette du haut de la Citadelle, la mort se situe certainement assez haut dans la liste des priorités.

— Mais pourquoi l'escalader jusqu'au sommet ? Une chute de plus bas aurait largement suffi…

— Il avait peut-être peur de s'en tirer et de se retrouver paralysé. Beaucoup de tentatives de suicide se terminent à l'hôpital plutôt qu'à la morgue.

— N'empêche, imaginez les efforts qu'il lui a fallu fournir pour atteindre le sommet… Il n'avait pas non plus besoin d'attendre. Mais c'est pourtant ce qu'il a fait. Il est resté assis là-haut je ne sais combien de temps, dans le froid glacial, saignant de ses nombreuses blessures, à attendre… quoi ? Que le jour se lève ? Pourquoi a-t-il fait ça ?

— Il voulait peut-être se reposer. Après une escalade pareille, n'importe qui serait complètement épuisé. Il a dû perdre du sang pendant toute l'ascension. Il est possible qu'en arrivant au sommet il se soit écroulé de fatigue et que le soleil ait fini par le ranimer. Et là, il est passé à l'acte.

Arkadian fronça les sourcils.

— Mais ce n'est pas comme ça que les choses se sont passées. Il ne s'est pas simplement réveillé et jeté aussitôt dans le vide. Il est resté là, les bras écartés, pendant au moins deux heures.

Il imita la pose, poursuivit :

— Pourquoi faire une chose pareille s'il voulait simplement en finir avec la vie ? Je suis pratiquement sûr que la nature publique de sa mort a une signification. La seule raison pour laquelle nous avons cette conversation en ce moment, c'est qu'il a attendu d'avoir un public. S'il avait fait son coup au milieu de la nuit, je doute qu'on en aurait même parlé dans les journaux. Il savait exactement ce qu'il faisait.

— Bon, d'accord, concéda Reis. Il souffrait peut-être de ce qu'on ne s'était pas suffisamment intéressé à lui quand il était gamin. Quelle différence ça peut faire ? De toute façon, il est quand même mort.

Arkadian réfléchit à la question.

Quelle différence cela faisait-il ?

Il savait que son patron voulait que cette affaire soit bouclée rapidement et sans douleur. Pour ce faire, il lui suffisait de laisser de côté la curiosité naturelle dont il avait hérité à sa naissance et d'éviter de poser des questions embarrassantes. D'un autre côté, il pourrait aussi bien rendre son badge et se mettre à vendre des appartements de vacances, ou devenir guide touristique.

— Écoutez, dit-il, je n'ai pas demandé qu'on me confie cette affaire. Votre boulot, c'est de déterminer la cause du décès, et le mien c'est de trouver son pourquoi. Et pour ça, il est important d'essayer de comprendre l'état d'esprit de notre homme. En général, les gens qui se jettent dans le vide sont des victimes – des gens qui n'arrivent plus à s'en sortir, et qui prennent le chemin de moindre résistance vers la mort. Mais celui-ci avait du courage. Ce n'était pas une victime classique, et il n'a en aucun cas choisi la facilité. C'est ce qui me fait penser que ses actes avaient une signification pour lui. Et peut-être aussi pour quelqu'un d'autre.

28

Athanase peinait à suivre l'Abbé dans le couloir, leurs halos personnels gagnant en intensité à chaque pas.

— Alors, fit l'Abbé sans ralentir l'allure, dites-moi, qui s'est manifesté du côté de l'enquête ?

— Un… certain inspecteur Arkadian… a été désigné pour s'occuper de l'affaire, répondit Athanase d'une voix essoufflée. Il a déjà demandé à rencontrer quelqu'un qui aurait des informations sur le défunt. J'ai donné pour instruction à nos frères de l'extérieur de dire que cette mort est une tragédie et que nous sommes prêts à apporter toute notre aide.

— Avez-vous mentionné le fait que nous le connaissions ?

— J'ai dit qu'il y avait beaucoup de monde qui vivait et travaillait dans la Citadelle, et que nous allions entreprendre des recherches pour voir si quelqu'un avait disparu. À ce stade, je ne savais pas si nous voulions le déclarer comme étant des nôtres, ou si vous préfériez que nous gardions nos distances.

L'Abbé hocha la tête.

— Vous avez bien fait. Dites à nos services officiels de maintenir le même degré de coopération courtoise, du moins pour l'instant. Il est possible que le problème du corps de frère Samuel se règle sans que nous ayons à intervenir. Une fois que les autorités auront terminé l'autopsie et que personne ne se sera présenté pour réclamer le corps, nous pourrons nous-mêmes proposer de le prendre, en un geste de compassion. Cela montrera au monde entier à quel point notre Église est inspirée par l'amour et la charité, et que nous sommes prêts à accueillir en notre sein une pauvre âme égarée qui a cherché à mettre fin à sa vie d'une façon aussi tragique et solitaire. Nous pourrons ainsi récupérer frère Samuel sans avoir à reconnaître le lien qu'il a avec nous.

L'Abbé s'arrêta et se retourna vers Athanase, qu'il fixa de ses yeux gris.

— Cependant, ajouta-t-il, à la lumière de ce que vous venez de lire, nous devons absolument rester vigilants. Nous ne pouvons rien laisser au hasard. Si l'on signale quoi que ce soit d'inhabituel, nous devons être prêts à récupérer aussitôt le corps de frère Samuel, par tous les moyens.

Il s'interrompit et braqua son regard sur Athanase en fronçant ses sourcils broussailleux.

— De cette façon, si un miracle doit se produire et qu'il se relève, il sera au moins sous notre garde. Quoi qu'il arrive, nous ne pouvons laisser nos ennemis s'emparer de son corps.

— Il sera fait comme vous le souhaitez, répondit Athanase. Mais du coup, si ce que vous m'avez montré est bien le dernier exemplaire du livre, qui d'autre pourrait être au courant de la…

Il hésita, ne sachant pas très bien comment décrire les mots gravés sur la plaque d'ardoise. Il ne voulait pas utiliser le terme « prophétie », car il aurait impliqué qu'il s'agissait de la volonté de Dieu, ce qui aurait été une hérésie en soi.

— Qui d'autre pourrait connaître les détails de cette… prédiction… ?

L'Abbé avait eu un hochement de tête approbateur, en notant la prudence de son chambellan. Cela lui confirmait qu'Athanase était l'homme idoine pour gérer l'aspect officiel de la situation. Il possédait l'esprit politique et la discrétion nécessaires. Pour ce qui était de l'aspect officieux, il s'en chargerait lui-même.

— Nous ne pouvons pas nous permettre de croire que la destruction de tous les exemplaires ainsi que de ceux qui les détenaient a également fait disparaître les mots et les pensées qu'ils contenaient, expliqua-t-il. Les mensonges sont comme les mauvaises herbes. On peut les arracher, empoisonner leurs racines, les brûler et les réduire en cendres – elles trouvent toujours le moyen de repousser. Nous devons donc considérer que cette « prédiction », comme vous dites si justement, est connue de nos ennemis sous une forme ou sous une autre, et qu'ils se préparent à agir en conséquence. Mais ne vous inquiétez pas, frère, ajouta-t-il en posant sur l'épaule d'Athanase une main aussi lourde que la patte d'un ours. Nous avons su résister à des choses bien pires au cours de notre longue histoire haute en couleurs. Nous allons simplement procéder comme nous l'avons toujours fait : conserver un coup d'avance, relever le pont-levis et attendre que la menace extérieure se retire.

— Et si elle ne se retire pas ? demanda Athanase.

La main se resserra sur son épaule.

— Alors, nous l'attaquerons avec tous les moyens dont nous disposons.

29

Reis posa la pointe de son scalpel en haut du sternum, puis il l'enfonça fermement et trancha les chairs jusqu'à l'os du pubis, en suivant soigneusement le tracé de la cicatrice existante. Il fit ensuite deux entailles profondes jusqu'au bout de chacune des clavicules brisées, complétant ainsi l'incision en Y. Enfin, il dégagea la peau et les muscles de la poitrine du moine, faisant apparaître les côtes fracturées. En général, à ce stade, il avait besoin de cisailles chirurgicales ou de sa scie Stryker pour découper la cage thoracique protégeant le cœur, les poumons et autres organes internes, mais l'impact de la terrible chute avait déjà fait la plus grande partie du travail. Il lui suffit de couper quelques ligaments pour accéder à la cavité thoracique.

— Si vous voulez bien appuyer sur le carré rouge ? dit Reis en désignant le moniteur avec le menton. J'ai les mains pleines, là.

Arkadian regarda la masse sanglante que Reis tenait serrée entre les doigts, et il relança l'enregistrement.

— Très bien, dit Reis en reprenant un ton enjoué. Ma première impression sur les organes internes est qu'ils sont étonnamment bien préservés, quand on pense à la violence de l'impact. Les côtes ont manifestement bien rempli leur rôle, même si elles ont été pratiquement pulvérisées dans le processus.

Il déposa la cage thoracique dans un plateau en acier, puis il pratiqua avec aisance quelques incisions pour détacher le larynx, l'œsophage et les ligaments reliant les organes principaux à la moelle épinière avant de soulever l'ensemble en un seul bloc pour le transférer dans un large récipient.

— Le foie montre quelques signes d'hémorragie, poursuivit-il, mais aucun des organes n'est particulièrement pâle, ce qui veut dire qu'il ne s'est pas vidé de son sang. Le sujet est probablement mort d'un dysfonctionnement des organes suite à un traumatisme massif, ce que je confirmerai lorsque j'aurai effectué les tests de toxines et de tissus…

Il transporta le récipient sur une paillasse près du mur et entreprit la série de mesures standard du foie, du cœur et des poumons, en prélevant également un échantillon de chaque organe.

Arkadian jeta un coup d'œil vers le poste de télé dans le coin de la pièce et vit une nouvelle fois le spectacle troublant de l'homme à présent étendu en morceaux devant lui qui se dressait, fier et bien vivant, au sommet de la Citadelle. C'était la séquence que toutes les chaînes diffusaient maintenant. Elle montrait le moine qui s'approchait lentement du bord pour jeter un coup d'œil vers le bas, puis qui se penchait en avant et disparaissait brusquement. La caméra tressautait en plongeant et zoomait en tentant de suivre la chute. L'image devint floue quand le cameraman réussit à retrouver l'homme et essaya de le garder dans le champ. Cela donnait un peu la même impression que le film de Zapruder sur l'assassinat de Kennedy, ou la séquence des avions percutant les tours du World Trade Center. Il s'en dégageait une impression profondément dramatique. Arkadian ne pouvait en détacher les yeux. Au dernier moment, le cameraman perdit le moine et zooma en arrière juste à temps pour montrer le pied de la montagne et la foule reculant avec horreur là où le corps avait percuté le sol.

Arkadian baissa la tête. Il rejoua plusieurs fois la séquence dans sa tête en assemblant les éléments épars de la chute du moine.

—C'était délibéré, murmura-t-il.

Occupé à peser le foie de la victime, Reis releva les yeux.

—Bien sûr que c'était délibéré !

—Non, ce que je veux dire, c'est la *façon* dont il est tombé. En général, les gens qui se suicident en sautant dans le vide ont une méthode assez simple : soit ils basculent en arrière, soit ils plongent la tête en avant.

—La tête est la partie la plus lourde du corps, dit Reis en arrêtant l'enregistrement. La force de gravité l'attire toujours vers le bas – à condition que la chute soit assez longue.

—Une chute du haut de la Citadelle devrait largement suffire. Le sommet est à plus de trois cents mètres. Mais notre gars est resté à l'horizontale – jusqu'au bout.

—Et alors ?

—Et alors, c'était une chute contrôlée.

Arkadian s'approcha du plateau contenant la soutane. Avec une paire de pinces, il déplia le tissu jusqu'à ce qu'il trouve une des manches.

—Tenez, regardez. Vous voyez ces déchirures que vous avez trouvées aux poignets ? Elles étaient destinées à ses mains. Cela veut dire qu'il pouvait déployer sa robe comme une sorte d'aile.

Arkadian lâcha la manche et fouilla dans les plis ensanglantés jusqu'à ce qu'il trouve les autres fentes, à quelques centimètres du bas de la soutane.

— Et celles-ci étaient pour ses pieds.

Il laissa retomber le vêtement et se tourna vers Reis.

— Voilà pourquoi il n'est pas tombé la tête la première. Il n'a pas sauté du haut de la montagne... il s'est envolé.

Reis regarda le corps brisé.

— Si c'est ça, je dirais qu'il a encore besoin de s'entraîner, pour l'atterrissage.

Arkadian ne fit pas attention à lui. Il poursuivait son idée :

— Il a peut-être pensé pouvoir ralentir suffisamment sa chute pour survivre. À moins que...

Il imagina de nouveau le moine, les bras écartés, le corps légèrement penché en avant, la tête droite, comme s'il se concentrait sur quelque chose, comme si...

— Il visait quelque chose.

— Quoi ?

— Je crois qu'il visait un endroit en particulier.

— Pourquoi diable aurait-il fait une chose pareille ?

C'était une bonne question. Pourquoi viser un endroit spécial quand, de toute façon, on va mourir ? Mais la mort n'était pas son souci principal. La mort n'était pas aussi importante que... des témoins.

— Il visait parce qu'il voulait atterrir dans notre juridiction !

Reis plissa le front d'un air perplexe.

— La Citadelle est un État dans l'État, expliqua Arkadian. Tout ce qui est à l'intérieur du mur des douves leur appartient. Tout ce qui est de l'autre côté est de notre responsabilité. Il voulait être sûr de se retrouver de notre côté. Il voulait que ça se passe comme ça. Il voulait une enquête publique. Il voulait que nous voyions toutes ces incisions sur son corps…

— Mais pourquoi ?

— Je n'en ai pas la moindre idée. Mais quelle que soit la raison, il a pensé qu'elle valait de mourir pour elle. Sa dernière volonté a été, très littéralement, de s'enfuir de cet endroit.

— Alors, qu'est-ce que vous comptez faire, quand je ne sais lequel de leurs grands pontifes va demander qu'on leur rende leur moine ? Vous allez lui faire un cours sur la notion de juridiction ?

Arkadian haussa les épaules.

— Pour l'instant, ils n'ont même pas reconnu que c'était l'un des leurs.

Il jeta un coup d'œil au corps éviscéré, où les entailles tracées avec une précision chirurgicale autour du cou, des bras et des jambes étaient encore visibles. Ces cicatrices constituaient peut-être une sorte de message, dont ceux qui viendraient réclamer le corps connaîtraient la signification.

Reis prit un récipient en carton sous la table d'examen, puis il relança l'enregistrement et se mit à presser l'estomac pour verser son contenu dans la boîte.

— Bien, dit-il. Le gros intestin ne contient pas grand-chose, et le dernier repas de notre ami n'était donc pas vraiment un banquet. On dirait que la dernière chose qu'il ait mangée était une pomme, et peut-être, quelque temps avant, un peu de pain. J'étiquette le tout et je l'envoie pour analyse. Le contenu de l'estomac semble en grande partie non digéré, ce qui laisse supposer que son système digestif avait cessé de fonctionner, du moins en partie, et suggère donc un niveau élevé de stress avant sa mort. Ah mais, attendez deux secondes, ajouta-t-il en repérant quelque chose dans les membranes glissantes. Il y a autre chose, là-dedans…

Arkadian s'approcha de la table. Un petit objet sombre tomba dans la soupe de pulpe de pomme et de sucs gastriques. On aurait dit une lamelle de bœuf trop cuit.

— Bon sang, qu'est-ce que c'est que ça ?

Reis prit l'objet et alla le rincer sous le robinet de l'évier.

— Il semble que ce soit une bandelette de cuir, dit-il en la posant dans un plateau garni d'une serviette en papier. Elle a été enroulée, sans doute pour qu'elle soit plus facile à avaler.

Avec une paire de pinces, il entreprit de l'ouvrir.

— Il lui manquait un passant de ceinture, je crois ? murmura Arkadian.

Reis acquiesça.

— Je pense que nous venons de le trouver.

Reis repoussa la bandelette le long d'une échelle graduée gravée dans la surface du plateau, et Arkadian en prit une photo pour le dossier. Reis la retourna pour qu'il puisse photographier l'autre face, et ce fut comme si soudain tout l'air s'était échappé de la pièce.

Ils restèrent tous deux sans bouger. Sans dire un mot.

Puis Arkadian braqua son appareil.

Le déclic tira Reis de sa transe. Il s'éclaircit la gorge.

— Après avoir déroulé et nettoyé l'objet en cuir, il semble qu'il y ait quelque chose de griffonné à la surface…

Il leva les yeux vers Arkadian avant de poursuivre :

— Douze chiffres, sans logique apparente.

Arkadian les examina attentivement en réfléchissant furieusement. La combinaison d'un coffre ? Un code secret ? Il s'agissait peut-être d'une référence à un chapitre et un verset de la Bible, permettant d'obtenir un mot ou une phrase qui apporterait un peu de lumière sur cette affaire, ou peut-être même un indice sur la nature du Sacrement. Il vérifia encore une fois les chiffres.

— Il n'y a pas de logique là-dedans, dit-il en lisant la séquence de gauche à droite. Ce n'est pas un message.

Il leva les yeux vers Reis.

— C'est un numéro de téléphone.

II

À la femme il dit : J'augmenterai grandement ta douleur et tes grossesses ; tu enfanteras dans la douleur ; et ton désir se portera vers ton mari, et il dominera sur toi.

Genèse, 3,16

30

Les cris résonnaient dans la chambre avec des accents d'animal désespéré qui semblaient déplacés dans le cadre moderne de l'hôpital du New Jersey.

Liv était debout dans un coin de la pièce d'où elle observait le visage de Bonnie contracté par la douleur. Son téléphone avait sonné un peu après deux heures du matin pour la tirer du lit. Elle s'était retrouvée roulant vers le sud sur l'I-95, avec tous les camions vides qui quittaient New York. Myron l'avait appelée pour lui dire que Bonnie perdait les eaux.

Un autre cri poussé à pleins poumons déchira l'air, et Liv regarda Bonnie accroupie au milieu de la pièce, nue, hurlant si fort que son visage était empourpré et que les tendons ressortaient de son cou comme des câbles à haute tension. Myron la soutenait par un bras tandis que la sage-femme lui tenait l'autre. Le cri s'atténua légèrement, laissant place au bruit incongru de vagues s'abattant sur une plage. Il provenait d'un magnétophone posé dans un coin.

Dans l'esprit de Liv, torturée par le manque de nicotine, ces bruits de vagues censés être apaisants évoquaient plutôt le froissement de cellophane d'un paquet de Lucky Strike qu'on ouvre. Elle avait envie d'une cigarette comme jamais elle n'avait désiré quelque chose dans sa vie. Les hôpitaux lui faisaient toujours cet effet-là. Le fait même qu'une chose soit interdite la rendait presque irrésistible à ses yeux. C'était pareil dans une église.

Bonnie poussa de nouveau un cri, cette fois à mi-chemin entre gémissement et grognement. Myron lui caressait le dos en lui disant « chut, chut », comme s'il essayait de calmer un enfant réveillé par un affreux cauchemar. Bonnie se tourna vers lui et, d'une voix basse rendue rauque par ses cris, elle souffla un seul mot :

— Arnica.

Liv prit son carnet pour noter la demande et l'heure à laquelle elle avait été faite. L'arnica était utilisé comme plante médicinale depuis le commencement des temps. Liv s'en servait souvent elle-même pour les hématomes. On disait qu'il permettait aussi de soulager le traumatisme d'un accouchement prolongé et douloureux. Elle espérait sincèrement que c'était vrai, en regardant Myron essayer fébrilement de déboucher un petit flacon rempli de granules blancs. Les cris recommencèrent, plus aigus, tandis qu'une nouvelle contraction arrivait.

Ah, bon sang, se dit Liv, prends plutôt de la péthidine…

Elle avait beau militer pour l'utilisation des remèdes naturels, elle n'était pas pour autant masochiste. Les hurlements de Bonnie atteignirent un nouveau sommet et elle agrippa la main de Myron, renversant tout le contenu du flacon sur le sol de vinyle brillant.

Le portable de Liv sonna dans sa poche.

Elle tâtonna pour trouver le bouton d'arrêt sous le coton épais de son pantalon, appuya très fort dessus en espérant l'empêcher de sonner encore une fois. Personne dans la pièce ne semblait se souvenir de sa présence. Elle sortit son appareil et jeta un coup d'œil à l'écran éraflé pour s'assurer qu'il était bien éteint. Elle reporta son attention sur les événements qui se déroulaient devant elle. Juste à temps.

Bonnie roula des yeux blancs et s'écroula lourdement à terre malgré les efforts de Myron et de la sage-femme pour la retenir. Instinctivement, Liv plongea vers la cordelette d'appel qui pendait à côté d'elle et tira dessus de toutes ses forces.

Quelques secondes plus tard, la pièce fut remplie d'infirmiers s'agitant autour de Bonnie tels des papillons, en écrasant les pilules homéopathiques sous leurs pieds. Un chariot apparut de nulle part et l'on emporta Bonnie hors de la chambre, loin de Liv et de la douce musique des vagues sur la grève, dans le couloir menant à une autre chambre remplie de médicaments et d'équipements ultramodernes.

31

La brigade criminelle de Ruine partageait ses bureaux avec le service chargé des vols et cambriolages, au quatrième étage d'un nouvel immeuble de verre construit derrière la façade de pierre taillée du bâtiment d'origine de la police. C'était un espace paysager très bruyant. Des hommes en manches de chemise discutaient et parlaient très fort au téléphone en se balançant dans leur fauteuil ou les fesses posées sur un coin de table.

Assis à son bureau, Arkadian se tenait une main contre l'oreille pour mieux entendre le répondeur du numéro qu'il venait juste de composer. Une voix de femme. Américaine. Assurée. Directe. Une trentaine d'années, guère plus. Il raccrocha sans laisser de message. On ne récolte jamais d'informations en laissant des messages. Il vaut mieux réessayer jusqu'à ce que la personne finisse par décrocher.

Il reposa le combiné et tapa sur la barre d'espace de son clavier pour faire disparaître l'écran de veille. Les photos prises pendant l'autopsie apparurent aussitôt. Il suivit des yeux le tracé des cicatrices sillonnant le corps du moine, des lignes et des croix étranges qui finissaient par former un seul grand point d'interrogation.

Après l'autopsie, le mystère de l'identité du moine n'avait fait que s'épaissir. La Citadelle n'avait pas encore fait savoir si c'était l'un des siens, et aucune des méthodes classiques d'identification n'avait donné de résultats. Ses empreintes digitales étaient inconnues des bases de données. De même pour ses empreintes dentaires. Les échantillons d'ADN étaient encore en cours de traitement au laboratoire, mais à moins que l'homme n'ait été arrêté pour un crime sexuel, un homicide ou des activités terroristes, il était peu probable qu'on trouve quoi que ce soit dans les archives. Et le patron d'Arkadian commençait à le harceler pour avoir un rapport d'avancement. Il voulait manifestement tirer un trait sur cette affaire. Arkadian aussi, mais il n'avait pas l'intention de la mettre sous le tapis. Le moine dépendait de quelqu'un, et c'était son travail de trouver qui.

Il jeta un coup d'œil à l'horloge accrochée au mur. Il était un peu plus d'une heure de l'après-midi. Sa femme devait juste rentrer de l'école, où elle donnait un coup de main trois jours par semaine. Il composa son numéro personnel et cliqua dans un coin de son écran pour ouvrir une fenêtre de navigation tout en écoutant le son de la connexion.

Sa femme décrocha à la troisième sonnerie. Elle avait l'air essoufflée.

— C'est moi, dit Arkadian en tapant les mots *religion* et *cicatrices* dans la boîte de recherche.

— Heeeey, dit-elle en prolongeant le mot d'une façon qui lui faisait encore de l'effet, douze ans après l'avoir entendu pour la première fois. Tu rentres à la maison ?

Arkadian fronça les sourcils en voyant s'afficher la liste de résultats. Il y en avait quatre cent trente et un mille…

— Pas encore, dit-il en parcourant la première page.

— Pourquoi m'appelles-tu, alors ? Tu cherches à susciter de faux espoirs ?

— Je voulais simplement entendre ta voix. Comment s'est passée ta matinée ?

— Fatigante. Essaie un peu d'enseigner l'anglais à une classe de gamins de neuf ans. J'ai dû leur lire «La chenille qui avait faim» au moins deux cents fois. Remarque, à la fin, un de mes élèves arrivait à le lire mieux que moi.

Au son de sa voix, il sut qu'elle souriait. Elle n'était jamais aussi heureuse que quand elle avait passé la matinée avec un groupe d'enfants. Il en éprouva une certaine tristesse.

— Ce gamin m'a l'air d'un monsieur je-sais-tout, dit-il. La prochaine fois, tu devrais lui demander de faire la lecture à toute la classe, pour voir comment il résiste à la pression.

— En fait, c'est une fille. Les filles sont plus intelligentes que les garçons.

Arkadian sourit.

— C'est vrai, mais vous finissez quand même par nous épouser. C'est donc que vous n'êtes pas si intelligentes que ça.

— Oui, mais ensuite on divorce et on vous pique tout votre argent.

— Je n'ai pas d'argent.

— Bon, alors... je crois que tu ne cours aucun risque.

Il cliqua sur un lien et fit défiler des images de primitifs dont la peau noire était sillonnée de plaies sanglantes. Aucune d'elles ne correspondait aux cicatrices du moine.

— Tu travailles sur quoi, en ce moment ? demanda-t-elle. Quelque chose d'horrible ?

— L'affaire du moine.

— Tu as trouvé qui c'est, ou tu ne peux pas me le dire ?

— Je ne peux pas te le dire parce que je n'en sais rien.

Il revint à la page de résultats et ouvrit un lien traitant de stigmates, le phénomène inexpliqué de blessures apparaissant sur des gens ordinaires, semblables à celles endurées par le Christ pendant la crucifixion.

— Tu risques de rentrer tard ?

— C'est encore trop tôt pour le dire. Ils veulent que cette affaire soit rapidement bouclée.

— Ce qui veut dire que la réponse est « oui ».

— Ça veut dire que la réponse est « probablement ».

— Bon... mais sois prudent.

— Je suis assis à mon bureau et je fais des recherches sur Google.

— Rentre à la maison, alors.

— Je rentre toujours à la maison.

— Je t'aime.

— Moi aussi, chuchota-t-il.

Il jeta un coup d'œil autour de lui, sur la salle bourdonnante de bruit et d'agitation. La plupart de ses collègues étaient divorcés, ou en passe de l'être, mais il savait que ça ne pourrait jamais lui arriver. Il était marié avec sa femme, pas avec son métier. Et même si ce choix faisait qu'on ne lui confiait jamais le genre d'affaires prestigieuses sur lesquelles on pouvait bâtir une carrière et une réputation, il s'en fichait. Il n'échangerait pas sa vie contre la leur. Et puis il y avait quelque chose dans cette histoire de suicide qui lui faisait penser qu'il tenait peut-être là une affaire importante. Il cliqua au hasard sur l'un des sites de stigmates et se mit à lire.

C'était un site austère, rempli de textes très denses avec de temps en temps une photo alléchante montrant une main ou un pied ensanglantés, mais aucune ne correspondait aux cicatrices trouvées sur le corps du moine.

Il retira ses lunettes et frotta les marques qui lui venaient sur le nez quand il les portait trop longtemps, ce qui était le cas chaque jour de sa semaine de travail. Il savait qu'il devrait se remettre à ses autres affaires en attendant d'avoir des nouvelles de la Citadelle, ou que l'Américaine réponde au téléphone, mais cette affaire commençait à l'obséder : le martyre public apparent, les cicatrices rituelles, le fait que le moine ne semblait pas avoir d'existence officielle…

Il referma la fenêtre de recherche et passa les vingt minutes suivantes à taper les quelques éléments factuels qu'il avait rassemblés, ainsi que ses premières réflexions et observations. Quand il eut fini, il relut ses notes et retourna aux photos de l'autopsie jusqu'à ce qu'il trouve celle qu'il cherchait.

Il examina de nouveau la mince bande de cuir posée sur le plateau, les douze chiffres grossièrement gravés à sa surface ressortant dans la lumière crue du flash. Il les recopia dans son téléphone portable et referma le fichier, puis il prit sa veste posée sur son dossier et se dirigea vers la sortie. Il avait besoin de prendre l'air et de manger quelque chose. Il réfléchissait toujours mieux quand il était actif.

Deux étages plus bas, dans un bureau rempli de vieux cartons d'archives, une main pâle criblée de taches de rousseur tapait un code d'accès piraté sur un ordinateur appartenant à un employé administratif dont le travail ne commençait que dans deux heures.

Au bout d'un court instant, l'écran s'alluma, baignant la pièce sombre de sa froide lumière. Une flèche se déplaça à travers l'écran, trouva l'icône du serveur et cliqua dessus pour l'ouvrir. Un doigt caressa la molette de la souris, faisant défiler le répertoire jusqu'à ce que son possesseur trouve ce qu'il cherchait. Il glissa la main sous la table et brancha une clé USB dans la tour de l'ordinateur. Une nouvelle icône apparut à l'écran. Il fit glisser le dossier du moine jusqu'à cette icône et regarda le contenu s'y transférer – le rapport d'autopsie, les photos, le commentaire audio, les notes d'Arkadian.

Tout.

32

Liv Adamsen était adossée au tronc rugueux du cyprès solitaire qui poussait sur la pelouse devant l'hôpital. La tête penchée en arrière, elle exhalait avec un plaisir manifeste de longues volutes de fumée vers les branches au-dessus d'elle. À travers le feuillage, elle distinguait une grande croix lumineuse fixée sur le toit du bâtiment, telle une lune déformée dans le ciel qui commençait à s'éclairer. À la lumière d'un néon défectueux qui clignotait, elle vit quelque chose briller au-dessus de sa tête. Elle tendit la main pour le toucher, la retira poisseuse. Il s'en dégageait une odeur de forêt. De la sève, une bonne quantité – beaucoup trop, en fait. L'arbre devait être malade.

Elle se haussa sur la pointe des pieds pour examiner la source. Elle repéra une série d'indentations et de fissures dans l'écorce. Cela ressemblait au chancre cortical du Seiridium, une maladie fréquente chez ce type d'arbre, sans doute provoquée par un long hiver glacial et sec. Elle avait remarqué la même chose sur les cyprès de Leyland, dans le jardin de Bonnie et Myron. Les étés de plus en plus chauds asséchaient la terre et affaiblissaient les systèmes de défense des racines. Les périodes de froid permettaient à ces chancres et autres formes de moisissures de s'assurer une prise mortelle même sur les arbres les plus résistants. On pouvait couper les chancres si on s'y prenait assez tôt, mais à voir cet arbre la maladie était beaucoup trop avancée.

Liv posa doucement la main sur le tronc et tira une profonde bouffée de sa cigarette. L'odeur de la sève sur ses doigts se mêlait à celle du tabac. Elle imagina le cyprès en feu, les branches tordues et noircies, la sève rouge dévorée par les flammes en bouillonnant et en sifflant. Elle jeta un coup d'œil vers le parking silencieux pour s'assurer qu'elle était toujours seule, effrayée par les images nées de son cerveau. C'était sans doute dû à son état émotionnel fragile, associé à l'épuisement d'avoir assisté à un accouchement « naturel » qui s'était terminé avec des hommes en blanc transportant Bonnie dans une salle d'opération. Au moins, les deux bébés, un garçon et une fille, se portaient bien. Ce n'était pas vraiment l'article qu'elle avait prévu d'écrire, mais ça ferait l'affaire. Il y avait tout ce qu'il fallait comme éléments dramatiques. Elle repensa au moment où elle avait tiré sur le cordon d'urgence.

C'est alors qu'elle se souvint de l'appel téléphonique.

Cela faisait des années qu'elle avait ce portable. Il était si vieux que c'était tout juste si elle pouvait envoyer un texto. Quant à prendre des photos ou surfer sur le net avec, c'était hors de question. Peu de gens savaient même qu'elle l'avait, et encore moins connaissaient son numéro. Elle en fit défiler la très courte liste dans sa tête en attendant que l'appareil se rallume.

Peu de temps après avoir commencé à travailler sur les affaires criminelles, Liv avait adopté une politique de séparation stricte entre « chez elle » et « ailleurs ». La première affaire qu'elle avait traitée l'avait conduite à interviewer un avocat particulièrement retors qui avait pour client un promoteur immobilier qui l'était encore plus : il était poursuivi pour plusieurs affaires de corruption en vue d'obtenir des permis de construire. Elle avait laissé son numéro à l'avocat pour qu'il la rappelle. C'était le client qui l'avait rappelée. Elle était juchée dans un cerisier, une paire de cisailles à la main, quand elle avait pris son appel. La violence des injures qu'elle avait entendues avait failli la faire tomber, mais elle était retournée dans la cuisine et avait noté mot pour mot tout ce qu'il lui avait dit. Cet incident avait constitué la pierre angulaire de l'article virulent qu'elle avait écrit.

Elle en avait retenu deux précieuses leçons. La première était de ne jamais avoir peur de se mettre personnellement en scène dans un article, si c'était la meilleure façon de raconter l'histoire. La seconde était d'être beaucoup plus sélective en donnant son numéro de téléphone. Elle s'était acheté un nouveau portable, dont elle ne se servait que pour son travail. Quant au vieux, elle en avait changé la carte SIM et il était strictement réservé à la famille et aux amis. Il vibrait à présent dans sa main en terminant sa séquence de démarrage. Elle regarda l'écran : elle n'avait eu qu'un seul appel en absence. Aucun message en attente.

Elle appuya sur le bouton du menu et déroula le journal. Celui qui l'avait appelée avait un identifiant masqué. Liv fronça les sourcils. Normalement, tous ceux qui avaient son numéro figuraient également dans son répertoire et se trouvaient du coup automatiquement identifiés.

Elle tira une dernière bouffée de sa cigarette, écrasa le mégot sous son talon dans le tapis d'aiguilles humides et retourna vers le bâtiment de l'hôpital pour dire au revoir à la composante humaine de son article.

33

L'église, qui occupait un côté de la grand-place dans la vieille ville, était particulièrement fréquentée l'après-midi. Elle semblait récupérer les foules de touristes qui avaient passé leur matinée à errer dans les ruelles étroites et à se tordre le cou pour contempler la Citadelle. Le voyageur fatigué pénétrait dans la fraîcheur de cet intérieur monolithique et trouvait aussitôt la réponse à ses prières informulées : des rangées de prie-Dieu en chêne, qui lui offraient gratuitement un endroit où s'asseoir et réfléchir à la vie, à l'univers, et à la bêtise dont il avait fait preuve en achetant la paire de chaussures qu'il avait aux pieds en cet instant précis… C'était une église active, où l'on célébrait la messe une fois par jour et deux fois le dimanche. Ceux qui le souhaitaient pouvaient communier, et ceux qui en éprouvaient le besoin pouvaient se confesser.

Un homme entra, s'arrêtant un instant pour retirer sa casquette de base-ball comme s'il venait de se souvenir de ce geste de déférence. Il attendit que sa vue s'adapte à la pénombre après l'éclat aveuglant du soleil dans les rues. Il avait horreur des églises – elles lui donnaient la chair de poule –, mais nécessité faisant loi…

Il se fraya un chemin au milieu des groupes de touristes qui admiraient les piliers majestueux, les vitraux et la voûte audacieuse – tous les yeux tournés vers le ciel, comme l'avaient voulu les architectes. Personne ne faisait attention à lui.

Il atteignit le fond de l'église, où son humeur se gâta aussitôt. Une file de gens attendaient, assis sur des bancs près d'une rangée de rideaux tirés. Il s'imagina un instant passer devant tout le monde, mais il voulait éviter de se faire remarquer. Il s'assit donc à côté du dernier pécheur dans la queue, jusqu'à ce que quelqu'un lui tape sur l'épaule et lui désigne un confessionnal vide.

— N… non, bégaya-t-il en évitant de croiser son regard et en faisant un vague geste vers le confessionnal du fond. C'est celui-là que je veux.

Devant l'air interloqué du touriste, il ajouta :

— Allez-y, vous. Moi, j'ai des habitudes un peu particulières en matière de confession.

Il resta assis sur son banc. Normalement, ses activités parallèles l'amenaient plutôt dans les coins sombres d'un bar ou d'un parking souterrain. Cela lui faisait un effet bizarre de se retrouver dans une église. Il regarda deux autres pécheurs sortir des confessionnaux avant que celui qu'il guignait soit enfin libre. Il s'y précipita en laissant tout juste le temps au pénitent précédent d'en sortir. Il tira le rideau derrière lui, s'agenouilla.

L'espace était confiné et sombre, et il y flottait une odeur d'encens, de sueur et de peur. À sa droite, une petite grille carrée était percée dans un panneau de bois à hauteur de son visage.

— Avez-vous quelque chose à confesser ? fit une voix étouffée.

— Peut-être, répondit-il. Êtes-vous le frère Paon ?

— Non, répondit la voix. Attendez un instant, je vous prie.

L'inconnu se leva et sortit.

L'homme attendit en écoutant les murmures des touristes et les déclics des appareils photo. On aurait dit le frottement de centaines de pattes d'insectes. Il entendit du mouvement de l'autre côté de la grille.

— Je suis l'émissaire du frère Paon, annonça une voix grave.

L'homme se pencha en avant.

— Pardonnez-moi, car j'ai péché.

— Et qu'avez-vous à confesser ?

— J'ai pris quelque chose sur mon lieu de travail, une chose qui ne m'appartient pas, quelque chose qui, je crois, concerne un des frères de votre Église.

— Avez-vous cette chose avec vous ?

Une main pâle constellée de taches de rousseur prit une petite enveloppe blanche dans une poche.

— Oui, fit l'homme.

— Bien. Vous comprenez que le but de la confession est de permettre aux pécheurs qui entrent dans la maison de Dieu chargés du poids de leurs péchés d'en sortir libérés de ce fardeau ?

L'homme sourit.

— Je comprends, dit-il.

— Votre faute n'est pas très grave. Si vous inclinez la tête devant Dieu, je crois que vous trouverez le pardon que vous cherchez.

Un panneau s'ouvrit sous la grille. L'homme y glissa l'enveloppe et sentit qu'on la lui prenait des mains. Il entendit qu'on l'ouvrait.

— C'est tout ce que vous avez pris ?

— C'est tout ce qu'il y avait à prendre, il y a une heure.

— Bien. Comme je vous l'ai dit, votre faute n'est pas grave. Je vous bénis au nom du Père, du Fils et du Saint-Esprit. Vous pouvez maintenant considérer vos péchés comme absous, à condition que vous restiez un ami de l'Église. Inclinez la tête devant Dieu encore une fois, et il récompensera son fidèle serviteur.

L'homme vit le coin d'une autre enveloppe dépasser par l'ouverture. Il la prit. Le panneau se referma et son interlocuteur inconnu sortit aussi silencieusement qu'il était venu. L'enveloppe contenait une épaisse liasse de traveller's cheques de cent dollars, non signés. C'était toujours ainsi qu'ils lc payaient, et il sourit en pensant à la perfection de la méthode. S'il avait été suivi – il savait que ce n'était pas le cas –, il aurait pu dire qu'un touriste les avait oubliés là. Il était également impossible de remonter à leur source : ils avaient probablement été achetés sous une fausse identité dans l'un des nombreux bureaux de change de la ville.

Il empocha l'enveloppe et se glissa hors du confessionnal, puis il longea la file des fidèles qui attendaient, en évitant soigneusement de croiser un regard avant de s'être suffisamment éloigné de l'église.

34

Cinq minutes après que l'émissaire du frère Paon eut donné l'absolution à l'homme aux taches de rousseur, l'enveloppe fut déposée dans un panier, accompagnée de douze poulets et de huit livres de jambon, à l'ombre de la façade nord de la Citadelle. Le panier fut ensuite hissé au bout d'une corde et disparut.

Athanase essuya la sueur qui perlait sur son crâne en regardant les moines du réfectoire remonter le panier. Il récupéra l'enveloppe avant qu'elle n'aille rejoindre le reste du contenu dans le grand chaudron de cuivre. Il avait parcouru près d'un kilomètre de couloirs et d'escaliers pour rejoindre la grotte des ravitaillements. Maintenant qu'il avait l'enveloppe, il fit demi-tour pour se rendre dans la splendeur des appartements privés de l'Abbé.

Athanase avait le souffle court quand la porte dorée se referma derrière lui. L'Abbé lui arracha l'enveloppe des mains et l'ouvrit, impatient de découvrir ce qu'elle contenait. Il s'approcha d'un secrétaire placé contre le mur, près d'un vitrail, et en souleva le battant, sous lequel était posé un ordinateur portable ultramoderne.

Quelques clics de souris plus tard, l'Abbé avait ouvert le dossier que l'inspecteur Arkadian avait fermé à peine une heure plus tôt. Le visage de frère Samuel revint le hanter, pâle et hagard sous l'éclairage impitoyable de la salle d'autopsie.

—J'ai bien peur qu'il ne paraisse remarquablement peu endommagé par la chute, dit-il en examinant rapidement les premières images.

Athanase fit une grimace en apercevant les côtes qui dépassaient du corps disloqué de son ami. L'Abbé ouvrit un fichier texte, ce qui cacha heureusement les horribles images, et commença à lire. Quand il arriva au commentaire final, il grinça des dents.

Quelle que soit l'identité de l'homme, il a choisi son point de chute. Il a attendu qu'il y ait suffisamment de témoins, puis il a fait en sorte de tomber dans la juridiction de la ville. Sa veille précédant sa mort était-elle une sorte de signal ? Si oui, à qui était-il adressé – et quel message tentait-il de communiquer ?

En remontant le fil du raisonnement de l'inspecteur, l'Abbé put constater que celui-ci s'approchait dangereusement du territoire interdit.

— Je veux que la source qui nous a fourni ces documents nous tienne régulièrement au courant.

Il referma le fichier des notes et ouvrit un autre dossier intitulé *Indices annexes*.

— S'il y a des éléments ou des développements nouveaux, je veux en être informé aussitôt.

Il cliqua sur un fichier et regarda l'écran se remplir de photos en gros plan d'autres éléments liés à l'affaire : la corde enroulée, la soutane imbibée de sang, les fragments de roche récupérés dans les chairs déchirées des mains et des pieds du moine, une bandelette de cuir posée sur un plateau…

— Et faites passer le mot au Prélat, dit l'Abbé d'une voix grave. Dites-lui que je sollicite une audience en privé dès que Sa Sainteté aura recouvré les forces suffisantes pour me recevoir.

Athanase ne pouvait voir ce qui avait tant troublé l'Abbé, mais son ton ne laissait aucun doute : il était congédié.

— Il en sera fait selon vos souhaits, dit-il en inclinant la tête et en se retirant en silence.

L'Abbé continua d'examiner l'image jusqu'à ce qu'il entende la porte se refermer. Il s'assura qu'il était seul avant de plonger la main dans le col de sa soutane et d'en retirer une lanière de cuir qu'il portait autour du cou. Deux clés y étaient accrochées – une grande et une petite. Il se baissa et introduisit la petite clé dans le tiroir du bas du secrétaire. Il contenait un téléphone portable. L'Abbé se retourna pour regarder encore une fois l'image figée à l'écran.

Il composa les chiffres sur le clavier du téléphone, vérifia qu'ils étaient corrects et appuya sur le bouton d'appel.

35

Liv roulait lentement sur l'I-95 pour rentrer chez elle, en compagnie d'à peu près dix mille autres automobilistes, quand son téléphone se mit à vibrer.

Elle jeta un coup d'œil à l'écran : l'appelant avançait masqué. Elle le reposa sur le siège à côté d'elle, reporta son attention sur la circulation. L'appareil vibra encore deux ou trois fois. Ayant l'impression de ne pas avoir dormi depuis une semaine, elle n'avait qu'une envie : rentrer chez elle et se mettre au lit.

L'appareil recommença presque aussitôt à vibrer – trop rapidement pour que ce soit le service de messagerie qui la rappelle. La personne qui cherchait à la joindre avait dû appuyer sur le renouvellement d'appel dès qu'elle avait entendu le message du répondeur. Liv contempla le fleuve de feux arrière qui s'étendait à l'infini devant elle. Manifestement, elle n'était pas près d'être rentrée. Elle se gara sur le bas-côté, serra le frein à main et coupa son moteur avant d'allumer ses feux de détresse.

Elle prit son téléphone et appuya sur le bouton.

— Allô ?

— Allô.

Une voix d'homme, qu'elle ne reconnut pas, teintée d'un léger accent étranger.

— Puis-je vous demander qui vous êtes ? poursuivit l'homme.

Liv sentit ses antennes se dresser.

— Qui essayez-vous de contacter ?

Il y eut un court silence. Puis :

— Je ne sais pas trop. Mon nom est Arkadian, et je suis inspecteur de police. J'essaie d'identifier un homme qu'on a retrouvé avec ce numéro sur lui.

Avec son cerveau de journaliste, Liv examina sa réponse en soupesant chaque mot.

— Pour quel service travaillez vous ? demanda-t-elle enfin.

— Le service des homicides.

— J'imagine donc que vous avez un suspect qui ne veut pas parler ou une victime qui ne le peut plus.

— C'est exact.

— Alors, c'est lequel des deux ?

Il n'hésita qu'un bref instant :

— J'ai un corps non identifié. Il s'agit apparemment d'un suicide.

Le cœur de Liv s'arrêta de battre un instant. Elle passa en revue la liste des hommes qui connaissaient son numéro.

Il y avait Michael, son ex-petit ami, mais il n'était pas vraiment du genre à se suicider. Son ancien professeur d'université, mais il était en vacances avec une nouvelle petite amie qui était de vingt ans sa cadette – et lui n'était pas du tout suicidaire.

— Quel âge a… avait cet homme ?

— Une trentaine d'années, je dirais.

Non, ce n'était pas son professeur.

— Le corps porte quelques marques distinctives, ajouta son interlocuteur.

— Quel genre de marques ?

— Eh bien…

La voix hésita, comme si l'inspecteur se demandait s'il pouvait en révéler davantage.

Liv savait par expérience à quel point les policiers sont réticents à fournir des renseignements.

— Vous m'avez bien dit qu'il s'agit d'un suicide, n'est-ce pas ?

— Oui.

— Ce n'est donc pas comme dans le cas d'un meurtre, où vous avez besoin de cacher les informations pour repérer de faux aveux, vous êtes d'accord ?

Un court silence. Puis :

— Oui.

— Alors, pourquoi ne pas me dire simplement le genre de marques que vous avez trouvées, et je vous dirai si je sais de qui il s'agit ?

— Vous semblez bien informée de la façon dont se passent ces affaires, mademoiselle… ?

Ce fut au tour de Liv d'hésiter. Pour l'instant, elle avait réussi à ne rien révéler d'elle, alors que son interlocuteur lui avait dit son nom, sa profession et l'objet de son appel. Le craquement des parasites sur la ligne ponctua le silence.

— D'où m'appelez-vous, inspecteur ?

— Je vous appelle de la ville de Ruine, au sud de la Turquie.

Cela expliquait les parasites et son léger accent.

— Vous êtes aux États-Unis, n'est-ce pas ? poursuivit-il. Dans le New Jersey. Du moins, c'est là que votre numéro est enregistré.

— Apparemment, on ne vous a pas nommé inspecteur pour rien.

— Le New Jersey est surnommé l'État-Jardin, c'est bien ça ?

— Oui, c'est ça.

Les parasites revinrent sur la ligne. La tentative d'Arkadian pour faire la conversation avait échoué.

— Très bien, dit-il en essayant une nouvelle approche. Je vous propose un marché. Vous me dites qui vous êtes, et je vous dirai les signes distinctifs que nous avons trouvés sur le corps.

Liv se mordilla la lèvre en réfléchissant. Elle ne tenait pas vraiment à donner son nom, mais cette histoire l'intriguait et elle voulait vraiment savoir qui avait pu se promener avec son numéro privé dans la poche et reposait maintenant dans une morgue. Elle entendit un léger bip, et elle regarda l'écran. Il affichait un triangle clignotant avec un point d'exclamation au-dessus des mots BATTERIE FAIBLE. En général, cela signifiait qu'elle n'en avait plus que pour une minute avant que l'appareil ne s'éteigne – quelquefois moins.

— Je m'appelle Liv Adamsen, dit-elle aussitôt. Parlez-moi du corps.

Elle entendit un léger cliquetis de touches. Avec une lenteur insupportable, l'homme entrait son nom dans un fichier.

— Des cicatrices… fit enfin la voix.

Elle s'apprêtait à poser une autre question quand le sol lui sembla se dérober d'un coup sous ses pieds.

Une trentaine d'années…

Elle porta instinctivement la main à son côté.

—Est-ce que le corps… est-ce qu'il a une cicatrice au côté droit, d'une quinzaine de centimètres… comme une croix posée à l'horizontale ?

—Oui, répondit la voix avec la douceur réservée aux condoléances. Oui, effectivement.

Liv regarda droit devant elle. L'autoroute et les files de voitures tentant de rejoindre Newark avaient disparu. À leur place, il y avait le visage d'un beau garçon aux longs cheveux blonds en bataille accoudé au parapet du Bow Bridge à Central Park.

—Sam, dit-elle doucement. Il s'appelle Sam. Samuel Newton. C'est mon frère.

Une autre image emplit son esprit. Sam en contre-jour dans le soleil couchant qui projetait des ombres immenses sur le tarmac de l'aéroport international de Newark. Il s'était arrêté en haut des marches menant à la cabine de l'avion qui allait l'emmener dans les chaînes montagneuses d'Europe. Il avait remonté sur son épaule le sac qui contenait toutes ses possessions terrestres, s'était retourné pour lui faire un signe de la main. C'était la dernière fois qu'elle l'avait vu.

—Comment est-il mort ? demanda-t-elle dans un souffle.

—Il a fait une chute.

Elle hocha la tête tandis que l'image du garçon s'effaçait et était remplacée par le fleuve rouge de l'autoroute. Elle avait toujours pensé que ça arriverait un jour ou l'autre. Puis elle se souvint d'un autre détail donné par l'inspecteur.

—Vous m'avez dit que c'était un suicide ?

—Oui.

140

D'autres souvenirs revinrent à la surface. Des souvenirs troublants qui lui pesaient sur l'âme et lui firent monter les larmes aux yeux.

— À votre avis, à quand remonte sa mort ?

Il y eut un court silence avant qu'Arkadian réponde :

— Ça s'est passé ce matin… heure locale.

Ce matin ? Il était donc vivant, tout ce temps…

— Si vous voulez, reprit Arkadian, je peux transmettre quelques photos et demander à quelqu'un de vous les montrer pour identifier le corps…

— Non ! répondit aussitôt Liv.

— J'ai bien peur qu'il ne nous faille quelqu'un pour l'identifier…

— Non, je veux dire qu'il n'est pas nécessaire d'envoyer des photos. Je peux y être dans… une douzaine d'heures, peut-être.

— Franchement, vous n'avez pas besoin de venir ici pour cette identification…

— Je suis en voiture, en ce moment. Je peux me rendre directement à l'aéroport.

— Ce n'est vraiment pas nécessaire…

— Si, dit-elle, c'est nécessaire. Mon frère a disparu il y a huit ans, et maintenant vous me dites qu'il était encore vivant il y a quelques heures… Il faut que je vienne… J'ai absolument besoin de savoir ce qu'il a bien pu faire pendant toutes ces…

Sa batterie s'éteignit.

36

L'homme aux mains criblées de taches de rousseur était assis dans le café et faisait semblant de lire les pages sportives de son journal. Il y avait beaucoup de monde et il avait eu du mal à trouver une table juste à la limite de l'ombre projetée par l'auvent au-dessus de la terrasse. Il regarda le soleil se diriger lentement vers lui à travers la nappe blanche s'agita sur sa chaise.

D'où il se trouvait, il pouvait voir la Citadelle se dresser dans le lointain, presque comme si elle le surveillait. Il se sentit troublé. Sa paranoïa n'était pas entièrement dénuée de fondement. À peine avait-il encaissé ses traveller's cheques pour les déposer sur un compte qu'il possédait à la First Bank de Ruine – et dont personne ne connaissait l'existence – qu'il avait reçu deux nouveaux messages. Le premier venait de quelqu'un avec qui il faisait parfois affaire, et qui demandait la même information que celle qu'il venait de fournir. L'autre émanait de son contact dans la Citadelle, lui promettant une rémunération généreuse en échange de sa loyauté indéfectible et de mises à jour régulières. Cette matinée se révélait tout à fait lucrative. Néanmoins, il ne se sentait pas très à l'aise à l'idée d'accepter de l'argent pour sa « loyauté indéfectible » alors qu'il s'apprêtait, pile devant la Citadelle, à vendre l'information à quelqu'un d'autre.

Il leva le nez de son journal et fit signe au garçon de lui apporter l'addition. Il était bizarre que cette affaire en particulier éveille l'intérêt de tant de gens. Ce n'était pas un meurtre ni une affaire de sexe, les deux cas qui traditionnellement lui rapportaient le plus.

Le garçon posa au passage une petite soucoupe sur la table, avec la note calée sous un bonbon à la menthe. Il n'avait pris qu'un café, mais il sortit quand même son portefeuille d'où il retira une carte de crédit spéciale. Il la déposa à la place du bonbon, qu'il mit dans sa bouche, puis il plia son journal sur la nappe et le lissa soigneusement du plat de la main. Il sentit sous sa paume une légère protubérance. Il se renfonça dans son fauteuil et regarda distraitement au loin, un simple touriste profitant du beau temps, tandis que le serveur récupérait le journal et la soucoupe sans même s'arrêter.

Le soleil continua son ascension dans le ciel et l'homme repoussa encore un peu son fauteuil. C'était forcément une histoire de sexe. Il avait jeté un rapide coup d'œil aux fichiers quand il les avait copiés, et il y avait vraiment quelque chose de tordu, à en juger par toutes ces balafres. Sans doute un truc bizarre que les saints hommes essayaient de camoufler.

Il savait aussi que l'autre client à qui il vendait l'information ne portait pas la Citadelle dans son cœur, ni les gens qui y habitaient. Il en tenait pour preuve les informations qu'il lui avait déjà fournies. Entre autres un dossier concernant le scandale du prêtre pédophile, il y avait quelques années de ça, et une autre fois les noms et les numéros de téléphone des principaux témoins quand un groupe d'organisations caritatives affiliées à l'Église avait été poursuivi pour fraude. Cette fois, ce devait être le même genre d'histoire. Ils essayaient sans doute d'en savoir le plus possible afin d'attiser les flammes d'un scandale à venir, et de mettre dans une situation impossible toute cette bande de bigots, là-haut dans la montagne. Ce qui était pour lui une excellente nouvelle. Un bon scandale sexuel bien juteux, avec un côté religieux, ferait les choux gras des tabloïds – ses meilleurs clients.

Il regarda la montagne et fit une petite grimace satisfaite. S'ils tenaient à lui verser un bonus pour sa loyauté, ma foi, grand bien leur fasse… Ce genre d'attitude marchait peut-être là-haut, où les gens croyaient à une récompense dans l'au-delà, mais dans le monde réel, seul comptait l'instant présent. Et il n'allait pas non plus leur fournir de si tôt de nouvelles informations. C'était une telle galère de récupérer de gros fichiers… Il voulait bien leur envoyer quelques textos par le biais du nouveau numéro qu'ils lui avaient donné, ce qui irait au moins dans le bon sens, mais il avait déjà dû grimper sur la colline sacrée aujourd'hui, avec sa clé USB : ils attendraient encore un peu. De toute façon, ils le paieraient.

Le serveur repassa et déposa la soucoupe sur la table avec la carte de crédit sous le reçu. L'homme la prit et la remit dans son portefeuille. Il n'avait pas besoin de signer quoi que ce soit, ni d'entrer son code, car le café était déjà payé et son compte bancaire venait d'être crédité d'un peu plus de mille dollars. Il reboutonna sa veste et, après avoir jeté un dernier coup d'œil inquiet vers le ciel sans nuages, il remit sa casquette et partit se fondre dans la foule.

Kathryn Mann était assise quatre tables derrière lui, à l'ombre de l'auvent. Elle regarda l'informateur s'éloigner sur le grand boulevard au milieu des piétons, facilement repérable avec sa casquette de base-ball et son imperméable. Le garçon apparut à côté d'elle et posa son addition sur la table, avec le journal. Elle le mit dans son sac et sentit l'enveloppe qui se trouvait à l'intérieur. Elle paya l'addition en espèces, en n'omettant pas d'y ajouter un pourboire extravagant, puis elle se leva et s'en alla dans la direction opposée.

37

Installée dans la grande boîte en verre et en acier du terminal C de l'aéroport Liberty de Newark, Liv sirotait un café noir dans un récipient qui tenait plus du seau que de la tasse. Elle leva les yeux vers le tableau des départs. L'embarquement pour son vol n'était toujours pas annoncé.

Sitôt son téléphone éteint, elle s'était précipitée chez elle aussi vite que la circulation à l'heure de pointe le lui permettait, et elle avait réservé une place sur le prochain vol en partance pour l'Europe. Elle devait décoller à dix heures vingt, ce qui lui laissait tout juste le temps de mettre quelques affaires dans un sac, de prendre son portable professionnel avec son chargeur et de sauter dans un taxi.

En chemin, elle avait remplacé la carte SIM par celle de son téléphone privé et avait constaté qu'Arkadian lui avait laissé un long message pour tenter de la dissuader de venir. Il lui avait donné son numéro de ligne directe et celui de son portable, en lui demandant de le rappeler. Elle sauvegarda le message et contempla l'aéroport par la grande baie vitrée. Elle le rappellerait, mais elle le ferait quand elle regarderait enfin par la vitre d'un taxi turc en route vers son bureau…

Le flot d'adrénaline s'était tari et elle sentait l'épuisement la gagner. Elle pourrait dormir quand elle serait dans l'avion, du moins aussi bien qu'on peut le faire en classe économique, mais il fallait d'abord qu'elle reste éveillée suffisamment longtemps pour pouvoir embarquer, d'où le café noir taille XXL.

Son téléphone vibra dans la poche de sa veste. Elle le sortit, regarda le numéro d'appel. Il était masqué. Elle aurait dû l'éteindre. Elle allait maintenant devoir supporter de nouvelles questions de l'inspecteur, ou l'écouter tenter de la convaincre de rester chez elle. Elle soupira avec lassitude, eut soudain terriblement envie d'une cigarette. Elle appuya sur le bouton vert pour arrêter ce bourdonnement infernal.

— Allô, fit-elle.

— Bonjour, répondit une voix grave.

Ce n'était pas l'inspecteur.

— Qui est à l'appareil ?

Il y eut une très courte hésitation, qui la mit aussitôt sur ses gardes malgré le manque de sommeil et l'overdose de caféine. Dans son expérience, les seules personnes qui hésitaient à dire leur nom étaient celles qui ne voulaient pas vous le dire.

— Je suis un collègue de l'inspecteur Arkadian, dit la voix de basse.

Son anglais avait une pointe d'accent comme celui d'Arkadian, mais il semblait plus âgé, et son ton était plus autoritaire.

— Vous êtes son patron ? demanda-t-elle.

— Non, un collègue. Vous a-t-il contactée ?

Liv fronça les sourcils. Pourquoi un flic poserait-il des questions sur un autre par l'intermédiaire d'un témoin ? Ce n'était pas comme ça que les choses se passaient.

— Pourquoi ne pas le lui demander ?

— Cela fait quelques heures qu'il est absent du bureau, répondit la voix. C'est pourquoi j'ai pensé à vous appeler, en me disant que vous lui aviez sans doute parlé.

— Oui, effectivement.

146

Ses antennes continuaient de se hérisser. Ce type n'avait pas du tout l'air d'un flic, en tout cas pas du genre de ceux qu'elle connaissait. Peut-être que là-bas ils étaient construits sur un modèle différent…

Une annonce retentit dans les haut-parleurs, concernant son vol. Elle regarda le tableau des départs et vit que l'embarquement commençait porte 78, pratiquement à l'autre bout du hall.

— Écoutez, dit-elle en se levant péniblement et en attrapant son sac de voyage. Je n'ai pratiquement pas fermé l'œil, j'ai bu trois litres de café et je suis encore sous le choc d'une très mauvaise nouvelle, alors vous comprendrez que je ne sois pas d'humeur très sociable. Si vous voulez en savoir plus sur ma conversation de tout à l'heure, demandez à Arkadian. Je suis sûre que sa mémoire est aussi bonne que la mienne, et sans doute même meilleure en ce moment.

Elle raccrocha et éteignit son appareil avant qu'il puisse se remettre à sonner.

38

Aussitôt que Liv eut raccroché, l'Abbé ordonna à Athanase d'aller lui chercher le dossier personnel de frère Samuel dans la bibliothèque. Il lui avait aussi demandé de lui apporter les dossiers de chaque membre de la Carmina. Un plan était en train de s'élaborer dans son esprit.

Elle avait mentionné une mauvaise nouvelle, «une très mauvaise nouvelle», même… Et Arkadian avait pris la peine de l'appeler.

Ce n'était pas possible. Personne ne pouvait entrer dans la Citadelle s'il avait encore de la famille. L'absence de liens familiaux permettait de garantir qu'aucune émotion ne viendrait les détourner de leur travail au sein de la montagne sacrée, qu'ils ne ressentiraient pas le désir de communiquer avec le monde extérieur. La sécurité de la Citadelle et la préservation de ses secrets dépendaient du respect absolu de cette règle. Les vérifications effectuées à cet égard sur chaque impétrant étaient d'une rigueur minutieuse, et pêchaient plutôt par excès que par défaut. Si les archives familiales d'un candidat avaient été détruites par le feu, il était rejeté. S'il avait un cousin lointain qu'il n'avait jamais rencontré, et même s'il pensait qu'il était mort, on le rejetait aussi.

Les dossiers arrivèrent cinq minutes plus tard. Sans un mot, Athanase les posa sur le bureau de l'Abbé et s'éclipsa.

Comme pour tous les habitants de la Citadelle, le dossier de frère Samuel était détaillé, exhaustif, et comportait des copies – et parfois même des originaux – de tous les documents importants retraçant l'histoire de sa vie : bulletins scolaires, liste d'employeurs obtenue à partir de son numéro de sécurité sociale, et même des rapports d'arrestation par la police – absolument tout.

L'Abbé examina rapidement les documents à la recherche de mentions familiales. Il trouva des certificats de décès. La mère de Samuel était morte quelques jours à peine après sa naissance, et son père avait péri dans un accident de voiture quand Samuel avait dix-huit ans. Les grands-parents de chaque côté étaient depuis longtemps décédés. Son père avait été fils unique, et le seul frère de sa mère était mort d'une leucémie à l'âge de onze ans. Il n'y avait pas d'oncles ni de tantes, pas de cousins ni de cousines, pas de frères ni de sœurs. Tout était parfaitement en règle.

Un coup discret frappé à la porte lui fit lever les yeux. Le battant s'ouvrit juste assez pour qu'Athanase se faufile de nouveau dans la pièce.

—Pardonnez mon intrusion, frère Abbé, dit-il, mais le Prélat vient à l'instant de faire savoir qu'il se sent assez bien pour vous recevoir. Vous devrez vous rendre dans ses appartements une demi-heure avant les vêpres.

L'Abbé jeta un coup d'œil à l'horloge. Les vêpres sonneraient dans deux heures. Ce délai était sans doute nécessaire pour permettre aux vampires qui maintenaient le Prélat en vie de lui injecter un peu de sang frais dans les veines. Il avait espéré avoir des nouvelles plus réconfortantes à fournir lors de cette audience. Il regarda la grosse pile de dossiers rouges contenant les informations personnelles de la Carmina. Il en aurait peut-être…

—Très bien, dit-il en refermant le dossier de frère Samuel et en le mettant sur le côté. Mais j'ai d'abord besoin que vous fassiez quelque chose pour moi. Je crois que l'inspecteur chargé de l'affaire a parlé depuis à une femme. Je veux savoir qui elle est, je veux savoir ce qui s'est dit, et plus important encore – je veux savoir *où* elle est.

—Bien sûr, dit Athanase. Je vais trouver tout ce que je peux et vous le communiquer avant votre réunion.

L'Abbé hocha la tête et le regarda s'incliner et quitter la pièce à reculons, avant de reporter son attention sur la pile de dossiers devant lui.

Il y en avait soixante-deux en tout, chacun contenant l'historique détaillé d'un membre de la Carmina, les manteaux rouges, la guilde de gardes qui protégeait les passages menant aux zones interdites de la montagne. Des hommes qui s'étaient montrés aptes à des tâches martiales tant dans leur existence précédente que dans leur dévouement ultérieur envers la Citadelle. En tant que Carmina, ils étaient des Sancti potentiels, même s'ils ne savaient encore rien de la véritable nature du Sacrement. On pouvait donc, si nécessaire, les renvoyer dans le monde extérieur sans risquer de compromettre le secret.

Il prit le premier dossier au sommet de la pile, l'ouvrit. Il laissa de côté la collection habituelle de rapports médicaux et de bulletins scolaires, et se mit à la recherche d'autres documents – historique d'activités militaires, rapports d'arrestations et d'emprisonnement – qui lui diraient si cet homme était celui qu'il lui fallait.

39

Seule dans l'intimité de son appartement, Kathryn Mann examinait sur son ordinateur le contenu du dossier volé. Comme elle l'avait reçu une heure après que la Citadelle eut obtenu sa copie, le sien était un peu plus à jour et contenait une transcription brute de la conversation d'Arkadian avec Liv. On y trouvait aussi un lien vers son profil sur le site du journal américain qui l'employait.

Kathryn lut rapidement tous les détails de l'affaire, puis elle saisit son téléphone et appuya sur la touche bis.

— Je l'ai, dit-elle aussitôt que son père eut décroché.

— Et ?

— Aucun doute, c'est un Sanctus, répondit-elle en repensant aux terribles images de l'autopsie montrant le réseau familier de cicatrices rituelles sur le corps du moine.

— Intéressant, fit Oscar. Et apparemment, toujours pas d'action officielle du côté de la Citadelle pour réclamer le corps. Quelque chose leur fait peur.

— Peut-être, mais il y a encore autre chose dans le dossier, quelque chose... d'incroyable.

Elle regarda un instant le visage de la jolie jeune journaliste dans la fenêtre de son navigateur avant d'ajouter :

— Il a une sœur.

Elle entendit son père retenir sa respiration.

— C'est impossible, dit-il enfin. S'il a une sœur, il ne peut pas être devenu un Sanctus. En fait, il n'aurait même pas pu être admis dans la Citadelle.

— Mais il porte les cicatrices. Il a bel et bien été ordonné. Il a été marqué du signe du Tau. Il est donc sorti de la Citadelle et il a *forcément* vu le Sacrement.

— Alors, tu dois retrouver sa sœur, dit Oscar. Et ensuite, protège-la par tous les moyens dont nous disposons. Et je dis bien *tous*.

Il y eut un silence sur la ligne. Ils savaient tous deux ce qu'il entendait par là.

— Je comprends, dit enfin Kathryn.

— Je sais que c'est dangereux, mais cette fille n'a aucune idée de ce qui l'attend. Il faut que nous la protégions. C'est notre devoir.

— Je sais.

151

—Et encore une chose…

—Oui ? fit Kathryn.

—Prépare la chambre d'amis et fais-toi livrer une caisse de bon whisky, dit-il d'une voix de nouveau enjouée. Je crois qu'il est temps pour moi de rentrer à la maison.

40

L'Abbé parcourait à grands pas les sombres galeries de pierre de la montagne pour se rendre dans les appartements du Prélat. Il était perturbé par l'absence de nouvelles réconfortantes à lui apporter. C'était déjà suffisamment grave que, pour la première fois depuis près de quatre-vingt-dix ans, quelqu'un ait presque réussi à s'échapper de la Citadelle. Qu'il ait péri au cours de la tentative était bien le seul point lumineux à l'horizon. D'autant que la possibilité qu'il ait un parent vivant en faisait sans doute la pire des atteintes à la sécurité depuis deux siècles – et peut-être même plus encore. L'Abbé ne pouvait pas écarter de son esprit le fait qu'en dernier recours c'était à lui d'en assumer la responsabilité.

On n'attendrait pas autre chose de lui que de réussir rapidement à régler cette situation de façon satisfaisante, et pour cela il fallait qu'il obtienne d'avoir les coudées franches afin d'agir avec toute l'énergie qu'il jugerait nécessaire – non seulement dans la Citadelle, mais surtout au-dehors –, et cela nécessitait la bénédiction du Prélat.

Il salua d'un signe de tête le garde posté en permanence devant les appartements privés du Prélat. Autrefois, les gardes de la Citadelle étaient experts dans l'usage de l'arbalète, de l'épée et du poignard, mais les temps avaient changé. Aujourd'hui, ils portaient un Beretta 92 à double action, avec un plein chargeur de cartouches 9 mm Parabellum, dans un étui spécial serré autour du poignet et dissimulé sous la manche de leur soutane rouge. Le garde poussa le lourd battant de porte pour le laisser passer. Ce n'était pas l'un de ceux qu'il avait choisis dans sa pile de dossiers.

La porte se referma en claquant derrière lui, l'écho caverneux résonnant un instant dans le couloir. L'Abbé s'approcha de l'élégant escalier menant à la chambre d'apparat du Prélat. Il perçut le sifflement du respirateur artificiel dans l'obscurité devant lui, insufflant en cadence de l'oxygène dans les poumons fatigués de son occupant.

La chambre était encore plus sombre que le couloir, et l'Abbé dut ralentir le pas en entrant, ne sachant pas ce qu'il y avait sur son chemin. Un feu médiocre brûlait dans la cheminée, aspirant l'air de la pièce en échange d'un peu de lumière et de chaleur sèche et étouffante. La seule autre source lumineuse était la batterie d'appareils électroniques qui se consacraient jour et nuit à oxygéner le sang du Prélat et à en retirer les toxines afin de le maintenir en vie.

D'un pas hésitant, l'Abbé s'avança vers l'immense lit à baldaquin qui dominait la pièce, et il put distinguer la forme décharnée, livide et presque diaphane allongée au milieu. Dans la faible lueur, on eût dit que le Prélat était prisonnier d'un réseau de tuyaux et de fils, une toile tissée par une araignée des cavernes. Seuls ses yeux semblaient encore posséder de la substance. Sombres et attentifs, ils observaient le visiteur qui s'approchait.

L'Abbé tendit le bras au-dessus des draps blancs pour prendre la main griffue du Prélat. Malgré la chaleur étouffante de la pièce, celle-ci était aussi glacée que la roche de la montagne. Il inclina la tête et baisa l'anneau encerclant le majeur, le sceau du rang suprême.

— Laissez-nous, dit le Prélat d'une voix à la fois sèche et fatiguée.

Deux Apothecaria en soutane blanche se levèrent de leur siège tels des fantômes. L'Abbé ne les avait même pas remarqués dans l'ombre. Chacun d'eux vérifia et ajusta quelque chose sur l'un des nombreux appareils, augmentant le volume des alarmes afin de pouvoir les entendre depuis l'escalier, puis ils se glissèrent silencieusement hors de la pièce. L'Abbé se retourna vers son maître et se trouva sous le feu de son regard brillant.

— Dites-moi… tout… murmura le Prélat.

L'Abbé récapitula la séquence d'événements de la matinée, sans rien omettre, tandis que le Prélat continuait de le fixer de ses yeux perçants comme des aiguilles. Ainsi exprimé à voix haute, tout semblait encore pire que quand l'Abbé l'avait formulé dans sa tête en venant. Il savait aussi d'expérience que le Prélat n'était pas un homme enclin à l'indulgence. Il était lui-même Abbé la dernière fois qu'un novice les avait trahis, à l'époque de la Première Guerre mondiale, et la façon impitoyable dont il avait réglé le problème lui avait valu d'accéder à la Prélature. L'Abbé nourrissait le secret espoir qu'un succès comparable dans la situation présente lui vaudrait la même récompense.

Quand l'Abbé eut terminé son rapport, le vieil homme cessa de braquer les yeux sur lui et tourna son regard vers un point situé dans l'obscurité au-dessus du lit. Ses longs cheveux et sa barbe étaient peu fournis, et plus blancs encore que les draps qui l'enveloppaient tel un suaire. Ses seuls mouvements étaient ceux de sa poitrine se soulevant et s'abaissant au rythme des machines, et le faible battement de ses veines, apparentes sous sa peau fine comme du parchemin.

— Une sœur ? dit-il enfin.

— Ce n'est pas encore confirmé, Votre Sainteté, mais il s'agit néanmoins d'une source de préoccupation sérieuse et immédiate.

— Préoccupation sérieuse et immédiate… pour elle, peut-être.

Le Prélat s'exprimait par petits groupes de mots, chaque phrase interrompue toutes les quelques secondes par le respirateur insufflant de l'air dans ses poumons usés.

— Je suis heureux que Votre Sainteté soit d'accord, répondit l'Abbé.

Le regard pénétrant se tourna de nouveau vers lui.

— Je n'ai donné mon accord sur… rien, répliqua le Prélat. J'imagine que par cette visite… où vous ne m'apportez rien… que des mauvaises nouvelles… et des points d'interrogation… vous espérez que je vais… vous donner la permission… de réduire cette fille au silence.

— Cela me semblerait prudent.

Le Prélat poussa un soupir et se remit à contempler les ténèbres au-dessus de son lit.

— Encore des morts, dit-il en se parlant presque à lui-même. Tout ce sang…

Il respira profondément pendant quelques instants, et le sifflement du respirateur augmenta dans le silence.

— Pendant des milliers d'années, reprit le Prélat d'une voix toujours hachée, nous avons été les gardiens... du Sacrement... un secret transmis... sans aucune interruption... depuis les premiers fondateurs... de notre Église. Consciencieusement... nous avons tenu le secret... mais il nous a tenus, nous aussi... et il nous tient encore... séparés du monde... exigeant tant de sacrifices... tant de sang... juste pour le garder caché. Vous arrive-t-il de vous demander... frère Abbé... quel est notre but ici ?

— Non, répondit l'Abbé, sans bien comprendre où le Prélat voulait en venir avec cette question. Notre travail dans la Citadelle est évident. C'est l'œuvre de Dieu.

— Faites-moi grâce de vos platitudes de séminariste, répliqua le Prélat avec une énergie surprenante. Je ne suis pas un novice au visage imberbe. Je veux parler de notre but *spécifique*. Croyez-vous vraiment que nous accomplissions l'œuvre de Dieu ?

— Naturellement, répondit l'Abbé en fronçant les sourcils. Notre vocation est légitime. Nous assumons le fardeau du passé de l'humanité pour le salut de son avenir.

Le Prélat sourit.

— Quelle bénédiction pour vous... d'avoir une telle assurance...

Ses yeux se tournèrent de nouveau au-dessus de lui.

— À mesure que la mort se rapproche... je dois avouer... que les choses me semblent... très différentes... La vie brille... d'étranges façons... une fois éclairée par... la sombre lumière de la mort... Mais je guérirai de la vie... bien assez tôt...

L'Abbé ouvrit la bouche pour protester, mais le Prélat le fit taire en levant sa main presque translucide.

— Je suis vieux, frère Abbé... trop vieux... Alors que j'approche de mon deuxième... siècle, je sens... le poids de mes années… Autrefois, je pensais que… la longue existence et la robuste… santé dont on bénéficiait… en vivant dans cette montagne… étaient une bénédiction… Je croyais qu'elles étaient la preuve… que Dieu souriait sur nous et notre… travail… À présent, je n'en suis pas… aussi sûr… Dans chaque culture… et dans toute la littérature… une longue existence est toujours… dépeinte comme rien d'autre… qu'une terrible malédiction… infligée aux damnés…

— Ou aux êtres divins, dit l'Abbé.

— J'espère que vous avez raison… frère Abbé… J'y ai beaucoup… réfléchi ces derniers temps… Je me demande… quand mon temps sera enfin venu… si le Seigneur sera content… du travail que j'ai accompli… en Son Saint Nom… Ou s'Il en aura honte… Tous les efforts de ma vie… se révéleront-ils n'être… qu'un exercice sanglant… visant à protéger la réputation… d'hommes qui sont depuis longtemps… retombés en poussière… ?

Il fut secoué d'une toux sèche et ses yeux sombres se tournèrent vers une carafe d'eau posée à côté de son lit.

L'Abbé en remplit un verre et souleva la tête du Prélat pour l'aider à boire par petites gorgées entre deux insufflations du respirateur inlassable. Malgré la chaleur oppressante, la tête du Prélat lui semblait anormalement glacée. Il la reposa délicatement sur l'oreiller et remit le verre sur la table de chevet. Quand il se tourna de nouveau vers le Prélat, celui-ci avait repris sa contemplation du néant au-dessus de son lit.

— Je vois le visage de la Mort… chaque jour… dit-il en scrutant les ténèbres. Je la regarde… et elle me regarde… Je me demande pourquoi… elle garde ses distances… Et voilà que vous venez ici… pour prononcer de douces paroles… qui ne peuvent cacher votre… féroce désir de sang… et je me dis en moi-même… que la Mort est peut-être rusée… Elle veut peut-être me garder en vie… pour que je vous accorde… les pouvoirs que vous convoitez… Et vos actions pourront alors… lui fournir des âmes… bien plus fraîches que la mienne… avec lesquelles jouer…

— Je n'ai aucun désir de sang, répondit l'Abbé. Mais il arrive que nos devoirs en exigent. Les morts gardent les secrets beaucoup mieux que les vivants.

Le Prélat se tourna vers lui et le regarda fixement.

— Frère Samuel… pourrait ne pas être d'accord… sur ce point…

L'Abbé ne dit rien.

— Je ne vais pas vous accorder… votre souhait… déclara soudain le Prélat en dévisageant l'Abbé pour guetter sa réaction. Trouvez-la et surveillez-la… par tous les moyens… mais ne lui faites aucun mal… Je l'interdis expressément…

L'Abbé fut consterné.

— Mais, Votre Sainteté, comment pouvons-nous la laisser vivre s'il y a même une chance infime qu'elle connaisse l'identité du Sacrement ?

— Je doute… qu'elle sache quoi que ce soit… répondit le Prélat. C'est une chose… de posséder un numéro de téléphone… C'en est une autre… de posséder un téléphone… Croyez-vous vraiment… que frère Samuel ait eu le temps… d'appeler quelqu'un… entre le moment où il… a appris notre grand secret… et celui de sa mort tragique… ? Êtes-vous tellement impatient… de vous emparer d'une vie… sur la base d'une possibilité… aussi infime… ?

— Je ne pense pas que nous puissions prendre le moindre risque quand notre ordre est en danger. L'Église est faible. Les gens ne croient plus à rien. Une révélation sur les origines de notre foi pourrait tout détruire aujourd'hui. Vous avez vu dans cette enceinte comment certains réagissent quand on leur révèle le Sacrement, même après une sélection et une préparation minutieuses. Imaginez qu'il soit révélé au monde entier ? Ce serait le chaos. Avec le plus grand respect, Votre Sainteté, nous devons protéger le Sacrement encore plus que nous ne l'avons jamais fait jusqu'ici. L'avenir de notre foi peut en dépendre. Cette fille est trop dangereuse pour qu'on la laisse vivre.

—Toutes choses ont une fin… dit le Prélat. Rien ne dure pour l'éternité… Si l'Église est faible… alors tout ceci arrive peut-être… pour une bonne raison… Le moment est peut-être venu… de nous en remettre… au destin… Les dés sont jetés… laissons-les rouler… où ils voudront… J'ai pris ma décision… Dites à mes assistants… que je souhaite me reposer… Et fermez la porte… en partant…

L'Abbé resta immobile un instant, incapable de croire que l'entretien était vraiment terminé et que sa demande avait été rejetée. Il regarda le Prélat, semblable à un gisant sur son tombeau.

Comme j'aimerais que tu y sois déjà, pensa-t-il en inclinant la tête et en reculant lentement avant de quitter la pièce étouffante.

Dehors, les Apothecaria attendaient dans la pénombre du couloir.

—Laissez-le, leur dit l'Abbé en passant à côté d'eux d'un pas rapide. Il veut être seul avec ses pensées sur son héritage.

Les deux hommes en soutane blanche échangèrent un regard interloqué, sans bien comprendre ce que l'Abbé voulait dire. Le temps qu'ils se retournent pour lui poser la question, il était déjà au bas de l'escalier.

Vieil imbécile, se dit l'Abbé en ouvrant la porte d'un geste rageur et en passant à côté du garde. *Pas étonnant que notre chère Église soit devenue aussi faible, avec un tel homme à sa tête...*

Il fut heureux de retrouver la fraîcheur de la montagne et essuya avec sa manche la sueur qui perlait sur son front, tout en se dirigeant vers la grotte de la grande cathédrale où les habitants de la Citadelle s'apprêtaient à célébrer les vêpres.

« Trouvez-la et surveillez-la. »

Les paroles du Prélat résonnaient dans la tête de l'Abbé comme un défi. Mais il y avait une information qu'il avait gardée pour lui. Quand il avait parlé à la fille, il avait entendu une annonce au haut-parleur en bruit de fond. Elle était dans un aéroport. Elle s'apprêtait à venir à Ruine.

Il saurait la trouver sans problème, et la mettrait dans un endroit où elle pourrait être surveillée de près. Et quand la Mort aurait fini de jouer avec son maître, il s'occuperait d'elle à sa façon.

41

Les bureaux de la police étaient maintenant plus calmes. Il était six heures du soir, et l'on n'entendait que le cliquetis régulier des touches frappées d'un seul doigt.

En général, on ne commettait pas de cambriolages ni de meurtres l'après-midi, et c'était donc le moment idéal pour mettre à jour la paperasse.

Assis à son bureau, Arkadian regardait son écran en fronçant les sourcils. Son téléphone n'avait pratiquement pas arrêté de sonner. La presse avait réussi à se procurer son numéro de ligne directe, et toutes les deux ou trois minutes, quelqu'un l'appelait pour lui poser des questions sur l'affaire dont le dossier était affiché sous ses yeux. Le chef de la police l'avait aussi appelé personnellement pour savoir quand il pourrait faire une déclaration officielle. Arkadian l'avait assuré qu'il aurait quelque chose dès que les dires du témoin auraient été vérifiés. Et de fait, il y avait de quoi froncer les sourcils.

Après sa conversation avec la fille, il avait fait des recherches dans les bases de données sur le nom qu'elle lui avait fourni, et il avait commencé à rassembler les premiers éléments d'un dossier sur Samuel Newton. Il avait réussi à trouver son certificat de naissance, qui indiquait qu'il était né à Paradise, en Virginie-Occidentale. Son père était horticulteur bio et sa mère botaniste, et il avait été enregistré sous le simple prénom de « Sam » au lieu de « Samuel ». Plusieurs parties du document étaient restées vierges, en particulier la mention du sexe de l'enfant, mais les recherches d'Arkadian lui avaient également permis de trouver un certificat de décès associé – le triste fait que sa mère était morte huit jours plus tard.

Il y avait peu d'informations concernant ses premières années, et il manquait de nombreux documents qu'Arkadian s'était attendu à trouver. Diverses coupures de presse reprenaient le fil de son histoire à l'âge de neuf ans, en retraçant le développement de ses capacités précoces pour l'alpinisme. On y voyait une photo en noir et blanc du jeune Sam agrippé au sommet d'un pic qu'il venait manifestement de conquérir. Arkadian compara l'image du jeune garçon souriant avec les photos prises lors de l'autopsie. La ressemblance était manifeste.

D'après la dernière coupure de journal, datée d'il y a neuf ans, les talents du jeune Sam pour l'escalade avaient été indirectement responsables de la mort de son père. Alors qu'ils revenaient d'une compétition dans les Alpes italiennes, ils avaient été surpris par une tempête de neige. Leur voiture avait dérapé et basculé dans un ravin. Le père et le fils avaient survécu à la chute, mais ils avaient été assez grièvement blessés. Quand Sam avait repris conscience, la neige pénétrait par une vitre brisée et il ne se souvenait plus vraiment où il était ni comment il était arrivé là. Son bras le faisait atrocement souffrir, et il avait très froid, mais il ne semblait pas avoir d'autres blessures. Il avait constaté que son père, bien que parfaitement conscient, saignait d'une large entaille à la tête. Il était également coincé sous les débris du tableau de bord, et se plaignait de ne rien sentir au-dessous de la taille.

Pour le maintenir au chaud, Sam l'avait enveloppé de son mieux avec ce qu'il avait pu trouver, puis il avait entrepris d'escalader la pente du ravin pour aller chercher du secours. Il lui avait fallu un bon moment pour gravir la paroi glacée car il devait lutter contre la tempête de neige, et son bras – qui lui faisait «un mal de chien», comme il l'avait dit aux journalistes – était en fait fracturé en deux endroits. Il avait enfin réussi à atteindre la route et à arrêter un camion qui passait.

Le temps que l'équipe des secours en montagne arrive, son père avait perdu trop de sang, il était resté trop longtemps dans le froid et il avait sombré dans un coma dont il ne s'était jamais réveillé. Il était mort trois jours plus tard. Sam venait juste d'avoir dix-huit ans. Il était retourné aux États-Unis avec son trophée et la dépouille de son père dans un cercueil placé dans la soute.

Arkadian avait aussi réussi à retrouver un formulaire de demande de passeport que Sam avait rempli quand il avait commencé à parcourir le monde pour ses expéditions en montagne. Dans la rubrique « Signes distinctifs », on mentionnait une cicatrice à la base des côtes du côté droit, en forme de croix. Arkadian était convaincu d'avoir trouvé son homme, mais il y avait encore beaucoup de choses qui ne collaient pas.

La procédure standard exigeait qu'on fasse des vérifications sur les personnes qui se présentaient pour identifier un corps, une précaution nécessaire pour éliminer de faux témoignages. Quand Arkadian avait procédé à ces vérifications pour Liv Adamsen, de Newark dans le New Jersey, il avait trouvé ce à quoi il s'attendait : où elle habitait, son historique de carte de crédit, les éléments habituels, rien de très remarquable. Mais plus il creusait, plus il était perplexe.

Deux détails en particulier agitaient les sonnettes d'alarme dans son esprit naturellement soupçonneux. Le premier était son métier : Liv Adamsen était journaliste d'investigation en affaires criminelles pour le compte d'un grand quotidien du New Jersey. C'était une mauvaise nouvelle, particulièrement dans une affaire aussi médiatique que celle-là. Le second n'était pas tant un problème qu'un mystère. Bien que Liv Adamsen eût correctement identifié le cadavre et réagi comme le ferait une sœur, il n'y avait pas la moindre trace d'une telle relation dans tous les documents qu'il avait vérifiés. Dans l'ensemble complexe de papiers retraçant la vie de Samuel Newton, il n'y avait rien pour indiquer qu'il ait jamais eu une sœur.

42

La cabine du Lockheed TriStar vibra quand le vol de la Cypress Turkish Airlines décolla de Londres pour se rendre à la pointe extrême de l'Europe. Dès que les roues eurent quitté le tarmac, le vent prit le relais et l'appareil se mit à trembler comme si des mains invisibles tentaient de le briser en morceaux et de le rejeter à terre.

C'était un gros avion, ce qui était rassurant, mais plus de la première jeunesse, ce qui l'était beaucoup moins. Il y avait encore, insérés dans les accoudoirs, des cendriers escamotables en aluminium qui faisaient un bruit de crécelle tandis que l'appareil s'efforçait de prendre de l'altitude. En les regardant, Liv s'imagina retournée à l'époque où elle aurait pu se calmer les nerfs de la façon traditionnelle. Elle dut se contenter de déchirer un paquet de gingembre mariné, les restes d'un assortiment de sushis qu'elle avait payé un prix exorbitant lors de son escale. Elle s'en mit un sous la langue. Le gingembre était bon pour le stress et permettait d'atténuer le mal de l'air. Elle referma soigneusement le paquet et le mit de côté. Ce vol allait certainement mettre à rude épreuve la réputation du produit…

Elle suça lentement le gingembre en examinant ses compagnons de voyage. L'avion n'était rempli qu'à moitié. L'heure tardive n'encourageait pas vraiment à la sociabilité. Le vieux Lockheed fit une nouvelle embardée sous l'effet d'une énième bourrasque. Par le hublot, Liv pouvait apercevoir une aile qui semblait battre comme celle d'un oiseau, avec cependant une certaine raideur. Elle se força à détourner les yeux…

Elle avait espéré pouvoir dormir un peu pendant cette dernière étape de son voyage. Mais c'était hors de question tant que son angoisse continuerait de lui mettre les nerfs à vif. Elle sortit de son sac l'autre achat qu'elle avait fait pendant son escale – un guide touristique de la Turquie.

Elle parcourut la table des matières. Il y avait tout un chapitre consacré à Ruine, ainsi qu'une carte qu'elle examina d'abord. Comme la plupart des gens, elle n'avait qu'une très vague idée de ce qu'était Ruine. Il en allait pour la vieille ville, et particulièrement la Citadelle, comme pour les pyramides d'Égypte : tout le monde savait à quoi elles ressemblaient, mais rares étaient ceux qui pouvaient les situer sur un atlas.

Un grand dépliant montrait la Turquie, étendue telle une passerelle entre l'Europe continentale et l'Arabie, bordée au nord et au sud respectivement par la mer Noire et la Méditerranée. L'index géographique guida Liv vers le bord droit de la carte, près de la frontière où l'Europe vient se frotter aux terres bibliques du Moyen-Orient.

Elle repéra le symbole de l'aéroport près de la ville de Gaziantep, là où elle allait atterrir dans quatre heures. Mais elle ne voyait pas Ruine. Elle vérifia la référence avant de jeter encore un coup d'œil. Ce n'est qu'au bout de quelques minutes de recherches attentives dans la pénombre de la cabine qu'elle réussit à la trouver – au nord-ouest de l'aéroport, là où commencent à s'élever les monts Taurus, juste sur la pliure de la carte et presque entièrement cachée par le trait noir du quadrillage. Liv se dit que c'était particulièrement approprié que son frère ait choisi de se cacher dans un endroit pareil, si connu et pourtant si obscur, miraculeusement niché dans le pli d'une carte.

Elle feuilleta le guide jusqu'à ce qu'elle trouve le chapitre sur Ruine, et commença à lire, absorbant les informations et les classant dans son esprit de journaliste jusqu'à ce qu'il s'en dégage une image de la ville où son frère avait vécu et où il était mort. C'était un grand centre religieux, ce qui était logique étant donné ce que Samuel lui avait dit, la dernière fois qu'ils s'étaient vus. C'était aussi le lieu de pèlerinage le plus ancien du monde, grâce aux propriétés bienfaisantes des eaux qui jaillissaient en abondance du sol, résultant de la fonte des glaciers qui l'entouraient. Cela aussi était parfaitement logique. Elle l'imaginait très bien en guide de montagne, se cachant sous un nom d'emprunt loin des sentiers battus, à la recherche de la paix qu'il désirait tant.

«Je veux être plus près de Dieu.» Voilà ce qu'il avait dit.

Dans le silence qui avait suivi sa disparition, elle s'était souvent interrogée sur ces paroles, tourmentée par les plus sombres interprétations possibles. Mais même si le silence s'était prolongé pendant des années, elle avait toujours su au fond d'elle-même qu'il était vivant. Elle avait continué de le croire même quand la lettre du Bureau américain de l'état civil lui avait dit le contraire. Et maintenant, elle s'engageait sur le chemin qu'il avait parcouru pour découvrir la vie qu'il avait menée ici. Elle espérait que l'inspecteur pourrait lui indiquer l'endroit où il avait habité, et peut-être des gens qui l'avaient connu. Elle en obtiendrait peut-être des réponses pour combler les vides qui résonnaient dans son esprit.

Elle tourna la page, s'arrêta sur une photo de la vieille ville nichée au pied de la montagne élancée. La légende la décrivait comme «le lieu antique le plus visité au monde, censé abriter la puissante relique connue sous le nom de Sacrement»…

La page suivante contenait un bref historique de la Citadelle, insistant sur son extraordinaire antiquité et sur sa présence permanente tout au long de l'histoire de l'humanité. Liv avait pensé que la Citadelle était un sanctuaire chrétien, mais le texte révélait que son alignement avec le christianisme n'avait eu lieu qu'au IVe siècle, après la conversion de l'empereur Constantin. Auparavant, elle avait été indépendante de toute religion organisée, bien qu'elle eût exercé une énorme influence sur pratiquement tous les systèmes de croyance anciens. Les Babyloniens l'avaient considérée comme la première et la plus grande ziggourat ; les Grecs de l'Antiquité la vénéraient comme étant le domaine des dieux et l'avaient renommée Olympe ; même les Égyptiens la tenaient pour sacrée, et les pharaons franchissaient la mer jusqu'à l'empire des Hittites pour visiter la montagne. Certains croyaient même que les grandes pyramides de Gizeh étaient une tentative de reconstitution de la montagne, dans l'espoir que les propriétés magiques de la Citadelle pourraient être reproduites en Égypte.

Une fois que la Citadelle eut joué son coup politique en adhérant au christianisme, le centre opérationnel de l'Église avait été transféré à Rome afin de bénéficier de la protection du Saint Empire romain tout récemment créé. La Citadelle était cependant restée le pouvoir derrière le trône, énonçant désormais ses édits et ses dogmes par l'intermédiaire de Rome, ainsi qu'une nouvelle version de la religion par la publication d'une version autorisée de la Bible. Toute divergence par rapport à cette vision officielle était considérée comme une hérésie et aussitôt écrasée, grâce, dans les débuts, à la puissance de l'armée romaine, et plus tard à celle des rois et empereurs désireux de s'attirer les faveurs de l'Église et, par voie de conséquence, celles de Dieu.

Liv parcourut les détails sanglants, aussi troublée par l'abondance de points d'exclamation et d'adverbes que par le contenu lui-même. L'histoire brutale de cet endroit ne l'intéressait guère, non plus que les secrets qu'il était censé renfermer. Elle ne s'intéressait qu'à son frère et à ce qui, dans cette ville antique, avait pu le mener à la mort.

La cabine se remit à trembler et Liv leva les yeux en entendant un léger *bong*. Le signal de maintenir sa ceinture attachée venait de s'éteindre. Celui interdisant de fumer resta résolument allumé, déterminé à narguer Liv pendant le reste du vol tandis que le ciel se faisait plus noir encore et que la tempête empirait.

43

La journée de dévotions dans la Citadelle comportait douze offices, dont les plus importants étaient les quatre nocturnes. Ils avaient lieu chaque nuit, quand on pensait que l'absence de la lumière de Dieu permettait aux forces du mal de prospérer. C'était une théorie avec laquelle tout policier d'une grande ville aurait été d'accord : les actes les plus noirs sont presque toujours commis au plus profond de la nuit.

Le premier des nocturnes était les vêpres, une messe célébrée dans le seul endroit suffisamment vaste pour permettre à la population entière de la Citadelle d'assister à la mort du jour – la grande grotte de la cathédrale, dans la partie est de la montagne. Les huit premiers rangs étaient occupés par les habits noirs des guildes spirituelles – les prêtres et bibliothécaires, qui passaient leur vie dans les ténèbres de la grande bibliothèque. Derrière eux étaient assis une mince rangée blanche d'Apothecaria, puis vingt rangées de soutanes marron, les guildes matérielles – maçons, menuisiers et autres techniciens spécialisés dont la tâche était de veiller au maintien de l'intégrité physique de la Citadelle.

Les soutanes rouges des gardes formaient la séparation entre les guildes supérieures sur le devant et les nombreuses soutanes grises au fond, les moines chargés de la cuisine, du ménage et de toutes les tâches manuelles requises par les autres guildes.

Au-dessus de l'assemblée bigarrée, dans leur propre galerie surélevée, étaient assis les Sancti vêtus de vert – treize en tout, y compris l'Abbé, mais aujourd'hui ils n'étaient que onze. L'Abbé n'était pas avec eux, le frère Gruber non plus.

Quand le soleil eut enfin disparu derrière les trois grands vitraux au-dessus de l'autel – une rosace flanquée de deux triangles symbolisant l'œil de Dieu qui voit tout –, les participants se levèrent pour aller prendre leur dernier repas dans le réfectoire avant de se retirer dans leurs dortoirs.

Tous, sauf trois hommes vêtus de la soutane rouge des Carmina.

L'un d'eux, un moine aux cheveux blonds, avec un visage plat impassible et la silhouette d'un boxeur mi-lourd, traversa l'espace caverneux et se dirigea vers

169

une porte située juste au-dessous du balcon des Sancti. Les deux autres le suivirent en silence.

Le passé de Cornelius en tant qu'officier de l'armée britannique lui avait valu l'attention de l'Abbé, qui voyait en lui le chef naturel du groupe. Il lui avait donc fait passer un message avant qu'il ne se rende aux vêpres, contenant deux autres noms, des instructions et un plan. Cornelius y jeta un coup d'œil en sortant de la cathédrale, puis il tourna à gauche comme il était indiqué avant de s'engager dans les longs tunnels étroits et peu fréquentés menant à la partie abandonnée de la montagne.

Le crépuscule s'épaississait dans le labyrinthe de la vieille ville. Les derniers touristes avaient été poliment raccompagnés vers la sortie, et les lourdes grilles s'étaient remises en place dans un grand bruit métallique, bloquant les accès pour la nuit.

À l'ouest, dans la partie connue sous le nom de quartier Perdu, les ombres commençaient à prendre forme humaine tandis que le commerce nocturne de la chair reprenait furtivement.

À l'est, assise dans son salon, Kathryn Mann attendait que son imprimante ait terminé son travail. Elle regrettait maintenant de l'avoir paramétrée sur une qualité d'image supérieure, en voyant les lignes apparaître lentement l'une après l'autre. Les informations télévisées mentionnaient de grands rassemblements à travers le monde pour rendre un hommage silencieux à l'homme qu'on ne connaissait pas encore sous le nom de frère Samuel. En Amérique, en Europe, en Afrique, en Australie, et même en Chine, où les manifestations publiques, particulièrement de nature religieuse, n'étaient pas entreprises à la légère. Devant la cathédrale Saint John the Divine, à New York, une femme était interviewée. On lui demandait pourquoi la mort du moine l'avait autant frappée.

«Parce qu'on a besoin de la foi, vous comprenez? répondait-elle d'une voix tendue par l'émotion. Parce qu'on a besoin de savoir que l'Église veille sur nous – et prend soin de nous. Si un de ses moines en arrive à faire une chose pareille, et si l'Église ne dit rien, alors qu'est-ce qu'on doit penser…?»

Sur tous les continents, les gens disaient plus ou moins la même chose. La mort solitaire du moine les avait manifestement touchés. Sa veillée au sommet de la montagne leur semblait symboliser leur propre sentiment d'isolement, et le silence qui avait suivi la preuve de l'indifférence de l'Église. Une Église qui aurait perdu sa compassion.

Un changement est peut-être en train de se produire, pensa Kathryn en retirant enfin la feuille de papier de l'imprimante.

On y voyait la photo de Liv Adamsen récupérée dans le dossier de la police.

Finalement, la prophétie est peut-être bien en train de se réaliser.

Elle éteignit le poste de télé et sortit en prenant deux pommes au passage. L'aéroport n'était qu'à une demi-heure de route, mais elle ne savait absolument pas combien de temps elle devrait attendre, une fois là-bas.

44

Une lourde porte s'ouvrit en grinçant sur ses gonds. Cornelius en franchit le seuil et prit la torche allumée qu'on y avait laissée à leur intention. Il la leva devant lui et s'enfonça dans les profondeurs oubliées de la Citadelle. Le frère Johann marchait à ses côtés. Son visage brun de jeune premier démentait ses origines scandinaves, mais ses yeux bleus étaient glacés comme son pays natal. Derrière eux, le frère Rodriguez les dominait d'une tête. Sa haute silhouette élancée contredisait ses origines hispaniques. Il avançait courbé dans ces tunnels au plafond bas, ses yeux dorés vigilants et inexpressifs.

Le crissement de leurs pas et le crépitement des flambeaux se réverbéraient autour d'eux à mesure que le passé de la montagne émergeait des ténèbres pour les accueillir. Ici et là, des portes béaient, telles des bouches figées par le chagrin. Par les ouvertures, on pouvait apercevoir les reliques des existences qui y avaient été vécues autrefois : des lits affaissés sous le poids de la paille imbibée d'eau, des bancs fendillés qui pouvaient à peine soutenir les fantômes qui y étaient maintenant assis. De temps en temps, des débris de roche jonchaient le passage et des concrétions de calcaire luisaient dans la pénombre, tels les spectres de ceux qui avaient jadis marché ici.

Au bout de dix minutes, ils aperçurent une faible lueur orangée devant eux, filtrant par une porte entrouverte d'où s'échappait une fumée le long d'un plafond taillé à une époque où les hommes étaient plus petits. En s'approchant, ils sentirent une odeur de bois brûlé et l'air glacé sembla se réchauffer un peu. Cornelius avança encore et se retrouva dans un local qui avait dû être autrefois une cuisine. Au fond de la pièce, une silhouette était accroupie devant un fourneau antique et attisait un maigre feu avec un bâton.

— Soyez les bienvenus, mes frères, dit l'Abbé à la façon d'un aubergiste accueillant des voyageurs s'abritant d'une tempête de neige. Veuillez m'excuser, car cette flambée est bien médiocre. Je crains d'avoir perdu le coup de main. Je vous en prie…

D'un geste, il désigna une table sur laquelle étaient posés deux miches de pain et quelques fruits.

— Asseyez-vous et mangez.

L'Abbé se joignit aux trois hommes et les regarda rompre le pain en silence, sans en prendre lui-même. Il les examina attentivement tandis qu'ils mangeaient, mettant un nom sur chacun de ces visages, qu'il avait vus dans leurs dossiers personnels. Le géant : Guillermo Rodriguez. Vingt-quatre ans. Originaire du Bronx. Autrefois rat des rues et membre d'un gang. Son dossier listait une longue série d'arrestations pour incendies criminels, avec des condamnations chaque fois plus lourdes. Il avait passé la première moitié de sa vie avec une mère toxicomane, et la suite dans des centres de détention pour mineurs délinquants. Il avait trouvé Dieu après que le sida eut fait de lui un orphelin.

En face de lui était assis Johann Larsson. Vingt-quatre ans lui aussi. Cheveux bruns, yeux bleus, un visage remarquablement beau. Né dans les forêts d'Abisko, au nord de la Suède, dans une communauté religieuse sectaire. Alertée par un routier, la police avait trouvé Johann dormant à côté du cadavre de son frère. Le chauffeur avait aperçu un loup qui traversait la route en traînant

173

une jambe humaine derrière lui. Tous les membres de la communauté étaient morts dans un suicide collectif. Johann avait dit aux policiers que son père lui avait donné des pilules pour lui « permettre de voir Dieu ». Mais il était en colère parce qu'il s'était disputé avec son frère un peu plus tôt, et il les avait jetées. Une succession de familles d'accueil n'avaient pas réussi à entamer la carapace de ce beau garçon profondément perturbé, et il s'acheminait irrémédiablement vers l'autodestruction quand l'Église l'avait recueilli et envoyé dans un de ses séminaires de réhabilitation en Amérique, qui lui avait redonné l'espoir.

Et enfin, Cornelius Webster. Trente-quatre ans. Il avait grandi dans un orphelinat et s'était engagé dans l'armée britannique dès qu'il avait atteint l'âge requis. Il avait quitté l'armée avec une pension d'invalidité, après avoir vu les hommes de sa section brûler vif quand leur véhicule blindé avait été touché par une roquette. Les cicatrices sur son visage, comme des gouttes de cire pâle traversant sa barbe, étaient le souvenir de cette tragédie. Quand il avait quitté l'armée, il avait échangé la vie organisée d'un soldat contre celle d'un moine. Comme pour les deux autres, la Citadelle était désormais sa famille.

L'Abbé avait également en tête l'adéquation de leurs divers talents avec la mission qu'il allait leur confier. Cornelius, âge et autorité ; Johann, physique irrésistible et anglais impeccable, l'appât idéal pour attraper un poisson femelle ; Rodriguez, passeport américain et expérience de la rue. Chacun avait connu la violence dans sa vie précédente et était animé d'un profond désir de faire ses preuves devant Dieu.

Il attendit qu'ils aient terminé leur repas avant de reprendre la parole :

—Je vous prie de pardonner la nature peu conventionnelle de cette réunion, mais quand je vous en aurai expliqué la raison, vous comprendrez la nécessité d'une telle prudence et d'un tel secret.

Il se posa un doigt sur les lèvres et poursuivit :

—Cette partie de la montagne a autrefois abrité une garnison de moines-soldats, les Carmina, les chevaliers rouges de la Citadelle, les illustres prédécesseurs de la guilde que vous servez aujourd'hui. Ils s'en allaient éradiquer les fausses religions, écraser les faux dieux, détruire les églises hérétiques et purger les fidèles égarés de leurs péchés dans les feux purificateurs de l'Inquisition. Leurs croisades étaient connues sous le nom de Tabula Rasa – la table rase –, car il ne restait plus la moindre trace d'hérésie après leur passage.

Il baissa la voix et se pencha sur la table en la faisant grincer comme la coque d'un vieux navire.

—Les Carmina n'étaient pas soumis aux lois ordinaires des hommes.

Il dévisagea chacun de ses interlocuteurs, le temps que ces derniers mots fassent leur chemin en eux.

—Ni aux lois des pays où ils se trouvaient, reprit-il. Car ce n'étaient que les lois des rois et des empereurs, et les Carmina n'avaient de comptes à rendre qu'à Dieu. Je vous ai fait venir ici pour endosser leur manteau sacré. Nous ne sommes peut-être plus assiégés par des armées, mais nous avons encore des ennemis. Et nous avons encore besoin de soldats.

Il fit glisser une enveloppe sur la table vers Cornelius.

—Vous y trouverez les détails de ce que vous devez faire et les instructions nécessaires pour vous permettre de quitter la montagne. Si je vous ai choisis, c'est parce que chacun de vous possède le caractère et l'expérience pour accomplir l'œuvre de Dieu. Soyez guidés par Lui et non par les lois terrestres. Comme vos prédécesseurs, vous ne devez penser qu'à l'accomplissement de votre devoir. La menace est réelle, et vous devez l'éliminer.

Il pointa du doigt le fond de la pièce, où trois sacs de toile identiques étaient posés contre le mur.

— Dans ces sacs, vous trouverez de l'argent, des papiers d'identité et des vêtements civils. Deux heures après minuit, deux hommes vous rejoindront à l'extérieur des murs de la vieille ville. Ils vous fourniront un moyen de transport, des armes et tout ce dont vous aurez besoin. Tout comme vos ancêtres avaient recours à des mercenaires pour les aider dans leurs missions, vous devez utiliser ces hommes pour vous assister dans la vôtre. Mais n'oubliez jamais que ce que vous faites pour l'amour de Dieu, eux le font pour l'amour de l'argent. Ayez donc recours à leurs services – mais ne leur faites jamais confiance.

Il s'interrompit un instant, puis reprit la parole :

— Ce n'est pas à la légère que je vous envoie pour cette mission. Si vous deviez périr en accomplissant votre devoir – ce qui est fort possible pour certains d'entre vous –, sachez que vous serez accueillis par Dieu comme des guerrier sacrés, tout comme ceux qui sont tombés avant vous. Ceux qui reviendront ne seront plus de simples membres de la guilde des gardes que vous servez actuellement, mais seront accueillis au sein de notre ordre le plus élevé – les habits verts, les Sancti. Vous savez sans doute, ajouta-t-il, qu'il y a déjà deux postes à pourvoir. Mais je suis prêt à élargir le nombre pour recevoir ceux d'entre vous qui s'en seront ainsi montrés dignes. Et en accédant au plus haut niveau de notre confrérie, vous serez naturellement bénis par la révélation du secret que je vous demande aujourd'hui de protéger.

Il se leva et retira la Crux accrochée à sa ceinture de corde.

— Vous disposez de quelques heures pour vous changer et vous préparer à votre retour dans le monde. Je vais vous bénir maintenant, dans la tradition de l'ordre que nous ressuscitons ce soir.

Il leva le Tau au-dessus de sa tête et prononça l'antique bénédiction de la guerre, dans des mots aussi anciens que la montagne où ils priaient, et derrière lui le feu crépitait et sifflait en projetant son ombre immense sur le plafond de la caverne.

Quelques heures plus tard, un léger tremblement secoua le sol près du mur de la vieille ville, comme un écho de l'orage qui illuminait de ses éclairs les sommets des montagnes au nord. Au bout d'une ruelle entre deux grands parkings, un lourd volet de fer se releva en grondant pour laisser un passage tout juste suffisant pour qu'un homme puisse s'y faufiler. Trois ombres se détachèrent de l'obscurité, des morceaux de nuit dispersés par le vent. Ils s'engagèrent dans la ruelle pour rejoindre une camionnette garée un peu plus loin, les portes arrière ouvertes.

Les premières grosses gouttes de pluie crépitèrent sur le toit du véhicule et sur les pavés jaunis tandis que les trois silhouettes se glissaient à l'intérieur. Les portes se refermèrent, le moteur se mit à gronder. Les phares s'allumèrent, balayant la ruelle poussiéreuse que la pluie commençait à cribler.

La camionnette s'éloigna en direction du périphérique intérieur et de la grande artère qui leur permettrait de rejoindre l'aéroport à l'est. La pluie redoubla de violence alors qu'ils contournaient la vieille ville, des larmes noires versées pour tout ce qui se passait et tout ce qui pourrait se passer. Elles ruisselaient sur les flancs de la Citadelle jusqu'à la terre crayeuse des douves jadis remplies d'eau et qu'un homme avait réussi à franchir à la nage, puis le long d'étroites rues pavées où des chevaliers rouges avaient autrefois galopé, emportant les fleurs et les cartes qui marquaient l'endroit où le moine était si récemment tombé.

45

Le Lockheed TriStar roulait et tanguait en traversant les nuages d'orage qui barraient la descente vers l'aéroport de Gaziantep. La lueur des éclairs illuminait l'intérieur de la cabine et les réacteurs gémissaient en tentant d'assurer une prise sur les courants insaisissables. Liv, les doigts crispés sur son guide de voyage comme s'il s'était agi d'une Bible, regardait la quarantaine d'autres passagers. Aucun ne dormait. Certains semblaient prier.

Ah, Sam, qu'est-ce que je t'en veux, pensa-t-elle alors que l'appareil faisait une nouvelle embardée. Huit ans sans un mot, et voilà maintenant ce que tu me fais subir…

Juste à cet instant, la foudre frappa l'aile près d'elle. Les réacteurs mugirent de douleur. Elle pria Dieu pour que les deux incidents ne soient pas liés et regarda de nouveau le cendrier dans son accoudoir, en se demandant quelle amende on encourait si on fumait à bord d'un avion de ligne. Elle envisageait sérieusement de prendre le risque, quel qu'en soit le montant.

Elle scruta une fois de plus les ténèbres turbulentes, en espérant un moment de répit. Comme obéissant à un ordre divin, les nuages s'écartèrent, révélant un paysage sombre et déchiqueté qui semblait tressauter dans la lueur continue des éclairs. Au loin, on distinguait les lumières d'une grande ville nichée dans un creux de la montagne telle une flaque d'or liquide. Au centre, une tache de ténèbres, d'où rayonnaient quatre droites lumineuses. C'était Ruine, et cette tache sombre était la Citadelle. Ainsi vue du ciel, on eût dit un diamant noir serti au milieu d'une croix brillante. Liv se concentra dessus en se remémorant tout ce qu'elle avait lu à son sujet, et tout le sang versé au nom du secret qu'elle contenait.

Le Lockheed amorça un virage qui l'en éloigna et poursuivit sa descente vers l'aéroport de Gaziantep. La Citadelle replongea dans la nuit.

Kathryn observait le flot de passagers qui se déversait dans le hall des arrivées. Après les révélations contenues dans le dossier de police qu'elle s'était procuré, elle s'était dit que la fille n'aurait qu'une hâte : venir à Ruine prendre possession du corps de son frère. Elle avait éprouvé le même sentiment, douze ans plus tôt, quand son mari avait été tué. Elle se souvenait encore de ce besoin pressant d'être auprès de lui, bien qu'elle sût qu'il était mort.

Après avoir passé les contrôles de douane, les passagers se précipitaient vers la station de taxis ou pour retrouver des parents qui les attendaient, ou encore faisaient la queue pour payer leur parking. Deux vols étaient arrivés en même temps, et il était difficile de distinguer les gens qui débarquaient. Kathryn avait imprimé et mémorisé le visage de la fille, mais elle portait aussi un carton avec son nom. Elle s'apprêtait à le brandir quand elle repéra un homme derrière la barrière en face d'elle qui tenait un panneau identique. LIV ADAMSEN y était écrit au marqueur noir.

Kathryn se sentit parcourue d'un frisson.

Elle glissa la main dans sa poche et serra la crosse de son pistolet en surveillant l'homme du coin de l'œil. Il était peut-être de la police. Il était possible qu'un autre contact ait eu lieu sans qu'elle soit au courant.

Il était assez grand et musclé. Une barbe blonde couvrait ce qui semblait être des cicatrices sur ses joues. Il y avait quelque chose de troublant dans la façon dont il examinait la foule, comme un ours qui guette les saumons dans un torrent. Il avait un air d'autorité, et c'était là la cause principale des craintes de Kathryn. Ils n'auraient pas envoyé un gradé de haut rang simplement pour accueillir un témoin, surtout aussi tard le soir. Ce n'était pas un policier.

Une femme venait de sortir du contrôle de douane et avançait au milieu de la foule. Elle avait des cheveux blond sale qui lui tombaient sur les yeux. Elle cherchait quelque chose dans son sac. Elle semblait avoir la bonne taille et le bon âge.

Kathryn jeta un coup d'œil à l'homme avec son écriteau. Lui aussi avait repéré la fille. Celle-ci sortit un téléphone de son sac et leva les yeux. Ce n'était pas elle. Kathryn relâcha sa prise sur son arme, retira la main de sa poche. L'homme continuait de fixer l'inconnue qui s'approchait. Quand elle ne fut plus qu'à deux mètres de lui, il leva son écriteau en lui adressant un sourire interrogateur. La jeune femme passa à côté sans y faire attention et poursuivit son chemin.

Le sourire s'effaça aussitôt et l'homme reprit sa surveillance. Kathryn fit de même. Quand le dernier passager eut franchi les contrôles, il fut clair que la fille n'était pas à bord de ce vol, mais Kathryn avait appris deux choses. Son instinct ne l'avait pas trompée : les Sancti avaient effectivement envoyé des gens pour intercepter la jeune femme. Et ils ne savaient pas du tout à quoi elle ressemblait...

46

Il n'était pas encore tout à fait deux heures du matin quand Liv franchit les contrôles de douane. Elle se retrouva dans le grand hall des arrivées. Des fresques expressionnistes et des sculptures suspendues remplissaient l'immense espace. Grâce à ses lectures dans l'avion, elle put reconnaître certains des épisodes les plus dramatiques du long passé sanglant de Ruine.

Le dynamisme de ces personnages historiques contrastait fortement avec la réalité des gens qui circulaient au-dessous d'eux. On voyait des hommes d'affaires en costume occupés à consulter leur ordinateur portable ou leur BlackBerry, mais ils étaient peu nombreux. Des petits groupes de visiteurs aux yeux morts erraient sans but sur les dalles de marbre, sous le regard morne de deux policiers en uniforme, le pistolet-mitrailleur en bandoulière.

La plupart des touristes désireux de se rendre à Ruine passaient par l'autre aéroport situé au nord de la ville, car il était plus proche de l'antique forteresse. Liv n'y avait pas du tout réfléchi quand elle avait fait sa réservation. Elle avait pris le premier vol qui se présentait. D'après son guide, il y avait encore beaucoup de bus assurant la liaison entre cet aéroport et la vieille ville, mais à cette heure-ci, elle allait sans doute devoir prendre un taxi une fois qu'elle se serait procuré un peu d'argent local.

En cherchant des yeux un bureau de change, elle aperçut un grand type qui la regardait. Un peu gênée, elle détourna les yeux, puis elle le regarda de nouveau. Il lui souriait, maintenant. Elle lui rendit son sourire. C'est alors qu'il lui montra un écriteau sur lequel son nom était écrit au feutre noir.

— Mademoiselle Adamsen ? fit-il en s'approchant.

Elle hocha simplement la tête, ne sachant quoi penser.

— C'est Arkadian qui m'envoie, expliqua-t-il.

Il avait une voix grave, qui semblait appartenir à quelqu'un de plus âgé. Il n'avait pas une trace d'accent étranger.

— Vous êtes américain ? demanda Liv.

— J'ai fait mes études là-bas, dit-il, toujours souriant. Mais ne vous laissez pas impressionner. C'est une ville touristique, ici, et tout le monde parle anglais.

Un mystère de résolu. Mais elle fronça de nouveau les sourcils en pensant à un autre qui se présentait.

— Comment avez-vous su quel vol… ?

— Je n'en savais rien, répondit-il aussitôt. J'ai surveillé tous les derniers vols internationaux dans l'espoir que vous auriez pris l'un d'eux.

Il avait l'air plutôt enjoué pour un type qui avait passé la moitié de la nuit à poireauter dans un aéroport.

—J'ai pris le premier que je pouvais… dit-elle en se sentant gênée qu'il se soit retrouvé avec une corvée pareille.

—Pas de problème.

Il désigna le sac qu'elle tenait à la main.

—C'est tout ce que vous avez comme bagage ?

—Oui, mais ne vous faites pas de souci. Je peux le porter.

Elle mit son sac en bandoulière et le suivit sur le sol de marbre brillant.

Pas de doute, on ne bénéficie pas de ce genre de traitement dans le New Jersey, pensa Liv en gardant les yeux fixés sur la large carrure de l'homme qui fendait la foule de touristes aux allures de bovins. Son trench-coat noir flottait derrière lui tandis qu'il avançait d'un bon pas. Cela lui donnait l'air d'un chevalier héroïque tout à fait en harmonie avec les fresques historiques.

Elle s'engagea dans une porte-tambour qui tournait lentement. Dans cet espace confiné, elle se trouva suffisamment près de lui pour être enveloppée de son parfum. Frais, vif, avec des nuances de cuir et de citron, et quelque chose d'ancien et de rassurant – de l'encens, peut-être. La plupart des policiers qu'elle connaissait considéraient l'Old Spice comme le comble du raffinement. Elle leva les yeux. Il était plus grand qu'elle ne l'avait cru tout d'abord, et d'une beauté classique du genre brun ténébreux – ses yeux étaient d'un bleu glacé, et ses cheveux brun foncé. C'était exactement le genre d'homme contre lequel les mères mettent leurs filles en garde, et que les diseuses de bonne aventure voient au fond de leur boule de cristal si on les paye suffisamment.

La porte-tambour les expulsa doucement dans la nuit, et Liv sentit l'odeur de la pluie sur le béton rincer ses sens engourdis par le voyage. Au cours des douze dernières heures, c'était ce qu'elle avait rencontré de plus frais, mais dans le monde tourmenté des accros à la nicotine, cela ne fit que lui rappeler à quel point elle avait besoin d'une cigarette. À peine dehors, elle s'arrêta et ouvrit son sac.

— Où êtes-vous garé ? demanda-t-elle.

L'homme se retourna et la regarda fouiller dans son sac.

— Juste là-bas, dit-il en montrant le parking courte durée de l'autre côté de la route.

Liv regarda la pluie qui tombait.

— J'ai dû me dépêcher pour faire mon sac, dit-elle. Je ne crois pas… avoir pris d'imperméable…

Il lui tendit son parapluie, mais Liv ne pensait qu'à son paquet de Lucky Strike, qu'elle finit par trouver. Elle en sortit une cigarette qu'elle se mit aux lèvres.

— Il y a pas mal de vent, dit-elle en rentrant les épaules pour se protéger du froid. Je ne voudrais pas que vous cassiez votre parapluie pour moi. Tenez… si vous alliez chercher la voiture ? Moi, je vais rester ici et en griller une. Comme ça, je ne me ferai pas arroser, et vous, vous ne me ferez pas de procès pour tabagisme passif.

L'homme hésita en regardant le déluge qui s'abattait sur le parking.

— D'accord, dit-il enfin. Ne bougez pas, je n'en ai pas pour longtemps.

Elle le regarda s'éloigner à grands pas, son imperméable battant dans le vent. Elle protégea sa cigarette avec le creux de sa main et l'alluma. Sa première bouffée remplit ses poumons de nicotine avec l'air de la nuit. Elle exhala la fumée, sentit la tension du voyage s'envoler avec elle. Elle remit le paquet dans son sac, puis elle en sortit son portable, qu'elle alluma.

Une camionnette passa au milieu des trombes d'eau devant un abribus d'où un vigile était apparemment en train de déloger trois jeunes qui semblaient avoir l'intention d'y passer la nuit. On aurait dit des étudiants en goguette, ou simplement des clochards qui passaient leur vie à se faire chasser d'un endroit à l'autre.

Bienvenue à Ruine…

Liv sentit son téléphone vibrer dans sa main. Il y avait trois appels en absence, et deux messages sur son répondeur. Elle s'apprêtait à les consulter quand une Renault banale s'arrêta devant elle. La vitre s'abaissa et le flic bien sapé lui fit un grand sourire. Il se pencha pour déverrouiller la portière arrière.

Liv tira une dernière bouffée de sa cigarette et enfonça le mégot dans le sable du cendrier placé près de la porte, puis elle prit son sac et traversa en courant le trottoir mouillé pour se réfugier dans la chaleur de la voiture.

—Comment vous appelez-vous? demanda-t-elle en refermant la portière et en attrapant la ceinture de sécurité.

Il embraya et alla rejoindre la file de voitures et de taxis qui se dirigeaient lentement vers la bretelle de sortie.

—Gabriel, répondit-il.

—Comme l'ange?

Dans le rétroviseur, elle vit ses yeux se plisser dans un sourire.

—Comme l'ange.

Elle posa la tête contre la vitre et sentit l'épuisement l'envelopper telle une couverture. Elle allait fermer les yeux quand elle se souvint qu'elle avait des messages. Elle composa le numéro de sa messagerie et appliqua le téléphone contre son oreille.

— Qui appelez-vous ? demanda le conducteur.

— J'écoute mes messages, c'est tout, dit-elle en étouffant un bâillement. Où allons-nous, exactement ?

— À Ruine, répondit-il en quittant le flot de voitures pour s'engager sur une voie de dégagement. Où voudriez-vous qu'on aille d'autre ?

Et là, dans un craquement de parasites provoqués par l'orage, Liv entendit le début de son premier message.

47

«Allô… heu… mademoiselle Adamsen. C'est l'inspecteur Arkadian. Je voulais juste vous dire encore à quel point… toutes mes condoléances… j'ai envoyé quelques photos par mail à un certain Berringer… inspecteur de la police de Newark…»

Liv se colla l'appareil contre l'oreille. Les parasites empiraient et couvraient une partie du message.

«Il vous appellera dans… identifier officiellement… Il s'occupera de tout de son côté… n'hésitez pas… appelez-moi si vous avez…»

Le message se termina et Liv leva aussitôt les yeux vers l'homme assis au volant. Si Arkadian lui avait envoyé des photos pour l'identification, cela voulait dire qu'il ne pensait pas qu'elle viendrait. Mais alors, pourquoi envoyer quelqu'un l'accueillir à l'aéroport ? Le second message démarra :

« Bonjour. Je suis l'inspecteur Berringer, de la police de Newark… »

Elle n'attendit pas la suite.

Il avait dit qu'il s'appelait Gabriel. Il avait dit qu'il était de la police…

Non.

Il n'avait pas dit qu'il était policier. Il ne lui avait pas montré de badge quand il s'était présenté. Il avait simplement dit qu'il était envoyé par Arkadian, et elle avait imaginé le reste. Quelle idiote… Elle s'était fait avoir parce qu'elle était épuisée, et aussi parce que c'était un beau garçon très poli. Mais qui était ce type, alors ?

— Tout va bien ?

Elle croisa son regard dans le rétroviseur.

— Oui, fit-elle en se rendant soudain compte qu'elle devait avoir l'air inquiète. Juste des histoires de boulot. J'ai sauté dans l'avion sans avoir le temps de terminer quelques petites choses en cours. Mon patron est furieux après moi.

L'homme reporta son attention sur la route alors qu'une camionnette les doublait dans une immense gerbe d'eau. Il y eut soudain un éclair rouge devant eux : la camionnette avait freiné brutalement. Trop brutalement.

Gabriel écrasa la pédale de frein et les pneus de la Renault glissèrent sur la surface grasse de la route. Il y eut un choc violent quand le pare-choc heurta l'arrière de la camionnette. Liv fut projetée en avant contre sa ceinture. Il y eut un bruit sec et l'espace d'un instant, avant que les airbags ne se déploient, elle crut qu'on lui avait tiré dessus.

Ensuite, tout sembla se dérouler au ralenti.

48

Avant même que son airbag ait eu le temps de se dégonfler, Gabriel l'avait déjà tassé d'un coup de poing et avait débouclé sa ceinture, puis il avait ouvert la portière d'un grand coup de pied et s'était jeté au-dehors sous la pluie en faisant un roulé-boulé. Tout s'était passé si vite que Liv regardait encore sa place vide quand la portière s'ouvrit de son côté.

Elle se retourna et vit un canon de pistolet braqué sur elle.

— Dehors ! cria celui qui se trouvait derrière l'arme.

Elle distingua le visage du jeune homme qui la tenait. Il était à peine sorti de l'adolescence. Des cicatrices d'acné étaient visibles sur son menton à peine couvert d'un duvet blond, et la pluie ruisselait de la visière d'une casquette de base-ball enfoncée juste au-dessus de ses yeux bleu clair.

— Dehors ! cria-t-il de nouveau.

Il se pencha pour l'agripper de sa main libre juste au moment où la vitre derrière elle explosait, projetant à l'intérieur une pluie de débris de verre scintillants. Le jeune homme tomba brusquement en arrière en tournant sur lui-même, comme tiré d'un coup sec par une corde attachée à son épaule. Liv se retourna et vit Gabriel dans l'encadrement de la lunette arrière brisée.

— Allez-vous-en, vite ! lui cria-t-il avant de disparaître de nouveau.

Liv regarda par la portière ouverte le jeune garçon aux yeux pâles gisant à terre, le regard mort fixé sur la pluie qui lui tombait sur le visage. Elle fit tomber d'autres éclats de verre en s'efforçant de trouver l'attache de sa ceinture de sa sécurité. Elle réussit enfin à s'en débarrasser et enjamba le corps pour rejoindre en courant au milieu des flaques l'autre côté de la rue plongé dans l'ombre. Elle s'attendait à chaque instant à entendre un coup de feu derrière elle et à sentir dans son dos l'impact d'une balle qui l'enverrait rouler à terre.

Elle réussit à atteindre le trottoir, aperçut une étendue de buissons et d'herbe sur le bas-côté. Si elles avaient pu bénéficier de deux ans de pousse supplémentaires et d'hivers cléments, ces broussailles lui auraient sans doute permis de se cacher, mais dans leur état actuel elles constituaient plutôt un obstacle. Elle courut en zigzag pour les éviter, sur un sol tellement détrempé qu'elle avait l'impression de marcher sur de la glace. Elle ralentit l'allure et risqua un coup d'œil par-dessus son épaule.

La visibilité était pratiquement nulle, avec cet épais rideau de pluie. À peine si elle distinguait la silhouette de la voiture et de la camionnette…

Quelque chose la frappa violemment au visage et elle bascula en arrière. Elle resta étendue au sol un instant, les yeux mouillés de pluie. Le froid de la terre gelée s'insinuait à travers ses vêtements. Pour la deuxième fois en quelques minutes, elle se dit qu'elle avait été touchée par une balle, puis elle aperçut une forme devant elle, s'étirant dans la pénombre telle une immense toile d'araignée. Elle en suivit le contour indistinct et finit par voir quelque chose de mince qui sortait du sol. Un poteau. Elle avait heurté un poteau de clôture métallique.

Elle vit la lueur de son portable, par terre près d'elle. Elle l'avait lâché en tombant. Elle le saisit, terrifiée à l'idée que la faible lumière de l'écran puisse servir de balise pour ceux qui étaient à sa recherche. Elle le cacha avec la main et l'éteignit. D'où elle se trouvait maintenant, elle ne voyait plus la voiture ni la camionnette. Elle en fut soulagée – mais cela ne dura que deux secondes.

Un nouveau coup de feu retentit, suivi d'un ronflement de moteur qui démarrait et d'un bruit de pneus sur le bitume mouillé. Elle entendit un sifflement de balles ricochant sur du métal un peu plus loin dans la rue, et une vitre se briser. Le véhicule en fuite prit un virage en rugissant et disparut.

Liv examina la rue. On n'y voyait rien d'autre que la lumière jaunâtre des lampadaires. Elle imagina quelqu'un caché derrière la petite butte du bas-côté, un pistolet à la main, scrutant l'obscurité, à sa recherche. Mais qui ? Un des types qui les avaient attaqués, ou Gabriel ? Elle ne pensait qu'à une chose : rester allongée là, parfaitement immobile, surtout ne pas courir, ne pas attirer l'attention sur elle. Mais quand elle s'était enfuie de la voiture, elle s'était dirigée tout droit vers le premier abri en vue. Elle n'avait pas du tout dévié. Elle se trouvait exactement là où on la chercherait en premier. Il fallait qu'elle bouge d'ici.

Elle regarda sur sa droite, dans la direction vers laquelle la voiture roulait tout à l'heure, et distingua un groupe de bâtiments à un carrefour. Sans doute des hangars de stockage, pleins de matériel ou de marchandises. Il y avait peut-être des gens qui y travaillaient la nuit, et c'était tout au plus à une centaine de mètres. De l'autre côté, les lumières du terminal de l'aéroport se reflétaient sur les nuages bas. Elle n'avait aucune idée de la distance, mais ça semblait beaucoup plus loin que les hangars. Elle tendit l'oreille pour repérer si quelqu'un s'approchait. Elle n'entendit que le crépitement de la pluie et les battements précipités de son cœur. Rien d'autre.

Elle respira profondément avant de se relever, puis se mit à courir. En toute logique, elle aurait dû se diriger vers les hangars plus proches pour essayer de donner l'alarme, et c'est pourquoi elle se dirigea de l'autre côté. Pour retrouver le grand hall illuminé et les hordes de touristes consultant le tableau des départs, et les deux flics avec leurs pistolets-mitrailleurs en bandoulière.

Elle courait pliée en deux, longeant la clôture sur sa droite. Un éclair déchira soudain la nuit, imprimant sur la rétine de Liv l'image de tout ce qu'il y avait sur son chemin : le portail dans la clôture, une vingtaine de mètres plus loin, et des rangées de voitures garées de l'autre côté. Si seulement elle pouvait les atteindre et se cacher derrière ces carrosseries, elle s'y sentirait en sécurité.

Le tonnerre gronda au-dessus d'elle. Le portail n'était plus qu'à une dizaine de mètres et le bas-côté sur sa gauche commençait à s'aplanir pour se retrouver au niveau de la voie d'accès. Elle perdait l'avantage d'être cachée de ce côté, mais elle ne pouvait rien y faire.

Il y avait une barrière automatique rayée de jaune et de noir en travers de la route. Liv se força à se concentrer là-dessus plutôt que sur un éventuel poursuivant.

Plus que cinq mètres…

Quatre…

Trois…

Son pied droit entra en contact avec le bitume de la route et elle s'élança vers la borne de commande de la barrière derrière laquelle elle se tapit aussitôt. Pendant un instant, au contact du métal humide et glacé, elle se sentit en sécurité.

Alors, la pluie s'arrêta.

Ce fut si soudain que c'en était presque surnaturel. L'instant d'avant, elle était encore enveloppée d'un déluge quasi tropical, et voilà que le rideau s'était instantanément écarté. Elle entendit le gargouillement des eaux ruisselant dans les caniveaux et le léger bruit de succion de la terre détrempée. Dans ce brusque silence, chacune de ses respirations évoquait le son rauque d'une scie mécanique. Elle tendit l'oreille en quête d'autres bruits. Dans son imagination enfiévrée, le silence signifiait qu'un ennemi était proche, guettant le moindre de ses mouvements, son arme pointée vers le sol gelé en attendant de trouver une cible plus chaude.

Le terminal était encore trop loin, mais elle pouvait maintenant en distinguer les détails – ce qui signifiait que son poursuivant les voyait aussi.

Elle n'était séparée des voitures garées que par cinq ou six mètres de bitume, et elle remarqua enfin que la partie où elle se tenait accroupie était plus brillamment éclairée que le reste. Partout ailleurs, elle apercevait des couloirs d'ombre rassurante là où les cônes de lumière ne se chevauchaient pas. Elle serait beaucoup plus difficile à repérer dans une de ces zones. La plus proche était à cinq mètres. Et encore cinq mètres jusqu'aux voitures. Ou elle pouvait tenter sa chance en partant directement d'ici.

Elle ferma les yeux, posa la joue contre le poteau d'acier. Puis elle s'élança à travers la voie étroite en gardant la tête à hauteur de la barrière.

Gabriel entendit au loin le bruit des pas de Liv sur le tarmac mouillé et la vit traverser la voie d'accès, puis changer de direction en arrivant dans une bande d'ombre et disparaître dans un océan de métal.

Il se retourna et examina le lieu de l'embuscade. Quelques caméras de surveillance étaient en place le long du parking, mais elles étaient toutes pointées vers les véhicules. De même du côté des hangars. Aucune caméra braquée sur la route. Il pouvait raisonnablement penser que rien des événements de ces dernières minutes n'avait été enregistré.

Il ramassa les douilles des sept cartouches qu'il avait tirées sur la camionnette en fuite. La plupart avaient atteint leur cible, mais cela n'avait pas empêché le conducteur de s'enfuir. Il les mit dans sa poche et s'intéressa au cadavre.

49

Liv faillit pleurer de soulagement quand elle put enfin franchir la porte-tambour et retrouver les lumières du terminal. Elle avançait en boitillant, laissant derrière elle des traces de boue, et les groupes de touristes s'écartaient d'un air apeuré sur son passage. L'un des policiers du contrôle des passeports remarqua cette agitation. Liv le vit faire signe à son collègue, qui eut un geste de recul en voyant cette créature maculée s'approcher de lui. Il dit quelques mots dans son talkie-walkie et les deux hommes posèrent la main sur la crosse de leurs armes.

Génial…

J'ai réussi à faire tout ce chemin, et voilà que je vais me faire descendre par ces deux charlots…

Elle puisa dans ses maigres réserves d'énergie et leva les mains en tremblant.

— Je vous en supplie, dit-elle dans un souffle en tombant à genoux devant eux. Prévenez l'inspecteur Arkadian. Brigade criminelle de Ruine. Il faut absolument que je lui parle.

Au contrôle des bagages, Rodriguez regardait l'agent de sécurité vider le contenu de son sac sur la table métallique. Un message d'alerte crachota dans le talkie-walkie que l'homme portait à la ceinture, mais celui-ci n'y prêta pas attention. Le message demandait des renforts pour s'occuper d'une femme qui avait besoin d'aide. Rodriguez se retourna et regarda par-dessus la file d'attente, de l'autre côté du portique de détection. Sa taille lui permettait d'avoir une vue dégagée du grand hall, mais il ne put repérer la source de l'agitation.

—Merci, monsieur. Je vous souhaite un bon voyage.

L'agent poussa son sac de toile et saisit le suivant qui sortait de l'appareil à rayons X.

Rodriguez s'écarta et rangea rapidement le passeport dont il avait cru ne plus jamais avoir besoin, la Bible que sa mère tenait sur son lit de mort, ses vêtements civils, qui pendaient toujours un peu sur sa mince carcasse de deux mètres. Il plia soigneusement le dernier objet comme s'il s'agissait d'un drapeau destiné à recouvrir le cercueil d'un soldat. Un blouson rouge en tissu synthétique muni d'une capuche, un vêtement apparemment banal mais qui avait pour lui une grande valeur symbolique.

Il resserra le cordon du sac et prit un petit livre relié de cuir que l'Abbé lui avait donné. C'était une chronique de l'histoire des expéditions de la Tabula Rasa. Sur la page de garde étaient inscrits le nom d'une femme et deux adresses. La première correspondait aux bureaux d'un journal du New Jersey. L'autre était celle d'une résidence privée.

Il se mit le sac à l'épaule et se dirigea vers la porte d'embarquement sans se retourner. Ce qui se passait dans le hall ne le concernait pas. Le but de sa mission se trouvait ailleurs.

III

*Car il n'y a rien de caché qui ne doive être manifesté,
et rien n'est demeuré secret qui ne doive venir au jour.*

Évangile selon saint Marc, 4,22

50

Liv regardait fixement les murs nus et le petit miroir dont elle savait par expérience qu'il s'agissait d'une glace sans tain. Elle se demanda si quelqu'un se tenait derrière pour l'observer. Elle examina son reflet : ses vêtements sales, ses cheveux plaqués sur le crâne. Elle leva la main pour remettre sa frange en place, y renonça aussitôt. Une perte de temps.

Au début, elle avait cru qu'on l'avait amenée ici parce qu'une salle d'interrogatoire est le seul endroit dans un commissariat où on ait encore le droit de fumer. Mais en se voyant, maintenant, elle n'en était plus aussi sûre. Ils l'avaient peut-être simplement mise là parce qu'elle avait l'air d'une folle. En fait, elle avait eu un peu l'impression d'en être une quand elle avait fait sa déclaration, décrivant la séquence d'événements depuis son arrivée au terminal jusqu'au moment où elle y était revenue, en titubant, maculée de boue, après la tentative d'enlèvement.

C'était comme si c'était arrivé à quelqu'un d'autre. Son impression de détachement s'était encore renforcée quand le policier qui avait enregistré sa déclaration était sorti pour aller lui chercher une autre cigarette et était revenu avec une attitude subtilement différente. Son expression de sympathie avait laissé place à une certaine froideur.

Il avait conclu le rituel en silence, lui avait fait relire et signer le document, puis il avait disparu sans un mot. Les volets baissés de l'autre côté de la fenêtre n'avaient pas permis à Liv de voir où il allait.

Il n'y avait pas de poignée sur la porte. Le changement d'attitude du policier et cette attente silencieuse dans la pièce nue, avec sa table et ses chaises vissées au sol, contribuaient à donner à Liv le sentiment qu'elle était en état d'arrestation.

Elle reprit sa cigarette, qui se consumait lentement dans le cendrier et en tira une bouffée. Le tabac étranger avait un goût désagréable, mais elle persévéra. Son paquet de Lucky Strike était resté dans son sac à l'arrière de la voiture de Gabriel, en compagnie de son passeport, de ses cartes de crédit et de tout le reste de ses affaires, à l'exception de son portable. Apparemment, Arkadian était en route. Elle espérait qu'il lui manifesterait plus de sympathie que son collègue. Elle repensa à son propre trajet, un peu plus tôt, sur la route qui serpentait entre les montagnes, puis dans les rues brillamment éclairées à travers une ville qui réussissait à paraître à la fois incroyablement ancienne et ultramoderne. Elle se souvint de ce qu'elle avait pu voir par la vitre arrière de la voiture de police : l'enseigne familière d'un Starbucks, les devantures en chrome et en verre des banques modernes côtoyant de vieilles boutiques taillées dans la pierre, où l'on trouvait les mêmes objets en cuivre, les mêmes tapis, voire les mêmes souvenirs, depuis les temps bibliques.

Après avoir tiré une autre bouffée de sa cigarette infecte, elle plissa le nez et écrasa le mégot dans le cendrier orné d'une image de la Citadelle. Elle le poussa de côté et posa sa tête sur ses bras repliés sur la table. La climatisation bourdonnait à la limite de sa perception. Elle ferma ses yeux fatigués pour se protéger de l'éclat des lampes au néon, et malgré toutes les épreuves qu'elle venait de subir, elle ne mit que quelques secondes à s'endormir.

51

La clinique vétérinaire de la Grâce et de l'Absolution était située au cœur du quartier Perdu. La présence d'un vétérinaire dans un secteur aussi louche et misérable de la ville était déjà surprenante en soi, mais le fait qu'une lumière brille encore derrière sa devanture était encore plus étrange.

Dans les milieux que Kutlar fréquentait, l'établissement était généralement désigné sous l'appellation « la clinique pour chiennes » – une référence aux activités qui s'y déroulaient pendant les heures nocturnes. La plupart de ces opérations, pour lesquelles il n'y avait pas besoin d'ordonnances médicales et qui étaient payées en liquide, étaient pratiquées sur des femmes. Il n'y avait pas un proxénète dans la ville qui n'ait eu l'occasion de recourir aux services de la clinique, que ce fût pour un avortement ou pour une stérilisation au rabais accomplie sous le prétexte de poser un moyen de contraception. Les stérilets et les pilules contraceptives coûtant relativement cher, il était plus économique de stériliser les filles – qui ne s'en apercevaient pour la plupart que des années plus tard.

La clinique proposait également des services plus spécialisés, à des tarifs beaucoup plus élevés qui étaient fonction des lourdes peines de prison encourues si l'on venait à les découvrir.

Kutlar n'avait encore jamais eu recours à cet établissement. Il ne possédait pas d'animaux domestiques, et jusqu'à tout récemment encore, il avait eu la chance – compte tenu de son métier – de ne jamais avoir besoin de ces arrangements clandestins. Tout avait changé sur la route près de l'aéroport quand la balle de neuf millimètres avait réussi à percer la porte de la camionnette et s'était brisée en deux en pénétrant dans sa jambe droite. Une partie de la balle était maintenant posée dans un bassinet métallique. Kutlar la regarda et sentit son estomac se soulever. Il tourna la tête et vit son reflet dans le miroir d'une armoire à pharmacie. Son crâne rasé était couvert de sueur et brillait à la lumière des plafonniers, qui plongeait dans l'ombre ses yeux profondément enfoncés dans leur orbite. Il eut l'impression de voir une tête de mort, et il détourna le regard en frissonnant.

Il était étendu sur le côté gauche, appuyé contre la partie relevée de la table d'examen, pendant qu'un gros homme en blouse blanche et au teint gris poursuivait son délicat travail de recherche du fragment manquant. Il sentait parfois un léger tiraillement, ou entendait un bruit de succion mouillé qui lui soulevait le cœur, mais il luttait contre la nausée en se forçant à respirer régulièrement – aspiration par le nez, expiration par la bouche – et en se concentrant sur une affiche collée au mur en face de lui montrant un labrador noir bavant joyeusement.

Kutlar avait entendu parler de la clinique par une de ses relations spécialisée dans l'import-export de ces articles dont on ne voit généralement pas la publicité dans les journaux. L'homme lui avait dit que le docteur était généreux en analgésiques, à condition qu'il ne soit pas retombé dans ses erreurs passées et qu'il ne les garde pas tous pour son propre usage... Un tintement métallique lui annonça que le deuxième fragment de la balle avait rejoint son frère jumeau.

—On dirait que le plus gros est enlevé, dit le gros homme. Il faut maintenant que j'irrigue la plaie pour en retirer les petits débris qui pourraient y être encore. Je pourrai alors cautériser les veines et commencer à recoudre...

Kutlar hocha la tête en serrant les dents. Le médecin prit une bouteille en plastique munie d'un long bec qu'il serra de sa main potelée pour vaporiser délicatement un jet de solution saline sur la plaie béante de sa cuisse droite. Kutlar frissonna. Ses vêtements étaient encore trempés de pluie, et avec tout le sang qu'il avait perdu il commençait à se sentir affaibli. En prime, il souffrait sans doute aussi d'un peu de stress post-traumatique. Il regarda de nouveau l'affiche du chien joyeux, se rendit compte que c'était une publicité pour un vermifuge. Il sentit la bile lui monter à la gorge.

Il repensa à l'embuscade sur la route, en s'efforçant de comprendre ce qui n'avait pas marché. Il avait d'abord déposé les deux types à l'agence de location de voitures, juste à l'extérieur de l'aéroport principal, puis il avait conduit à l'autre aéroport, avec son cousin Serko, le grand brun façon hispanique qui devait prendre un vol de nuit vers les États-Unis.

Là, ils avaient repéré l'autre brun en trench-coat juste après – tenant un écriteau avec le nom de la fille, devant la porte des arrivées. Il avait l'air d'être de la police, mais il était seul. Ils étaient restés en retrait pour l'observer, jusqu'à ce que la fille apparaisse tout à coup, débarquant d'un vol en provenance de Londres. Kutlar avait réfléchi et s'était dit qu'il y aurait une belle prime en perspective s'ils éliminaient le type et revenaient avec la fille, et ils les avaient donc suivis dehors. Ils avaient failli s'emparer tout de suite de la fille, quand son chaperon était allé chercher sa voiture pendant qu'elle fumait une cigarette. Mais il y avait eu ces vigiles qui délogeaient des clochards d'un abribus, et ils avaient été forcés d'attendre. Ensuite, ils les avaient suivis en camionnette, et ils avaient décidé de les coincer sur la voie de dégagement.

Le plan était très simple. Il devait s'occuper du baby-sitter pendant que Serko transférerait la fille dans la camionnette. Du gâteau. Sauf que le conducteur avait déboulé tellement vite de la voiture qu'il l'avait renversé et lui avait fait lâcher son arme. Le temps qu'il la récupère, il y avait eu un coup de feu. Il s'était jeté sur le type et l'avait désarmé d'un coup de pied, puis il avait réussi à remonter dans la camionnette et à repartir. Sauf que la fille n'était pas dedans, et Serko non plus. En s'enfuyant, il avait regardé dans son rétroviseur et il avait vu quelqu'un allongé sur la route. Il avait été à deux doigts de faire demi-tour, et c'est là que des balles étaient venues frapper la carrosserie et briser la vitre de sa portière. Il ne s'était rendu compte qu'il était touché que lorsqu'il avait essayé de freiner : sa jambe avait refusé de bouger. Retourner là-bas aurait été du suicide. Il n'avait pas eu le choix. Les morts ne peuvent pas régler leurs comptes. Cousin ou pas cousin.

Un téléphone se mit à sonner dans la salle d'attente. Kutlar savait qui appelait. Il s'était demandé de combien de temps il disposerait avant qu'ils le retrouvent. Dans le passé, il avait fait différents boulots pour l'Église, le plus souvent des petites opérations d'intimidation et des envois de messages de menaces. Mais jamais rien comme ça. Jamais de kidnapping. Jamais rien qui nécessite d'être armé. Mais la somme qu'on lui avait proposée était trop belle pour qu'il la refuse. N'empêche, dès que le docteur en aurait fini avec lui, il se tirerait, qu'il ait été payé ou non. Il n'avait pas envie de se faire éliminer pour ça. Il écouta le téléphone sonner et regretta amèrement de leur avoir parlé de la clinique. Ce n'est pas qu'il ait eu vraiment le choix. Le plus vieux des deux avait spécifiquement demandé où ils comptaient aller en cas de pertes. C'est comme ça qu'il avait dit – des *pertes*. Son cousin et lui auraient dû se tailler à ce moment-là. C'était trop tard, maintenant. En tout cas, trop tard pour Serko.

— Je vais vous donner des antibiotiques pour la fièvre, dit le gros homme avec la voix qu'il avait conservée d'une existence passée. Ils serviront également de prophylactiques contre l'infection.

Kutlar hocha encore la tête et sentit la sueur qui lui picotait le crâne et coulait sur sa nuque et dans son dos. On disait que le toubib avait eu une belle clientèle autrefois, avant que son manque de volonté et un accès illimité à la morphine n'entraînent sa déchéance.

— Il faudra que vous vous trouviez un endroit pour vous reposer, ajouta l'homme. Surtout, ne faites pas d'efforts tant que la blessure ne sera pas cicatrisée.

— Combien de temps ? demanda Kutlar d'une voix rauque.

Il avait la bouche sèche et la diction pâteuse avec toute la novocaïne – ou Dieu sait quel produit – qu'on lui avait injectée.

Le médecin baissa les yeux vers la blessure irrégulière et l'examina comme s'il s'agissait d'une orchidée rare.

—Un mois, peut-être. Il faudra au moins deux semaines avant que vous puissiez même commencer à marcher.

Une voix à l'entrée les fit sursauter :

—Il faut qu'il soit sur pied en sortant d'ici.

Kutlar regarda Cornelius entrer dans la pièce. Les taches cireuses sur son visage brillaient dans la lumière des scialytiques. Johann le suivait de près. Leurs blousons rouges étaient mouillés par la pluie. On aurait dit qu'ils étaient couverts de sang.

—Très bien, fit le gros homme, qui avait appris à ne pas discuter avec ses clients. Je vais lui faire un bandage serré et lui donner quelques analgésiques puissants.

Cornelius s'arrêta devant la table et se pencha pour examiner la blessure avec l'œil d'un connaisseur avant que le médecin commence à lui appliquer un pansement. Il fit ensuite un clin d'œil à Kutlar, avec un sourire qui étira les taches pâles sur ses joues. À travers l'engourdissement de sa jambe, Kutlar sentit un léger élancement. Son ami avait eu raison : le toubib était généreux avec les analgésiques, mais les murailles de la novocaïne commençaient à s'écrouler, et une armée de douleurs s'apprêtait à l'envahir.

Le médecin finit de bander la plaie et prit une seringue.

—Je vais maintenant vous administrer un peu de morphine, et vous donner des comprimés à emporter…

Un éclair rouge traversa la pièce et Johann se saisit du médecin en lui appliquant une main sur la bouche. Les yeux injectés de sang du gros homme s'écarquillèrent et s'emplirent de panique derrière ses verres de lunette sales, et de la morve coula de son nez tandis qu'il haletait. Cornelius lui arracha la seringue des mains et la lui planta

204

dans le bras à travers la manche de sa blouse. Il injecta le liquide et les yeux grossis par les verres passèrent de la panique à la résignation sous l'effet de la drogue. Johann le tira vers une chaise où il le laissa tomber tandis que Cornelius trouvait une autre ampoule et remplissait de nouveau la seringue. Il la planta au même endroit et la vida.

—Tabula Rasa, chuchota-t-il en se tournant vers Kutlar. Pas de témoins.

Il retira la seringue du bras du gros homme et s'approcha.

Kutlar aurait bien tenté de s'enfuir si sa jambe le lui avait permis, mais il savait que ce serait en vain. Il n'arriverait même pas à quitter la pièce. Il repensa à Serko, étendu sur l'asphalte mouillé, et il espéra que ces deux salopards impitoyables réussiraient au moins à choper le type qui l'avait tué, et à lui rendre la monnaie de sa pièce. Il regarda la seringue s'approcher, négligemment tenue entre les doigts puissants de Cornelius, l'aiguille rosie par le sang du médecin.

J'espère qu'il va changer l'aiguille, pensa Kutlar avant de se rendre compte que cela n'avait guère d'importance.

—Il faut que nous partions d'ici, dit Cornelius.

Il se pencha et prit une serviette en papier sur une tablette pour y envelopper la seringue.

—Vous vous sentez prêt ? demanda-t-il.

Kutlar hocha la tête et recommença à respirer normalement. Cornelius mit la seringue dans la poche de son blouson, puis il le prit sous l'épaule et l'aida à se relever. Kutlar sentit les chairs tuméfiées de sa jambe appuyer contre le pansement. La pièce se mit à tourner. Il essaya de faire un pas, mais ses jambes refusaient de lui obéir. La dernière chose qu'il vit avant de perdre connaissance fut l'image du chien sur l'affiche, les yeux brillant du plaisir d'avoir été libéré de ses vers.

<h2 style="text-align:center">52</h2>

L'aube commençait à poindre à travers les feuillages quand Gabriel s'arrêta et coupa le moteur, à cinq mètres du bord de l'ancienne carrière. Elle avait été taillée dans la montagne au nord de la ville, au bout de ce qui avait été une route importante la reliant à l'artère principale de Ruine. Autrefois, plus d'une centaine de chariots tirés par des bœufs faisaient le trajet chaque jour, chargés de pierres destinées à la ville.

L'église publique au centre de Ruine avait été en majeure partie bâtie avec ce matériau, ainsi que de grandes sections des murailles du nord et de l'ouest. Aujourd'hui, la route était enfouie sous des broussailles et un humus de feuilles mortes accumulées au fil des siècles, avec ici et là une dalle dépassant tel un morceau d'os brisé, le seul rappel de son existence. Elle était à trois kilomètres des routes fréquentées et ne figurait plus sur aucune carte. Il était pratiquement impossible de la voir, même en plein jour, si on ne savait pas qu'elle était là.

Gabriel s'approcha du bord en respirant les puissants effluves primitifs libérés par le déluge de la nuit. Vingt-cinq mètres plus bas, un épais tapis d'algues vertes flottait à la surface d'une étendue d'eau dont la profondeur était impossible à estimer. Les carrières de pierre recueillaient les eaux de pluie à la façon de bassines géantes.

Il tendit l'oreille, à l'affût d'un bruit de moteur ou de tronçonneuse, un aboiement de chien, quelque chose qui indiquerait une présence humaine dans les environs. Il n'entendit que celui de cailloux tombant dans l'eau verdâtre loin au-dessous de lui.

S'étant assuré qu'il était seul, il retourna à la voiture et ouvrit le coffre. Les yeux pâles du cadavre le regardèrent fixement. L'homme avait sur la poitrine une grande fleur rose entourant un petit trou noir. Gabriel prit l'arme du mort, un Glock 22 – l'arme de prédilection des trafiquants de drogue, des gangsters et de la moitié des forces de police dans le monde occidental. Le chargeur contenait quinze balles, une seizième était engagée dans le canon. Gabriel l'éjecta. C'était une 40 S&W à charge réduite. Le S et le W pour «Smith and Wesson», bien sûr, mais ses détracteurs affirmaient que c'était plutôt «Short and Wimpy» – court et faiblard – parce que les balles étaient plutôt lentes. Mais cela permettait également d'avoir une détonation beaucoup moins forte – ce qui est plutôt un avantage en soi quand on ne souhaite pas attirer l'attention... Son propriétaire n'avait pas réussi à tirer un seul coup de feu, et il n'en aurait plus jamais l'occasion maintenant.

Gabriel se pencha par-dessus le corps et récupéra deux sacs de toile noire au fond du coffre. Il les posa par terre, ouvrit le premier. Il contenait deux grandes bouteilles remplies d'eau de Javel. Il en vida une sur le cadavre en prenant soin d'arroser les parties qu'il avait touchées afin de détruire toute trace d'ADN. La seconde bouteille était destinée à l'intérieur de la voiture. Il ouvrit la portière arrière.

En partie caché sous le siège du conducteur, il y avait le sac de voyage que Liv portait quand il était allé la chercher. Il le prit et le posa par terre avant de verser du produit sur tout ce qu'elle avait pu toucher. Il mit ensuite le contact et appuya sur le bouton pour abaisser les vitres. Trois descendirent complètement – la quatrième avait été pulvérisée dans l'embuscade. Il versa le reste de la bouteille sur le volant, le levier de vitesses et le siège du conducteur, puis il retourna à l'arrière et jeta la bouteille vide dans le coffre. Il sortit son SIG P228 – muni d'un silencieux – de son holster sous l'aisselle et tira une balle de neuf millimètres dans le fond du coffre, qu'il referma avant de tirer une autre balle dans le capot.

Il ramassa une branche par terre, la cassa en deux. Il retourna à la Renault, enclencha la première et appuya avec le bout de son bâton sur la pédale d'accélérateur jusqu'à ce que le moteur ronfle doucement. Il cala l'autre bout contre le siège, en s'assurant que le volant était en position centrale et les roues bien droites. Et là, en un mouvement parfaitement coordonné, il relâcha le frein à main et ressortit.

La pédale d'embrayage étant maintenant libérée de son poids, les roues avant commencèrent à patiner sur le sol meuble. La voiture resta un instant immobile, jusqu'à ce que les pneus accrochent le sol pierreux sous la couche d'humus. Elle commença d'avancer, et Gabriel la regarda prendre de la vitesse. Quand les roues se retrouvèrent dans le vide, la Renault bascula par-dessus le bord de la carrière et disparut. Il l'entendit rebondir contre la paroi, puis heurter la surface de l'eau. Le moteur se tut à jamais.

Gabriel s'approcha du bord pour jeter un coup d'œil. La voiture était retournée sur le toit et dérivait lentement vers le centre du petit lac. Elle commença de s'enfoncer, dans le sifflement de l'air qui s'échappait par les vitres ouvertes et les perforations du coffre. Il la regarda jusqu'à ce qu'elle soit complètement engloutie, ne laissant derrière elle que des bulles et une petite tache d'huile. Il inclina la tête de côté tel un oiseau de proie.

Dans le silence, il pouvait entendre le bruit des vaguelettes contre la paroi à ses pieds, de plus en plus doux à mesure que s'estompait le souvenir de ce qui les avait provoquées. Le calme était tel que lorsque son téléphone sonna on aurait dit une sirène d'alarme. Il le tira de sa poche et l'ouvrit avant qu'il ne puisse sonner une deuxième fois, tout en jetant un coup d'œil à l'écran.

— Hello, maman, fit-il.

— Gabriel, dit Kathryn Mann. Je commençais à me demander où tu pouvais bien être.

— Il y a eu un problème à l'aéroport, dit-il en baissant les yeux vers le tapis d'algues vertes. Quand la fille est arrivée, quelqu'un d'autre l'attendait. J'ai été obligé de faire un peu de ménage.

Il y eut un silence tandis qu'elle absorbait l'information.

— Elle est avec toi ?

— Non. Mais elle n'est pas non plus avec eux.

— Où est-elle, alors ?

— En sécurité. Elle doit être avec la police, maintenant. Je serai de retour à Ruine dans une vingtaine de minutes. Je saurai la retrouver.

— Tu vas bien ?

— Très bien, dit-il. Ne t'inquiète pas pour moi.

Il raccrocha et remit l'appareil dans sa poche.

Avec le pied, il tassa l'humus là où les roues avaient creusé des ornières, puis il retourna au deuxième sac en toile. Il en sortit deux roues, quelques tubes métalliques noirs et le moteur de la petite moto de cross dont il s'était servi l'été précédent au Soudan. Le cadre et le moteur de 100 cc étaient en aluminium, ce qui en faisait une machine très légère. Par ailleurs, elle se repliait de façon tellement compacte qu'on pouvait en mettre quatre sur le dos d'un cheval de bât et les emporter jusque dans les régions les plus reculées du globe. Il ne lui fallut qu'un peu moins de cinq minutes pour assembler le tout.

Il sortit enfin un casque noir du sac, dans lequel il rangea celui de Liv et l'autre sac de toile vide. Il le referma et le mit en bandoulière, puis il enfourcha la moto en faisant jouer les amortisseurs pour les dégripper. Il dut s'y reprendre à deux fois pour la démarrer, mais le moteur se mit enfin à rugir. Si quelqu'un avait été dans les environs pour l'entendre, il aurait pensé à une petite tronçonneuse.

Gabriel fit demi-tour, enclencha la première et rebroussa chemin en suivant les traces de pneus laissées par la Renault.

53

Liv se réveilla en sursaut, le cœur battant si fort qu'on aurait dit qu'il allait jaillir de sa poitrine. Elle venait juste de faire un de ces rêves où l'on croit tomber, et où on se réveille brusquement juste avant de toucher le sol. Quelqu'un lui avait dit un jour que si jamais on fait ce rêve jusqu'au bout, ça veut dire qu'on est mort. Elle s'était toujours demandé comment il pouvait le savoir…

Elle releva la tête et cligna des yeux dans l'éclairage brutal des néons.

Un homme était assis en face d'elle.

Elle eut un mouvement de recul. La chaise grinça contre les boulons qui la maintenaient fermement en place.

— Bonjour, dit l'homme. Vous avez bien dormi ?

Elle reconnut la voix.

— Arkadian ?

— C'est moi, oui.

Il baissa les yeux vers un dossier posé au milieu de la table.

— La vraie question, ajouta-t-il, c'est : Qui êtes-vous ?

Liv regarda le dossier avec l'impression qu'elle venait juste de se réveiller sur la planète Kafka. Un sac de petits pains était posé à côté d'elle, ainsi qu'un mug de café noir et ce qui ressemblait à un paquet de lingettes.

— Je n'avais pas beaucoup de temps, dit Arkadian. C'est tout ce que j'ai pu trouver pour que vous fassiez un peu de toilette et que vous ayez un petit déjeuner. Allez-y, servez-vous.

Liv tendit la main pour prendre un petit pain, mais quand elle vit dans quel état elle était, elle attrapa une des lingettes à la place.

Tout en la regardant retirer la boue séchée logée entre ses doigts, Arkadian lui dit :

— Voyez-vous, je suis plutôt du genre à faire confiance aux gens. Alors, quand quelqu'un me dit quelque chose, j'ai tendance à le croire jusqu'à ce que quelque chose d'autre se présente qui me persuade du contraire. Quand je vous ai téléphoné, vous m'avez donné le nom d'un homme, et ce nom correspondait bien.

Il regarda de nouveau le dossier.

Liv sentit sa gorge se serrer en comprenant ce qu'il devait contenir.

— Mais vous m'avez également dit que cet homme était votre frère… et c'est ça qui me tracasse.

Il fronça les sourcils, comme un père patient et indulgent qui vient d'être cruellement déçu.

— En plus, vous débarquez à l'aéroport au milieu de la nuit, pour raconter des histoires de gens pris en embuscade et qui se font tirer dessus, et voilà qui met également ma capacité à faire confiance à rude épreuve, mademoiselle Adamsen, conclut-il en la regardant d'un air triste. On n'a signalé aucun incident impliquant des véhicules près de l'aéroport, ni aucun coup de feu. Et pour l'instant personne n'a trouvé de cadavre sur les routes alentour. En fait, au moment où je vous parle, la seule personne qui affirme que tout ça s'est passé est…

Liv baissa la tête et se passa vigoureusement les mains dans ses cheveux couverts de boue. Elle les gratta tel un chien qui cherche à se débarrasser d'une puce, et une pluie de ce qui semblait être de petits diamants tomba sur la table. Elle s'arrêta aussitôt et fixa l'inspecteur de ses yeux verts brillant au milieu de son visage maculé.

— Vous croyez que je transporte toujours des morceaux de vitre brisée dans les cheveux, juste au cas où j'aurais besoin de valider les bobards que je raconte ?

Arkadian regarda les minuscules cristaux qui scintillaient sur la table éraflée.

Liv se frotta les yeux avec ses mains – un peu plus propres, maintenant, et qui sentaient la lotion pour bébé.

— Si vous ne voulez pas croire que j'ai failli être kidnappée, très bien, je m'en fiche. Tout ce que je veux, c'est voir mon frère, pleurer un bon coup, et m'occuper ensuite de toutes les formalités certainement accablantes pour faire rapatrier son corps.

— Et je serais plus qu'heureux de vous le permettre. Mais je ne suis pas encore convaincu qu'il est réellement votre frère, et que vous n'êtes pas qu'une simple journaliste qui essaie d'avoir l'exclusivité du grand événement…

Un nuage de confusion flotta sur le visage de Liv.

— Quel grand événement ?

Arkadian cligna des yeux, comme si quelque chose venait de se mettre en place dans son esprit.

— J'ai une question pour vous, dit-il. Depuis que je vous ai eue au téléphone, avez-vous lu un journal ou regardé les infos à la télé ?

Liv fit signe que non.

— Attendez-moi ici, dit Arkadian en frappant au carreau de la fenêtre.

La porte s'ouvrit et il s'éclipsa.

Liv prit un petit pain dans le sac. Il était encore chaud. Elle le dévora tout en observant par la porte entrebâillée ce qui se passait dans le grand bureau paysager. Elle entendait un bourdonnement de conversations et apercevait des bureaux surchargés de paperasse. Elle eut l'étrange impression d'être chez elle.

Arkadian revint alors qu'elle buvait du café pour faire passer le premier petit pain et s'apprêtait à en manger un deuxième. L'inspecteur lui tendit l'édition du soir du journal de la veille.

Liv vit la photo en première page. Elle sentit quelque chose se briser en elle, comme au bord du lac de Central Park. Sa vision se brouilla. Du bout des doigts, elle caressa l'image de l'homme barbu se dressant au sommet de la Citadelle. Un sanglot monta du plus profond d'elle-même et les larmes se mirent enfin à couler.

54

L'aube ramenait tout le monde dans la grande cathédrale pour les matines, le dernier des quatre nocturnes, afin de témoigner de la mort de la nuit et de la naissance d'un nouveau jour. Cet office portait en lui de puissants symboles de la rédemption, de la résurrection, de la délivrance du mal et du triomphe de la lumière sur les ténèbres, et tous les habitants de la Citadelle étaient tenus d'y participer.

Aujourd'hui, il y avait quelque chose de différent.

Athanase le remarqua alors que le père Malachi, debout derrière le pupitre, était au milieu d'une de ses grandes tirades théologiques. En regardant d'un œil distrait les rangées de gardes en soutane rouge debout devant lui, il constata qu'il en manquait un, malgré la règle stricte qui disait que tous devaient assister aux matines. Avec ses deux mètres, Guillermo Rodriguez se détachait facilement du lot. Aujourd'hui, c'était son absence que l'on remarquait.

Athanase repensa aux soixante-deux dossiers personnels qu'il avait apportés la veille dans les appartements de l'Abbé. Soixante-deux dossiers rouges pour les soixante-deux membres de la Carmina. Il tourna légèrement la tête, comme s'il écoutait attentivement le sermon, et procéda à un recensement.

L'air emprisonné dans la caverne de la cathédrale vibra au son des voix graves entonnant la doxologie dans le langage originel de leur Église. «Chaque jour je Te bénis, et je louerai Ton nom pour l'éternité. Béni sois-Tu, ô Seigneur. Enseigne-moi Tes statuts.»

Athanase réussit tout juste à terminer son décompte avant que les rangées de moines commencent à se disperser. Cinquante-neuf gardes étaient présents. Il en manquait trois.

Le soleil se leva et les grands vitraux s'éclairèrent au-dessus de l'autel. Dieu avait ouvert son œil immense et regardait ses fidèles assemblés. Une fois encore, la lumière avait vaincu les ténèbres. Un nouveau jour commençait.

Au milieu de la masse de soutanes marron, Athanase sortit de la cathédrale, l'esprit rempli des possibilités qu'ouvrait la découverte qu'il venait de faire. Il connaissait un peu le passé de frère Guillermo, et se doutait maintenant de la raison pour laquelle l'Abbé aurait pu vouloir le sélectionner. Cette pensée le troublait profondément. Il s'était toujours félicité de sa capacité à refréner l'impulsivité naturelle de l'Abbé. Le fait que ces trois gardes ne soient plus là l'inquiétait beaucoup – non seulement parce qu'il craignait les réactions de l'Abbé à la mort de frère Samuel, mais aussi parce qu'il avait dû les découvrir par lui-même.

Quand l'Abbé lui avait révélé la prophétie dans la crypte interdite, une prophétie qui semblait annoncer la fin du Sacrement et un nouveau commencement, il avait cru que son maître manifestait le désir de relâcher un peu le secret étouffant que lui, Athanase, tenait pour responsable de la fossilisation de l'Église dans le passé. À présent, ses soupçons suggéraient que c'était exactement l'inverse.

215

L'Abbé, loin d'envisager d'évoluer vers un avenir plein de transparence, avait choisi de renouer avec le comportement moyenâgeux de leur sombre passé de violences.

55

Dans la pièce brillamment éclairée, Liv continuait de regarder sans rien dire la photo du journal pendant qu'Arkadian lui relatait les circonstances de la mort de Samuel d'une voix douce. Quand il eut terminé, il posa la main sur le dossier bleu à côté de lui.

— J'aimerais vous montrer quelques autres photos, dit-il. Nous les avons prises avant l'autopsie. Je sais à quel point cela peut être pénible pour vous, et je comprendrais très bien que vous refusiez, mais cela pourrait nous aider à mieux comprendre les circonstances de la mort de Samuel.

Liv hocha la tête et essuya les larmes sur ses joues.

— Mais j'ai besoin de clarifier d'abord un point.

Elle leva les yeux vers lui.

— Il faut que vous me convainquiez que vous êtes bien sa sœur.

Liv sentit l'épuisement la gagner. Elle ne tenait pas à s'embarquer dans l'histoire de sa vie, pas dans l'état où elle était, mais elle avait aussi envie de savoir ce qui était arrivé à son frère.

— Je n'ai moi-même découvert la vérité qu'après la mort de mon père.

Les choses qu'elle avait apprises, huit ans plus tôt, commencèrent à remonter à la surface, des choses qu'elle gardait généralement enfouies.

— J'avais des problèmes d'identité assez graves. Je n'avais jamais vraiment su quelle était ma place. Je sais que la plupart des enfants traversent une phase où ils pensent qu'ils ne font pas vraiment partie de leur famille, mais j'avais un nom complètement différent de celui de mon père et de mon frère. Je n'avais pas connu ma mère. Un soir, j'ai posé la question à mon père mais il s'est renfermé sur lui-même. Plus tard, dans la nuit, je l'ai entendu pleurer. Dans mon imagination enfiévrée d'adolescente, j'ai pensé que c'était parce que j'avais réveillé je ne sais quel secret de famille honteux. Je ne lui ai jamais reposé la question.

« Quand il est mort, mon chagrin semble s'être fixé sur cette question sans réponse. Je n'ai plus pensé qu'à ça. J'avais l'impression d'avoir non seulement perdu mon père, mais aussi la seule chance que j'avais de savoir qui j'étais vraiment.

— Mais vous avez fini par le découvrir, dit Arkadian.

— Oui, effectivement.

Liv respira profondément avant de se plonger dans son passé.

— Je venais d'entrer à l'université de Columbia pour y faire des études de journalisme. Un de mes premiers devoirs a été d'écrire un article de trois mille mots sur le sujet d'enquête de mon choix. J'ai décidé de faire d'une pierre deux coups, et d'essayer de déterrer ce vieux secret de famille. J'ai pris l'autocar pour me rendre en Virginie-Occidentale, dans la ville où mon frère et moi étions nés. C'était une de ces petites villes typiquement américaines, avec une grande rue très longue bordée de magasins avec un auvent au-dessus du trottoir. La plupart étaient fermés. Elle s'appelait Paradise. Le paradis… Manifestement, les Pères fondateurs nourrissaient de grands espoirs.

« L'été où nous sommes nés, mes parents avaient voyagé un peu partout dans le pays à la recherche d'un travail. Ils étaient tous deux horticulteurs bio, très en avance sur leur époque sur bien des plans. En général, ils se retrouvaient à faire des travaux de jardinage ordinaires, parfois pour une municipalité, parfois dans une ferme. Tout ce qui pouvait leur permettre de gagner assez d'argent pour la naissance des bébés. Quand l'occasion se présentait, ma mère se faisait faire un contrôle médical, mais je pense qu'à l'époque, ça n'allait guère plus loin que de vous prendre la tension et de vérifier que les deux petits cœurs battaient toujours. L'échographie n'existait pas. Mes parents n'avaient aucune idée qu'il puisse y avoir un problème – jusqu'à ce qu'il soit trop tard.

« L'hôpital où je suis née – "hôpital" est un bien grand mot – se trouvait dans un centre médical à la limite de la ville. Quand j'y suis retournée, il était à l'ombre d'un hypermarché, sans doute le grand responsable de tous ces magasins fermés dans la grand-rue. C'était un de ces établissements de campagne dont la fonction principale est de rafistoler les gens et de les renvoyer chez eux avec un tube d'aspirine, ou d'organiser leur transfert vers un hôpital digne de ce nom. Quand j'y suis allée, il était toujours assez primitif. Je n'ose imaginer ce que c'était quand mes parents y ont débarqué.

« J'ai engagé la conversation avec l'infirmière à la réception, pour lui expliquer ce que je faisais là et ce que je cherchais. Elle m'a montré une pièce pleine de piles de cartons remplis d'archives médicales. C'était un vrai bazar. Il m'a fallu une heure rien que pour trouver celui qui correspondait à l'année. À l'intérieur, les documents étaient en vrac. Je les ai examinés et j'ai retrouvé les certificats de naissance. Le mien n'y était pas, et j'ai donc copié la liste des noms de tous les employés de l'hôpital à l'époque. La réceptionniste a accepté de me mettre en rapport avec l'un d'eux, une infirmière qui avait travaillé là pendant les années 1980, une certaine madame Kintner. Elle avait pris sa retraite quelques années plus tôt, mais elle habitait toujours dans le coin. Je suis allée la voir. Nous nous sommes assises dans la véranda de sa maison et nous avons bu de la limonade. Elle se souvenait de ma mère. Elle m'a dit qu'elle était très belle. Elle avait vaillamment lutté pendant deux jours pour nous donner naissance. Les médecins n'arrivaient pas à voir où était le problème, jusqu'à ce qu'ils nous fassent sortir "par le toit", comme disait madame Kintner – une césarienne d'urgence.

Liv se leva lentement.

—Je suis née Sam Newton, dit-elle d'une voix qui n'était plus guère qu'un murmure. Le nom de mon frère était Sam Newton. Nous sommes nés en même temps, le même jour, des mêmes parents. Nous sommes des jumeaux.

Elle tira sa chemise de son pantalon du côté droit.

—Mais pas n'importe quels jumeaux…

Elle souleva un pan de son chemisier.

Arkadian vit une cicatrice encore plus pâle que la peau. Un crucifix posé sur le côté. Identique à celui qu'il avait trouvé sur le corps du moine.

—Il arrive que des bébés naissent reliés par la hanche, poursuivit Liv. C'était notre cas, ou du moins, nous étions rattachés par le côté. Nos trois côtes inférieures étaient fusionnées. Plus précisément, nous étions ce qu'on appelle

219

des jumeaux omphalopages, des nouveau-nés reliés au niveau du thorax. Ils ont parfois des organes en commun, comme le foie. Nous, nous ne partagions que quelques os.

Liv rabaissa son chemisier et se rassit lourdement.

— Madame Kintner m'a dit que l'affaire avait fait beaucoup de bruit. Il n'y avait encore jamais eu de cas de jumeaux conjoints de sexe différent, et les médecins étaient très excités. Mais ensuite, quand l'état de ma mère a empiré, et le nôtre aussi, ils ont commencé à paniquer. Elle avait perdu tellement de sang au moment de la naissance et subi de tels dommages internes à cause de l'étrange conformation de ce bébé double qu'elle n'a jamais repris connaissance. Je pense que les médecins se sont sentis responsables et qu'ils ont étouffé l'affaire. Ma mère est morte huit jours plus tard – le jour même où Samuel et moi avons été séparés par une opération. Ce n'est qu'à ce moment-là qu'on s'est rendu compte qu'il n'y avait eu qu'un seul certificat de naissance. On m'en a rapidement établi un autre, avec comme date de naissance celle de notre séparation. Il est vrai que, dans le principe, c'est ce jour-là que je suis devenue un individu à part entière. C'est mon père qui a eu l'idée de mon nom, pour honorer la mémoire de ma mère. Son nom de jeune fille était Liv Adamsen, le nom de celle dont mon père était tombé amoureux et qu'il avait épousée. C'est pour cette raison qu'il n'a jamais voulu en parler.

Arkadian absorba cette nouvelle information et la rapprocha de ce qu'il savait déjà pour voir si elle laissait encore des questions sans réponse.

— Comment se fait-il que le nom de votre grand-mère soit différent de celui de votre mère ?

— C'est une tradition norvégienne. Les enfants prennent le nom de leur père. Le père de ma grand-mère s'appelait Hans, et elle a donc pris le nom de «Hansen», qui signifie littéralement «fils de Hans». Le père de ma mère s'appelait Adam, et elle est donc devenue «Adamsen». Remonter un arbre généalogique cst un vrai cauchemar quand on est scandinave.

Elle baissa de nouveau les yeux vers le journal. Le visage de Samuel la regardait fixement.

— Vous m'avez dit que vous vouliez me montrer quelque chose qui pourrait aider à expliquer la mort de mon frère, dit-elle. De quoi s'agit-il?

Elle vit Arkadian tapoter le dossier bleu d'un air hésitant. Il semblait dans de meilleures dispositions envers elle, mais n'en restait pas moins réservé.

— Écoutez, dit-elle. J'ai autant envie que vous de savoir ce qui lui est arrivé. Alors, vous pouvez me faire confiance ou non, c'est à vous de décider. Mais si c'est mon métier qui vous inquiète encore, je suis prête à signer tout ce que vous voudrez pour me bâillonner.

Arkadian cessa de tapoter le dossier. Il se leva et sortit, le laissant derrière lui.

Liv regarda la chemise en luttant contre la tentation d'y jeter un coup d'œil en l'absence de l'inspecteur. Arkadian revint quelques instants plus tard avec un stylo et le formulaire de confidentialité standard de la brigade criminelle. Elle le signa et il compara sa signature avec celle figurant sur une copie de son passeport qu'on lui avait faxée. Il ouvrit enfin le dossier et lui passa une photo.

On y voyait le corps de Samuel étendu sur la table d'examen. L'éclairage puissant faisait ressortir sur sa peau livide le sombre réseau de cicatrices.

Liv regarda la photo d'un air sidéré.

221

— Qui a pu lui faire ça ?

— Nous l'ignorons.

— Mais vous avez dû parler aux gens qui l'ont connu, non ? Ils ne savaient rien du tout ? Ils n'ont pas dit qu'il avait un comportement bizarre, ou qu'il semblait déprimé ?

Arkadian secoua la tête.

— Vous êtes la seule personne à qui nous ayons réussi à parler. Votre frère est tombé du haut de la Citadelle. Nous pensons que c'est là qu'il a vécu ces dernières années, car nous n'avons rien trouvé qui puisse faire penser qu'il a habité dans la ville. Depuis combien de temps a-t-il disparu, m'avez-vous dit ?

— Huit ans.

— Et pendant toutes ces années il ne vous a jamais contactée ?

— Non, jamais.

— Ainsi donc, s'il était là pendant tout ce temps, les derniers à l'avoir vu vivant sont les autres occupants de la Citadelle, et j'ai bien peur que nous ne puissions leur parler. J'ai fait une demande, mais c'est uniquement pour la forme. Personne n'acceptera de me rencontrer.

— Vous ne pouvez pas les y obliger ?

— La Citadelle jouit d'une grande autonomie. C'est un État dans l'État, qui fixe ses propres règles et qui a son propre système de justice. Je ne peux les contraindre à quoi que ce soit.

— Ils peuvent donc décider de rester bouche cousue, même si quelqu'un est mort, et on ne peut rien y faire ?

— C'est à peu près ça, reconnut Arkadian. Remarquez, je suis sûr qu'ils finiront par dire quelque chose. Ils savent bien l'importance des relations publiques. En attendant, il y a d'autres pistes que nous pouvons explorer…

Il prit trois autres photos dans le dossier et fit glisser la première sur la table.

Liv vit son numéro de téléphone inscrit sur une mince lanière de cuir.

— Nous l'avons trouvé dans l'estomac de votre frère. C'est grâce à ça que nous avons pu vous contacter aussi rapidement.

Il lui passa la deuxième photo.

— Mais nous avons encore autre chose…

56

C'est au début du vi^e siècle que les rues du quartier Perdu avaient été tracées dans le sol par les charrettes et les chevaux, et elles se révélaient aujourd'hui totalement inadaptées au volume et à la vitesse de la circulation moderne. Comme leur élargissement aurait nécessité des travaux de démolition, ce qui était inenvisageable ici, les urbanistes avaient mis en place un système de voies à sens unique tellement complexe que les voitures s'y faisaient piéger comme dans un labyrinthe.

Pour Erdem, c'était un vrai cauchemar de conduire son ambulance dans ces ruelles médiévales. Son manuel d'infirmier secouriste exigeait qu'il réponde à tout appel dans le quart d'heure qui suivait. Il exigeait aussi qu'il ramène son véhicule dans le même état que lorsqu'il l'avait pris, de sorte que s'il roulait dans ce dédale de rues étroites aux murs éraflés à la vitesse requise pour satisfaire à la première obligation, il échouerait forcément à remplir la seconde.

Il vit dans son rétroviseur la croix peinte sur le côté de l'ambulance émerger lentement de l'ombre d'une arche de pierre, révélant en son centre le caducée d'Esculape et son serpent enlacés. Il reporta son attention sur la route et appuya sur l'accélérateur, pour essayer de regagner un peu du temps perdu avant de devoir à nouveau se traîner comme un escargot au prochain obstacle.

— On en est où ? demanda-t-il.

— Déjà quatorze minutes, répondit Kemil en regardant sa montre. Je ne crois pas qu'on batte de record, ce coup-ci.

La victime vers laquelle ils se rendaient était un homme qu'on avait trouvé inconscient dans l'une des ruelles à la limite du quartier Perdu. Étant donné l'heure et l'endroit, Erdem se disait qu'il devait s'agir d'une overdose, ou d'une blessure par balle ou par arme blanche. Celui qui avait donné l'alerte n'avait pas fourni beaucoup de détails, juste assez pour justifier l'envoi d'une ambulance. Un début parfait pour une journée parfaite…

— Des nouvelles de la police ? demanda Erdem.

Kemil jeta un coup d'œil à l'écran du scanneur radio pour voir s'il indiquait un numéro de voiture de patrouille.

— Rien du tout. Ils sont sans doute en train de terminer leur café et leurs croissants.

La voiture de patrouille ne considérait manifestement pas qu'il s'agissait d'une urgence. Contrairement aux secouristes, les policiers n'avaient pas la pression de devoir réagir dans le quart d'heure.

— Nous y voilà, dit Erdem en s'engageant dans une rue plongée dans l'ombre où l'on distinguait un tas de vêtements sur le trottoir.

— Dix-sept minutes, déclara Kemil en appuyant sur un bouton de la radio pour signaler leur heure d'arrivée à leur base. Pas trop mal.

— Et pas une éraflure, ajouta Erdem en s'arrêtant.

Il prit la clé de contact et se glissa à bas de son siège avec l'aisance que donne la pratique.

L'homme étendu sur le trottoir était pâle comme la mort, et quand Erdem le retourna pour le mettre en position de récupération il comprit pourquoi. Sa cuisse droite était trempée de sang. Il souleva un peu le tissu du pantalon déchiré pour voir l'étendue des dégâts, s'arrêta net. Au lieu de la blessure béante qu'il s'attendait à voir, il y avait un pansement récent taché de sang. Il s'apprêtait à se retourner pour appeler Kemil quand il sentit sur sa nuque le contact glacé du canon d'une arme.

De son côté, Kemil n'avait même pas eu le temps de descendre de son siège quand le barbu apparut à la vitre et lui braqua son arme en pleine figure.

— Appelez votre central, dit l'inconnu avec un accent qui semblait anglais. Dites-leur que c'est une fausse alerte, et que l'homme que vous avez trouvé était simplement saoul.

Kemil tâtonna pour attraper le micro sans quitter des yeux le trou noir du canon de l'arme et les yeux bleus inflexibles de l'homme qui la tenait. C'était seulement la deuxième fois qu'il se faisait braquer en presque six ans. Il savait comment il fallait se comporter : rester calme et se montrer coopératif, mais ce type était *vraiment* inquiétant. La dernière fois, ceux qui l'avaient attaqué portaient des cagoules, et ils étaient tellement nerveux qu'ils semblaient capables de se tirer une balle dans le pied au moindre coup de vent. Ici, le gars était calme, et il n'était pas masqué.

Son seul déguisement était une barbe épaisse qui poussait autour de vieilles cicatrices. Il portait aussi une capuche rouge sur ses longs cheveux blonds.

Kemil finit par trouver le micro. Il le prit et fit ce qu'on attendait de lui.

57

Liv examinait la deuxième photo.

Encore un plateau en acier garni d'une serviette en papier sur laquelle étaient posés cinq petits pépins de pomme. Sur leur surface brillante, il y avait quelque chose d'inscrit.

Arkadian lui passa une troisième photo.

— Des signes sont gravés de chaque côté, dit-il. Cinq pépins, dix signes – des lettres, essentiellement, un mélange de majuscules et de minuscules...

Il plaça les photos pour qu'elles se chevauchent. Les signes étaient maintenant alignés par paires :

T a M + k
? s A a l

— Ils sont disposés dans le même ordre sur les deux photos pour que vous puissiez voir lesquels sont sur le même pépin, au cas où ces associations seraient délibérées. Personnellement, je n'y comprends rien, mais c'est peut-être justement le but. Ils ne sont pas censés être évidents pour n'importe qui. Ils vous sont peut-être spécialement destinés.

Liv regarda le mélange de lettres et de symboles.

— Ça vous évoque quelque chose ? demanda Arkadian.

— Pas comme ça, non, répondit-elle. Est-ce que vous pouvez me repasser votre stylo ?

Arkadian fouilla dans sa poche et le lui tendit.

Elle prit le journal et le lissa du plat de la main, puis elle recopia les symboles dans une partie vierge à côté de la photo de son frère. Elle vit son nom émerger des lettres et l'inscrivit, puis elle y ajouta le reste des symboles en conservant les associations :

$$s \quad a \quad M \quad l \quad ?$$
$$a \quad + \quad A \quad k \quad \underline{T}$$

Samuel attacked en anglais abrégé, « Samuel a été attaqué » ? Cela semblait un peu tiré par les cheveux. Et puis, on avait découvert les pépins pendant son autopsie, ce qui rendait ce message plutôt vain…

— N'avez-vous pas des experts en cryptographie pour ce genre de chose ?

— Il y a bien un professeur en cryptologie à la grande université de Gaziantep qui nous donne un coup de main de temps en temps, mais je ne l'ai encore pas contacté. Il me semble que votre frère a déployé des efforts considérables pour s'assurer que ce message ne tombe pas dans de mauvaises mains, et le moins que je puisse faire, c'est de respecter sa volonté. Je crois sincèrement qu'il vous était destiné et que vous êtes la seule à pouvoir en tirer quelque chose. Personne d'autre ne connaît l'existence de ces pépins. Il n'y a que le médecin qui les a trouvés, moi, et maintenant vous. Je n'ai pas mis les photos dans le dossier. Si jamais cela venait à se savoir, j'aurais tous les ruinologistes et les théoriciens du complot du Sacrement sur le dos, à me proposer leurs interprétations personnelles. J'essaie de résoudre cette affaire, pas de découvrir l'identité du Sacrement, bien que…

— Bien que quoi ?

— Bien que je soupçonne fortement que les deux choses soient liées…

58

Deux étages plus bas, une main criblée de taches de rousseur était en train de taper l'identifiant et le mot de passe permettant d'accéder à la base de données de la police. Une fenêtre s'ouvrit sur un compte de messagerie, signalant sept nouveaux messages. Six étaient des mémos du département que personne ne se donnerait jamais la peine de lire, le septième venait d'un certain *Gargouille*. La partie « objet » était vide. L'homme jeta un coup d'œil inquiet par-dessus l'écran, puis il ouvrit le message. Il contenait un seul mot : *Vert*.

Il effaça complètement le message pour qu'il n'en reste aucune trace sur le réseau, puis il ouvrit une fenêtre de commandes. Une boîte noire apparut à l'écran lui demandant un autre identifiant avec le mot de passe correspondant. Il les entra et s'infiltra encore plus profondément dans le réseau pour examiner les fichiers récemment mis à jour.

Gargouille était un programme relativement simple qu'il avait écrit lui-même pour se faciliter la tâche lorsqu'il surveillait l'avancement d'affaires qu'il n'était pas censé suivre. Plutôt que de devoir se livrer au travail fastidieux consistant à pirater la base centrale et à chercher manuellement les mises à jour, il lui suffisait de lier le programme à l'architecture de n'importe quel fichier et, dès que celui-ci était modifié, Gargouille le lui signalait automatiquement par e-mail.

Il trouva le fichier concernant le moine et commença à le parcourir. À la page 23, il repéra un bloc de texte surligné en vert par le programme. Il contenait les détails sur la mise en garde à vue d'une certaine Liv Adamsen suite à ses déclarations à propos d'une tentative d'enlèvement qui aurait eu lieu à l'aéroport. Elle se trouvait en ce moment même dans une salle d'interrogatoire au quatrième étage. C'était le département des vols et homicides. L'homme fronça les sourcils, sans très bien voir le rapport avec le moine.

Et pourtant…

Bon, ce n'était pas son problème. Ses deux clients avaient demandé à être immédiatement informés des éléments nouveaux apportés au dossier. Ce n'était pas à lui de faire le filtre.

Il inséra une clé USB dans l'ordinateur et copia les détails, puis il referma le fichier et revint soigneusement sur ses pas dans le dédale de la base de données, en verrouillant derrière lui toutes les portes invisibles qu'il avait forcées.

Revenu à l'écran de départ, il ouvrit un tableur parfaitement banal, au cas où un curieux viendrait jeter un coup d'œil à ce qu'il faisait, puis il prit son manteau et son téléphone. Il ne transmettait jamais rien depuis son poste de travail, même encrypté. C'était trop risqué, et il était trop prudent. Et puis il y avait un café Internet au coin de la rue, où les serveuses étaient sexy et le café bien meilleur.

59

Liv passa quelques minutes à essayer de trouver des mots en anglais dans le paquet de lettres et à en faire la liste : SALT, LAST, TASK, MASK – sel, dernier, tâche, masque, rien de bien spectaculaire. En tout cas, rien de ce qu'on évoquait d'habitude à propos du Sacrement, comme GRAAL ou CROIX. Et rien qui vaille de sacrifier sa vie.

Elle constitua un mot avec les seules majuscules – MAT – et examina ce qui restait : s a l a k.

Elle se tourna vers Arkadian.

— Quelle langue parlent-ils dans la Citadelle ?

Il haussa les épaules.

— Le grec, le latin, l'araméen, l'anglais, l'hébreu – toutes les langues modernes et beaucoup de langues mortes. On dit qu'ils ont une immense bibliothèque pleine de textes anciens. Si votre frère était impliqué dans ce genre d'activités, son message pourrait être écrit dans n'importe quelle langue.

— Génial.

— Mais je ne crois pas qu'il ait fait ça. Pourquoi vous envoyer un message que vous ne pourriez pas comprendre ?

Liv poussa un profond soupir et reprit la photo du corps de son frère. Elle suivit des yeux les lignes entourant ses épaules, ses cuisses et son cou, et la croix en forme de T profondément brûlée dans la chair de son épaule gauche.

— Ces cicatrices représentent peut-être quelque chose. Une carte, par exemple.

— Oui, elles ont sûrement une signification, mais je pense que ces symboles sont plus importants. Il s'est donné beaucoup de mal pour les inscrire sur ces minuscules pépins, et ensuite il les a avalés, ainsi que votre numéro de téléphone, et il a fait tout ce qu'il pouvait pour se jeter dans notre zone de juridiction afin qu'on retrouve tout ça lors de l'autopsie.

Liv reporta son attention sur le journal, sur la photo de Samuel entourée des lettres que le jeune homme s'était donné tant de mal à dissimuler.

— Je veux le voir, dit-elle.

— Je ne pense pas que ce soit une bonne idée, répondit Arkadian d'une voix douce. Votre frère est tombé d'une très grande hauteur. Ses blessures sont importantes, et nous avons effectué une autopsie complète. Il serait préférable que vous attendiez un peu.

— Attendre quoi ? Qu'on l'ait nettoyé ?

— Mademoiselle Adamsen, vous semblez ignorer ce qui arrive à un corps au cours d'une autopsie…

Liv respira profondément et le fixa de ses yeux verts.

— Pas vraiment, non. Après un examen externe exhaustif, le médecin pratique une incision en forme de Y sur le torse, puis il brise le sternum et retire le cœur, les poumons et le foie pour des analyses ultérieures. Il détache ensuite la calotte crânienne après l'avoir découpée à la scie, et il dépiaute le visage pour pouvoir accéder au cerveau, qu'il retire également… Vous êtes déjà venu dans le New Jersey, inspecteur ?

— Non, répondit Arkadian, surpris.

— L'année dernière, à Newark, nous avons eu cent sept meurtres – un peu plus de deux par semaine. Au cours des quatre dernières années, j'ai écrit des articles sur tous les aspects des enquêtes criminelles, et j'ai étudié toutes les facettes des procédures policières, y compris les autopsies. J'ai assisté personnellement à plus d'autopsies que la plupart des jeunes flics. Alors, je sais que ça ne sera pas beau à voir, je sais que c'est mon frère, mais je sais aussi que je n'ai pas fait tout ce voyage en payant avec une carte de crédit dans le rouge – qu'on m'a volée, au fait – rien que pour voir un paquet de photos. Alors, s'il vous plaît, conclut-elle en poussant le journal vers lui, emmenez-moi voir mon frère.

Arkadian compara à nouveau rapidement le visage de Liv avec celui de Samuel Newton. Ils avaient la même teinte de cheveux, les mêmes pommettes hautes, les mêmes yeux assez écartés. Ceux du moine étaient fermés, mais il savait qu'ils étaient du même vert intense.

La sonnerie de son téléphone rompit le silence.

— Excusez-moi, fit-il en se levant pour se retirer au fond de la pièce.

— Vous n'allez pas me croire, fit une voix excitée dès qu'il eut décroché. On pense avoir fait le tour des bizarreries d'une affaire, ajouta Reis, et voilà que les résultats d'analyse reviennent du labo !

— Qu'est-ce que vous avez trouvé ?

— Les cellules du moine ! Elles sont…

Une sirène stridente retentit dans le téléphone, et Arkadian l'écarta aussitôt de son oreille.

— Qu'est-ce que c'est que ça, bon sang ? cria-t-il en tenant l'appareil aussi près que possible sans risquer de se faire percer le tympan.

— UNE ALERTE INCENDIE ! hurla Reis en essayant de couvrir le mugissement. Je crois qu'on nous évacue. Un exercice, peut-être… Je vous rappelle quand ce sera fini !

Arkadian jeta un coup d'œil vers Liv. Leurs regards se croisèrent. Il prit une décision.

— Pas la peine ! cria-t-il dans son téléphone. Je viens vous voir !

Il sourit avant d'ajouter, autant pour Liv que pour Reis :

— Et j'aurai quelqu'un avec moi.

60

Le bruit assourdissant des hélices augmenta encore quand l'avion manœuvra pour aligner la porte de sa soute arrière sur celle de l'entrepôt.

Kathryn regarda les hommes en combinaison rouge s'avancer pour placer des cales sous les roues gigantesques du C-123 que l'ONG avait acheté à l'armée de l'air brésilienne pour la mirifique somme de un dollar. En contrepartie, l'organisation s'était engagée à le remettre en état de voler pour l'emporter de la base militaire dans les trente jours, faute de quoi les militaires s'en serviraient comme cible pour leurs exercices de tir. L'appareil était dans un tel état que l'opération avait tenu du miracle, mais, depuis, il avait volé plus de vingt mille heures.

Le régime des moteurs baissa, la brume de vapeur qui s'en dégageait commença de se dissiper. La porte arrière s'abaissa et Kathryn traversa le tarmac mouillé, suivie de Becky, la stagiaire, et d'un inspecteur des douanes qui tenait sa casquette d'une main et des documents de l'autre. Kathryn avait demandé à Becky de l'accompagner pour contrôler la cargaison, mais aussi pour distraire l'attention de l'inspecteur et des manutentionnaires pendant que la partie la plus précieuse – et clandestine – du chargement en serait discrètement retirée.

Kathryn avait souvent vu son père ces dernières années, mais jamais à Ruine. C'était trop dangereux, même après tout ce temps. Elle prenait donc l'avion pour Rio, ou bien ils se rencontraient ailleurs pour passer un moment ensemble, discuter des nouveaux projets, s'indigner des récentes injustices infligées à la planète, et boire du bon whisky.

Arrivée en haut de la rampe, elle regarda le grand logo imprimé sur l'aluminium du premier conteneur. La majeure partie de cette cargaison était constituée d'engrais à haute teneur en nitrates, le cadeau d'un grand groupe pétrochimique qui cherchait à soulager sa conscience de tout le mal qu'il avait fait à la planète. Kathryn se sentait toujours partagée devant de tels dons, mais elle se disait qu'au bout du compte les gens qui en bénéficieraient se moquaient bien de ces dilemmes moraux. Leur seule préoccupation était de pouvoir faire pousser de quoi se nourrir…

D'ici deux jours, cet engrais se trouverait mélangé à la terre stérile autour d'un village du Soudan – à condition que le gouvernement soudanais les autorise à survoler le territoire, et que Gabriel réussisse à convaincre les chefs de guerre locaux de ne pas s'en emparer pour fabriquer des bombes. Il était en bonne voie d'y parvenir quand elle lui avait demandé de revenir. Maintenant, il allait devoir tout reprendre à zéro.

Kathryn jeta un coup d'œil à côté d'elle. Becky et l'inspecteur des douanes étaient déjà en train de vérifier les numéros de série sur les caisses. Elle aperçut derrière eux les trois manutentionnaires qui contournaient l'aile pour se rendre à l'arrière de l'appareil. Il lui fallut un gros effort de volonté pour ne pas les regarder directement. Elle attendit simplement qu'ils aient disparu de son champ de vision pour redescendre la rampe.

— Je vais dire au cariste qu'il peut venir pour commencer à décharger, lança-t-elle par-dessus son épaule.

— Merci, fit l'inspecteur.

Kathryn retourna à l'entrepôt. Il était rempli aux trois quarts de caisses et de palettes de marchandises disposées en rangées régulières. Ilker était occupé à déplacer quelques caisses contenant des systèmes de filtration d'eau. Elle pointa un doigt vers l'avion, et il lui fit signe qu'il avait compris. Il effectua un demi-tour avec son chariot-élévateur et se dirigea vers la sortie. Kathryn poursuivit son chemin entre deux rangées de caisses, pénétra dans le bureau au fond du hangar.

L'un des hommes d'équipage se versait du café. Il se retourna et la regarda, son visage tanné se plissant déjà en un large sourire.

— Miguel Ramirez, à votre service, dit-il en tapotant le badge d'identité qu'il portait sur sa combinaison de vol.

Kathryn traversa la pièce d'un bond et faillit le renverser dans sa hâte à l'embrasser. Malgré sa fatigue, ses soucis, les épreuves de la journée et celles qui s'annonçaient pour les jours à venir, elle oublia tout dans l'instant en le serrant dans ses bras.

Après quatre-vingt-dix ans d'exil, Oscar de la Cruz était de retour chez lui.

Ils restèrent ainsi un moment jusqu'à ce que le téléphone de Kathryn carillonne dans sa poche, rompant la magie du moment. Elle s'écarta, embrassa son père sur les joues et sortit son appareil. Oscar la vit froncer les sourcils tandis qu'elle lisait le message qu'elle venait de recevoir.

— Gabriel ?

— Non, fit Kathryn. C'est la fille. Elle est dans les bureaux de la police.

— Qui est la source ?

— Nous avons un informateur au bureau central.

— Digne de confiance ?

— Ses informations le sont, en tout cas.

Oscar secoua la tête.

— Ce n'est pas la même chose.

Kathryn haussa les épaules.

— Il fournit des informations quand on le lui demande, et elles sont toujours excellentes.

— Et quel genre d'informations nous a-t-il données dans le passé ?

— Les dossiers de police sur toutes les enquêtes liées à l'Église au cours des trois dernières années. Nous l'avons connu grâce à un de nos contacts avec la presse.

— J'imagine donc qu'il ne fait pas ça pour l'amour de notre cause ?

— Non. Il le fait pour l'argent.

Elle relut le message sur son écran, nota l'heure à laquelle il était arrivé. Elle s'en voulut de ne pas l'avoir vu avant. Elle effaça l'écran et composa un numéro abrégé, en se demandant qui, d'elle ou de la Citadelle, en avait été informée la première. En fait, cela n'avait guère d'importance. À présent, ceux qui avaient tenté d'enlever la fille à l'aéroport en savaient certainement autant qu'elle et devaient déjà être en train de se regrouper.

Le numéro finit de se composer.

Quelque part dans Ruine, un autre téléphone se mit à sonner.

61

La Basilica Ferrumvia était le plus grand bâtiment de Ruine n'appartenant pas à l'Église. Elle avait été bâtie pierre par pierre au milieu du XIXe siècle comme un symbole d'espoir et de progrès se dressant au-dessus des taudis médiévaux au sud du quartier Perdu. Cependant, malgré son nom aux consonances ecclésiastiques, la seule chose qu'on y adorait était le commerce. «La basilique de la Voie de Fer» était la gare principale de Ruine.

Le temps que Gabriel arrive devant la façade gothique, on était déjà en pleine heure de pointe. Il s'arrêta sous le grand auvent en fer forgé et gara sa moto au milieu d'une rangée de scooters, puis il entra dans le bâtiment comme n'importe quel voyageur pressé de prendre son train.

Il avança rapidement au milieu de la cacophonie qui régnait dans le hall central et descendit dans le silence étouffé de la consigne, taillée dans la roche sous le quai numéro 16.

Le casier 68 se trouvait tout au fond de la pièce, juste au-dessous d'une des six caméras de surveillance. De cette façon, bien que le visage de Gabriel fût visible sur les enregistrements, il n'en allait pas de même pour le contenu du casier. Il composa le code à cinq chiffres, ouvrit le panneau.

À l'intérieur du casier, il y avait un sac de toile noire de la même taille et de la même marque que celui qu'il portait à l'épaule. Il en sortit un blouson molletonné noir et deux chargeurs de pistolet. Il les posa dans le casier et sortit son SIG de son étui. Avec précaution, il en dévissa le silencieux, qu'il rangea dans le sac. Le silence était nécessaire la nuit, mais dans la journée, il fallait que les coups de feu s'entendent suffisamment pour faire peur aux gens qui n'avaient rien à faire dans le coin. Il ne voulait pas qu'un passant innocent risque sa vie. Les militaires appelaient ça un dommage collatéral, mais en ville, ça s'appelait un meurtre.

Il regarda autour de lui, puis il posa son sac et retira sa veste, qu'il remplaça par le blouson. Les chargeurs allèrent dans sa poche et le SIG retourna dans son étui sous l'aisselle, moins encombrant maintenant qu'il n'y avait plus le silencieux. Il mit son sac dans le casier et en retira celui de Liv. Il hésita un instant à l'ouvrir, sa discrétion naturelle l'empêchant de fouiller dans les affaires d'une femme… mais il finit quand même par le faire.

Il y trouva des vêtements, une trousse de toilette, un chargeur de téléphone, tout ce qu'on fourre dans un sac quand on doit partir précipitamment. Il y avait aussi un petit ordinateur portable dans sa mallette, un portefeuille, des cartes de crédit, un badge de presse et une carte de fidélité de Starbucks presque remplie. Dans une pochette, il trouva un passeport, un jeu de clés et une enveloppe contenant une dizaine de photos de Liv en compagnie d'un jeune homme, prises à New York. Elle avait quelques années de moins – la vingtaine, sans doute. L'homme était manifestement son frère : il avait les même cheveux blond foncé, le même visage rond et séduisant, les mêmes yeux verts qui brillaient du bonheur d'un rire partagé qu'on pouvait lire sur les deux visages.

La dernière photo permettait de déterminer que ce séjour datait d'avant 2001. On y voyait le jeune homme seul entre les tours jumelles du World Trade Center, les bras écartés et le visage crispé pour mimer un effort herculéen. Avec ses longs cheveux et un soupçon de barbe, il évoquait Samson dans le temple des Philistins. C'était une photo lourde de menaces, chargée de tragédie, non seulement à cause de ce qui était arrivé aux tours, mais aussi parce que l'image de ce jeune homme plein de joie écartant les bras rappelait la pose qu'il allait prendre dans les dernières heures de sa vie avant de plonger dans le vide.

Gabriel remit les photos dans le portefeuille. Son instinct lui conseillait de laisser le sac de Liv dans le casier, mais il le mit en bandoulière avant de refermer la porte et de se diriger vers la sortie.

Ce sac allait lui servir de talisman, de porte-bonheur, une lentille à travers laquelle il concentrerait sa détermination. Une fois qu'il aurait retrouvé la fille et l'aurait mise à l'abri, il pourrait le lui rendre.

Dans son esprit, la sécurité de Liv était devenue une mission personnelle. Il ne savait pas vraiment pourquoi ni quand il avait pris cette décision. Peut-être quand il l'avait vue traverser le parking sous la pluie, animée par la peur qu'il lui inspirait. Ou même un peu plus tôt – quand il avait vu pour la première fois ses remarquable yeux verts croiser son regard pour tenter d'y lire la vérité. Au moins, s'il en avait l'occasion, il pourrait dissiper ses craintes.

Il émergea de la pénombre de la consigne et se retrouva sous les lumières du hall principal. La voûte vitrée, haute d'une trentaine de mètres, semblait capter tous les sons et les répercuter. Le hall était si bruyant qu'il sentit la sonnerie de son téléphone plus qu'il ne l'entendit.

— Ils ont emmené la fille au bureau central de la police, dit Kathryn. Elle est dans une salle d'interrogatoire au quatrième étage, et elle raconte ce qui s'est passé la nuit dernière.

— L'information remonte à quand ?

— Je viens juste de la recevoir. Mais nous pensons que la personne qui nous l'a donnée alimente également les Sancti.

Ça semblait logique. Cela signifiait aussi que ceux qui avaient essayé d'enlever Liv la nuit dernière ne devaient pas être très loin, et qu'ils attendaient patiemment une autre occasion.

— Je te rappellerai plus tard, dit-il.

Il raccrocha aussitôt. Quand il eut rejoint sa moto, il mit son casque et réfléchit à ce qu'il devait faire maintenant. Liv était sans doute en sécurité tant qu'elle serait dans cette salle d'interrogatoire – mais elle n'allait pas y rester toute sa vie, et le bâtiment de la police était vaste. C'était pratiquement impossible de la retrouver sans attirer l'attention. Il démarra et jeta un coup d'œil à un kiosque qui vendait l'édition du matin du journal local. La première page affichait une nouvelle photo du moine, vu de plus près cette fois, manifestement prise au téléobjectif. Un gros titre s'étalait au-dessus de la photo : *LA CHUTE DE L'HOMME*.

Gabriel embraya et s'engagea dans le flot matinal des voitures.

Il savait exactement où elle comptait se rendre ensuite.

62

Arkadian poussa la grande porte vitrée du bâtiment central de la police et la tint ouverte pour laisser passer Liv. L'éclat du soleil matinal la fit cligner des yeux. Un petit groupe de policiers en uniforme et d'employés administratifs entourait un cendrier installé sur le trottoir, le point de ralliement des accros à la nicotine. Liv s'en approcha pour se joindre à la communion.

—Est-ce que je peux vous taper une cigarette ? demanda-t-elle à un type en chemise blanche et cravate bleue.

Les administratifs étaient en général plus compréhensifs que les gars en uniforme. L'homme eut un mouvement de recul en voyant la tenue maculée de Liv.

—Pas de problème, dit Arkadian, elle est avec moi.

L'homme sortit un paquet de Marlboro Light.

—Merci, fit Liv en prenant une cigarette qu'elle tapota sur le dos de sa main. C'est très aimable à vous.

L'employé lui tendit la flamme d'un briquet et Liv baissa la tête pour allumer sa cigarette. Elle aspira goulûment la fumée âcre, impatiente de sentir l'effet de

241

la nicotine. La cigarette était aussi mauvaise que celles qu'elle avait fumées précédemment, mais elle fit quand même un sourire de remerciement au type avant de suivre Arkadian dans la rue.

— Alors, lui demanda-t-il, quand avez-vous vu votre frère pour la dernière fois ?

Liv tira une autre bouffée en espérant que la béatitude habituelle la gagnerait bientôt.

— C'était il y a huit ans, répondit-elle en exhalant la fumée. Juste avant qu'il disparaisse.

— Avez-vous une idée de ce qui l'a amené à faire ça ?

Liv fit une grimace. Ces cigarettes étrangères avaient vraiment un goût de caoutchouc brûlé…

— C'est une longue histoire, dit-elle.

— Eh bien, marchons lentement, alors. La morgue n'est qu'à une centaine de mètres.

Liv tira encore prudemment une bouffée de sa cigarette avant de la jeter dans une bouche d'égout, aussi discrètement que possible, en espérant que le type sympa qui la lui avait donnée ne regardait pas de son côté…

— Je pense que tout a commencé quand mon père est mort. Je ne sais pas si vous connaissez les circonstances… ?

Arkadian repensa au dossier qu'il avait constitué sur le passé du moine et à l'article racontant le tragique accident de voiture dans le ravin glacé.

— Je connais les détails.

— Saviez-vous que mon frère s'est considéré comme totalement responsable ? Le « syndrome du survivant », comme disent les médecins. Il n'arrivait pas à s'enlever de la tête l'idée qu'il était la cause de tout, et qu'il ne méritait donc pas de vivre. Il a suivi de nombreuses séances de psychothérapie pour essayer d'en venir à bout, et en fin de compte il s'est tourné vers la religion. J'imagine que ça doit être assez fréquent. On commence par chercher des réponses dans ce monde, et si on n'arrive pas à les trouver, on va chercher ailleurs.

Elle se reporta huit ans en arrière : son voyage en Virginie-Occidentale, le chant des grillons dans la véranda de Mme Kintner pendant que celle-ci lui révélait ce qu'elle savait. Comme tout lui avait semblé clair... Et puis les nuages avaient de nouveau tout obscurci quand elle avait fait part à Samuel de sa découverte.

— Je n'aurais jamais dû le lui dire.

— Vous êtes trop dure envers vous-même, lui dit Arkadian. Quand Samuel s'en est voulu pour la mort de son père, avez-vous eu le même sentiment ?

— Non.

— Et lui avez-vous dit que ce n'était pas sa faute ?

— Oui, bien sûr.

— Eh bien, moi, je vous le dis maintenant : la mort de Samuel n'est pas votre faute. Quoi que vous lui ayez dit, quoi que vous pensiez avoir fait qui aurait pu le pousser à disparaître, il était déjà engagé sur son chemin personnel. Vous ne pouviez rien faire pour y changer quoi que ce soit.

— Comment pouvez-vous en être aussi sûr ?

— Parce que, s'il avait eu la moindre rancune envers vous, ou s'il vous avait tenue pour responsable, croyez-vous qu'il se serait donné tant de mal pour faire en sorte que nous vous retrouvions ?

Liv haussa les épaules.

— Peut-être pour me punir.

— Non, fit Arkadian, ce n'est pas comme ça que ça marche. Vous avez certainement fait des reportages sur des affaires d'enlèvement, ou des personnes disparues ?

— Oui, quelques-uns.

—Et qu'y a-t-il de pire dans ces affaires ? Pour les proches des victimes, j'entends.

Liv repensa aux personnes qu'elle avait interviewées. Les visages hantés, les hypothèses incessantes sur ce qui avait pu se passer, l'inquiétude et l'incertitude sans fin. Les démons avec lesquels elle s'était elle-même débattue après la disparition de Samuel.

—Le pire est de ne pas savoir.

—Exactement. Mais vous, vous *savez* ce qui est arrivé à Samuel parce qu'il a fait le nécessaire pour ça. Il ne vous a pas punie… au contraire : il vous a libérée.

Le mugissement d'une sirène les fit sursauter : un gros camion de pompiers surgit du flot de voitures et tourna dans la rue suivante. Arkadian le regarda disparaître et se mit aussitôt à courir. Après un instant de surprise, Liv le suivit et le rattrapa alors qu'il atteignait le coin de la rue.

63

Des petits groupes en blouse blanche ou en bras de chemise étaient rassemblés dans la rue, les mains dans les poches et les épaules voûtées contre le froid. Le camion de pompiers qui venait de les dépasser était maintenant garé à côté d'un autre, devant ce qui ressemblait à un énorme mausolée. Des officiers de sécurité revêtus de gilets en plastique orange vérifiaient des noms sur une liste.

Arkadian s'approcha de l'un d'eux tout en examinant les gens dans la foule et en composant un numéro sur son téléphone.

— Vous avez vu Reis ? demanda-t-il.

L'homme consulta sa liste.

— Non, pas encore.

Arkadian entendit la voix enregistrée de Reis lui demander de laisser un message. Il referma son téléphone et rejoignit deux pompiers qui venaient juste de sortir du bâtiment.

— Qu'est-ce qui se passe ? demanda-t-il en leur montrant son badge.

Il sentait la fumée qui se dégageait d'eux.

— Rien, en fait, dit le plus grand des deux en retirant son casque pour essuyer son front ruisselant de sueur. Une alarme s'est déclenchée dans le hall d'entrée. Il y avait une corbeille en feu dans les toilettes.

— Incendie criminel ?

— Ah ça, aucun doute.

Arkadian fronça les sourcils.

— Je peux entrer ?

Le pompier tourna la tête et parla dans le micro fixé au revers de son blouson.

— Charlie quatre, vous avez trouvé autre chose ?

Un craquement de parasites, suivi d'une voix métallique :

— Négatif. On est en train de dégager.

— Allez-y, faites comme chez vous, dit le pompier à Arkadian.

Celui-ci franchit le trottoir et monta les marches, suivi de près par Liv qui regardait droit devant elle en fronçant légèrement les sourcils, s'efforçant d'avoir l'air suffisamment professionnelle pour qu'on pense qu'elle était une collègue d'Arkadian. Le pompier la regarda passer, remarqua ses vêtements et ses cheveux maculés de boue. Il ouvrait la bouche pour dire quelque chose quand un appel sur sa radio détourna son attention, suffisamment longtemps pour que Liv puisse gravir les marches à son tour et s'engouffrer à l'intérieur.

Elle se retrouva dans un grand hall, avec plusieurs portes de dégagement et une zone de réception devant elle et deux cabines d'ascenseur sur sa gauche. Arkadian appuya sur un bouton et attendit un instant avant de faire brusquement demi-tour pour se diriger vers une grande porte à deux battants. Liv le suivit dans une cage d'escalier qui résonnait du bruit de ses pas. Elle s'adapta à son rythme jusqu'au sous-sol pour éviter qu'il l'entende et lui ordonne de retourner dehors.

Arrivé au bas de l'escalier, Arkadian s'engagea dans le couloir et fut aussitôt frappé par le silence qui y régnait. Une blouse blanche traînait par terre, sans doute jetée au passage par un employé pressé de s'enfuir. Plus loin, il vit la porte du bureau de Reis : elle était ouverte. Il refit son numéro sur son portable et s'approcha.

Il jeta un coup d'œil à l'intérieur, vit le téléphone de Reis qui vibrait sur son bureau, à côté d'un mug à moitié rempli de café au lait encore fumant. Arkadian referma son appareil et dans le silence soudain revenu il entendit du bruit dans le couloir. Il se retourna aussitôt en plongeant la main sous sa veste pour saisir son arme.

Liv vit le geste d'Arkadian, ainsi que son agacement lorsqu'il constata qu'elle l'avait suivi et que le bruit qui l'avait alerté était de son fait. Elle regarda le bureau vide, mourant d'envie de savoir ce qui se passait mais bien consciente que ce n'était pas le moment de poser des questions…

Arkadian se servit de sa manche pour tirer la porte à lui, et Liv sentit son cœur battre plus fort. Elle avait suivi suffisamment d'enquêtes pour comprendre la signification de ce geste : Arkadian considérait l'endroit comme une scène de crime.

La porte se referma avec un claquement métallique et Arkadian se tourna de nouveau vers Liv.

— Bon, murmura-t-il, restez avec moi, mais surtout ne touchez à rien.

Il se dirigea vers le fond du couloir, poussa deux portes battantes d'un coup d'épaule. Liv se faufila avant qu'elles aient pu se refermer et se retrouva dans une pièce étroite aux murs nus.

Il y faisait à peine quelques degrés au-dessus de zéro, et il flottait dans l'air une odeur douceâtre et vaguement écœurante de désinfectant mêlé à autre chose. Une trentaine de grands casiers recouvraient un des murs. Liv frissonna soudain en pensant à ce qu'ils contenaient.

Un chariot-brancard avait été abandonné au milieu de la pièce, recouvert à moitié d'un drap en plastique froissé. On aurait dit que l'occupant s'était levé quand l'alarme d'incendie avait retenti, pour quitter le bâtiment avec les autres. Arkadian le contourna et s'arrêta devant un casier au fond de la pièce. Le chiffre 8 y était inscrit, au-dessus d'une feuille de papier protégée par un plastique. D'où elle se tenait, Liv ne pouvait lire ce qui y était écrit, mais elle devina de quoi il s'agissait.

Arkadian saisit la poignée avec la manche de sa veste. Le tiroir commençait à glisser quand Liv entendit du bruit derrière elle. Elle se retourna aussitôt et vit un homme pâle et maigre qui se tenait sur le seuil de la porte, un croissant entamé à la main. De l'autre, il écarta une masse de cheveux noirs qui lui tombaient sur le front.

— Bon sang, où est-ce que vous étiez passé ? rugit Arkadian.

Reis le regarda par-dessus l'épaule de Liv.

— Je n'avais pas encore pris mon petit déjeuner, dit-il en montrant son croissant.

C'est alors qu'il vit le casier ouvert, son visage reflétant aussitôt une certaine perplexité.

Liv suivit son regard en se préparant à l'épreuve qui l'attendait, mais le tiroir était vide. Le cadavre de son frère n'était plus là.

64

Liv, Arkadian et Reis restèrent figés. Ce fut Arkadian qui réagit le premier :

— Sortons d'ici ! fit-il en les poussant hors de la pièce pour retrouver la chaleur relative du couloir.

Il retourna vers l'escalier en lançant à Reis par-dessus son épaule :

— Ne laissez personne entrer ! Allez vérifier dans votre bureau qu'on ne vous a rien pris… et ne touchez à rien !

Reis et Liv échangèrent un regard. Liv détourna les yeux avant que l'expression qu'elle avait lue dans les yeux du légiste ne se transforme en pitié. Elle vit Arkadian franchir les portes menant à l'escalier et s'élança derrière lui, pour savoir ce qui se passait mais aussi pour ne pas avoir à entendre les condoléances de Reis.

Arkadian gravit les marches quatre à quatre et surgit dans le hall de réception. Il était déjà rempli d'employés qui réintégraient le bâtiment après l'alerte. Il se fraya un chemin jusqu'au local de sécurité.

— Appelez le dispatching central, dit-il à la matrone imposante assise derrière le bureau. Dites-leur qu'il y a eu une intrusion dans la morgue. Demandez-leur d'envoyer une équipe de techniciens. Je transmettrai plus tard une description des suspects.

La femme prit un air indigné et tenta de le foudroyer du regard par-dessus ses lunettes en demi-lune.

— Tout de suite ! rugit-il en faisant sursauter tout le monde. Et interdiction absolue d'aller au sous-sol !

Le centre de surveillance de la morgue était juste assez grand pour contenir un bureau, une chaise et plusieurs disques durs empilés, qui servaient à enregistrer les informations transmises par dix-huit caméras internes. Deux moniteurs étaient posés sur le bureau, chacun affichant un quadrillage de neuf images différentes. Un homme d'un cinquantaine d'années en uniforme leva les yeux en entendant Arkadian entrer.

Arkadian lui montra son badge.

— Est-ce que vous pouvez m'afficher la vue de la chambre froide au sous-sol ?

La lumière pénétra dans la pièce assombrie quand la porte s'ouvrit de nouveau derrière lui. Il se retourna et vit que c'était Liv, qui s'intéressa aussitôt aux écrans pour éviter de croiser son regard. Il songea un instant à lui dire de s'en aller, décida finalement qu'il préférait la garder près de lui.

Il sortit son téléphone et fit défiler la liste d'appels jusqu'à ce qu'il trouve celui de Reis, quand l'alarme s'était déclenchée. Neuf heures quatorze. L'un des écrans affichait maintenant la vue depuis la caméra qu'il avait repérée dans la chambre froide.

— Est-ce que vous pourriez remonter à neuf heures quatorze, et relancer à partir de là ?

Le garde déroula un menu et y tapa l'heure souhaitée. L'image sauta et un homme apparut au milieu de la pièce précédemment inoccupée, poussant un chariot vide vers l'un des casiers.

— Qui est ce type ? demanda Arkadian.

Le garde se pencha vers l'écran pour mieux voir. L'homme s'arrêta et regarda autour de lui en entendant le son strident de l'alarme.

— Je ne connais pas son nom, dit le garde, mais il travaille ici. Je crois que c'est un des techniciens du labo…

L'enregistrement continua par sauts de trois secondes jusqu'à ce que l'homme finisse par disparaître, avec les mouvements saccadés d'une marionnette manipulée par un amateur.

— Regardez le drap en plastique, dit Liv en pointant le doigt vers l'écran. Il est soigneusement étalé sur le chariot. Quand on l'a vu tout à l'heure, il était en bouchon.

— Vous pouvez accélérer un peu ? demanda Arkadian.

Le garde appuya sur une touche. Alors que le compteur affichait neuf heures dix-sept, une autre silhouette apparut à l'écran.

— Ralentissez, dit Arkadian.

Le nouveau venu était grand, avec des cheveux brun foncé et des vêtements noirs. On ne pouvait pas voir son visage, car il gardait le dos tourné à la caméra. Il passa à côté du chariot, s'arrêta devant le casier qu'Arkadian avait ouvert. Il posa une main gantée sur la poignée et tira. Liv sentit son cœur cogner dans sa poitrine. Elle distingua le contour d'une housse mortuaire en plastique noir.

L'homme l'ouvrit en tirant sur la fermeture à glissière. Malgré la qualité médiocre de l'image, Liv reconnut aussitôt le visage barbu et sentit des larmes lui piquer les yeux. Un instant plus tard, l'intrus se déplaça et son corps cacha le visage de Samuel. Il semblait fouiller dans la poche de son blouson. Il en sortit un gant, puis il trouva ce qu'il cherchait et se pencha sur le tiroir ouvert. Soudain, il se retourna vers la porte comme si quelque chose l'avait troublé. Il gardait le visage baissé pour éviter la caméra, mais Liv l'avait reconnu.

— Gabriel… dit-elle dans un souffle. C'est l'homme qui est venu me chercher à l'aéroport, hier soir.

Arkadian saisit le téléphone posé sur le bureau, sans quitter des yeux l'écran, où l'on voyait l'homme refermer la housse et remettre le tiroir en place avant de grimper sur le chariot pour se glisser sous le drap en plastique.

— Ici l'inspecteur Arkadian. Quelqu'un s'est introduit dans la morgue. Communiquez à toutes les unités le signalement du suspect : blanc, mince, un mètre quatre-vingt-cinq, vêtements noirs…

Deux nouvelles silhouettes apparurent, deux hommes en tenue de brancardier et poussant un chariot. Le plus grand des deux leva les yeux vers la caméra, mais il était impossible de distinguer son visage. Ils portaient tous les deux un masque, un bonnet de chirurgien, une blouse blanche et des gants en latex. Arkadian les regarda s'approcher directement du casier de Samuel. Après avoir vérifié le contenu de la housse en plastique, il la hissèrent sur leur chariot et refermèrent le tiroir avant d'emporter la dépouille mortelle de Samuel Newton hors du champ de la caméra. Toute l'opération avait pris moins de quinze secondes.

Gabriel se releva comme dans une scène de film d'épouvante et les suivit, laissant derrière lui le drap en plastique tel qu'ils l'avaient trouvé en arrivant.

Arkadian posa la main sur le combiné.

— Il y a une caméra dans la zone de livraison ?

L'image de la chambre froide fut remplacée par celle d'un quai en béton avec une ambulance d'un côté et un accès barré de deux rideaux en plastique de l'autre.

On dirait l'entrée d'une usine à viande, pensa Liv.

Au bout de quelques secondes, les rideaux se soulevèrent et un chariot apparut. Les deux infirmiers le convoyèrent jusqu'à l'arrière de l'ambulance.

Arkadian retira la main du combiné.

— Nous avons une nouvelle priorité. Diffusez un bulletin d'alerte générale concernant une ambulance partie de la morgue et qui se dirige vers la rue Alléluia. Immatriculation inconnue. Les suspects sont deux hommes de type caucasien déguisés en infirmiers. Un mètre quatre-vingt-dix pour l'un, dans les un mètre quatre-vingts pour l'autre. Ils sont recherchés pour avoir pénétré dans la morgue et s'être emparés d'un corps. Une photo du suspect secondaire va vous être immédiatement transmise.

Il raccrocha sèchement.

— Est-ce que vous pouvez extraire des images des suspects et les envoyer par e-mail au dispatching central ?

Ce n'était pas une question mais un ordre, et Arkadian n'attendit pas la réponse du garde. Il fallait qu'il parle à Reis.

65

Gabriel se glissa dans le bureau à présent désert et se baissa pour passer sous lc comptoir central encore couvert du courrier et des colis du matin, abandonnés là dès que l'alarme avait retenti. Il récupéra son sac et son casque là où il les avait déposés, puis il saisit une grosse enveloppe en entendant un bruit de voix dans le couloir.

— Vous cherchez quelqu'un ?

Une femme d'une cinquantaine d'années venait d'apparaître sur le seuil et le regardait d'un air soupçonneux derrière ses verres épais.

— Oui… j'ai un paquet, là… c'est pour…

Gabriel regarda l'étiquette.

— …un certain docteur… Makin ? conclut-il en faisant à la femme un sourire éblouissant.

Au bout d'une seconde d'exposition à ce rayonnement, elle se posa une main sur la poitrine et son regard s'adoucit.

— Ah, vous voulez dire le Dr *Meachin*. Il faut que je signe quelque part ? demanda-t-elle.

— Non, pas besoin, répondit Gabriel. Le type qui m'a dit de venir ici l'a déjà fait.

Il retourna dans le couloir. Il y avait beaucoup de monde dans le bâtiment, et il entendit quelqu'un crier dans le hall de réception. Il se dépêcha de regagner la zone de livraison. L'arrière du bâtiment était désert. Tout au bout de l'allée d'accès, il aperçut une ambulance qui s'engageait dans la rue Alléluia.

Il sauta du quai de chargement et courut vers sa moto qu'il avait garée derrière une grande benne à ordures. Il fit rugir son moteur et s'élança dans l'allée, puis il freina brutalement. La rue Alléluia était à sens unique et toujours encombrée à cette heure de la journée. Gabriel regarda à gauche, mais ne vit pas l'ambulance. Il commença à zigzaguer au milieu des voitures, à une lenteur infernale. Au loin, il aperçut l'intersection avec le boulevard du Sud. La rue faisait une fourche, la branche droite menant à la banlieue et la gauche à la Citadelle. Il était presque sûr que ce serait la gauche, mais il resta sur la voie centrale, prêt à tourner dans l'une ou l'autre direction dès qu'il aurait repéré sa cible.

Il freina sèchement en bloquant sa roue arrière. Une camionnette l'évita de justesse et son conducteur l'abreuva d'injures, mais Gabriel ne l'entendit même pas. Il regardait autour de lui. Aucune trace d'ambulance… Quelque part entre l'allée et ce carrefour, elle s'était tout simplement évaporée.

66

Reis était en train d'examiner un document quand Arkadian entra dans son bureau.

— Il vous manque quelque chose ?

— Non, répondit Reis sans se lever de son fauteuil. J'ai pensé qu'ils avaient pu prendre ça… le rapport du labo dont je vous ai parlé, mais ils ne se sont sans doute pas rendu compte de ce que c'était. C'est… extraordinaire.

Il regarda par-dessus l'épaule de l'inspecteur et prit un air étonné. Liv se tenait sur le seuil, derrière Arkadian.

Celui-ci soupira.

—Reis, je vous présente Liv Adamsen. C'est une parente de... Elle est la sœur du moine.

—Oui, je... hem... Hello...

Reis eut un sourire gêné qui lui plissa le coin des lèvres, et il ajouta :

—Je suis désolé de... heu...

Il n'alla pas plus loin, incapable de trouver la formule appropriée pour ce qui venait de se passer.

—Vous êtes désolé d'avoir perdu le corps de mon frère ? lui proposa Liv.

—Oui, hem... ça aussi... dit-il. C'est la première fois que ça arrive.

—Merci, c'est très réconfortant.

Reis rougit et baissa les yeux.

—Heu, non, bien sûr...

Il se tut avant de s'enfoncer davantage.

—Mademoiselle Adamsen, dit Arkadian en la fixant d'un regard qu'il espérait empreint d'une autorité suffisante. Je sais que vous êtes en colère, et vous avez de bonnes raisons de l'être. Mais j'ai mis toute la police à la recherche de cette ambulance. Nous retrouverons votre frère. Je n'aurais pas dû vous laisser venir ici, et maintenant qu'un crime y a été commis, je ne peux pas vous autoriser à rester. Je vous demande de retourner à la réception et de m'y attendre jusqu'à ce que nous ayons sécurisé la zone.

Liv soutint son regard.

—Non.

—Ce n'était pas vraiment une demande...

Avec détermination, Liv entra dans le bureau et s'assit en face de Reis.

— Je vais vous expliquer pourquoi je reste, dit-elle. Au cours des dernières vingt-quatre heures, j'ai découvert que mon frère, que je croyais déjà mort, venait seulement de mourir pour de vrai. J'ai fait des milliers de kilomètres dans des avions inconfortables pour venir l'identifier. J'ai été kidnappée, on m'a tiré dessus, et juste au moment où je pensais pouvoir le retrouver... vous l'avez perdu.

Elle s'interrompit un instant pour qu'ils digèrent tout ça, puis elle reprit :

— Je sais comment me comporter sur une scène de crime. Je ne peux pas contaminer celle-ci plus que je ne l'ai déjà fait. Alors, vous feriez aussi bien de me garder avec vous, ne serait-ce que pour me faire plaisir. Et aussi parce que, ajouta-t-elle en brandissant le journal froissé, si vous essayez de vous débarrasser de moi, la première chose que je ferai, ce sera d'appeler mon patron. Vous pensez qu'il va me garder la première page ?

Arkadian soutint son regard encore un instant avant de cligner des yeux.

— Bon, d'accord, fit-il. Restez. Mais s'il y a la moindre fuite dans la presse, je considérerai que c'est de vous qu'elle vient et je vous ferai coffrer pour entrave au déroulement d'une enquête criminelle. C'est bien compris ?

— Parfaitement, répondit Liv dont les yeux verts s'adoucirent aussitôt.

Elle se tourna vers le médecin.

— Alors, dites-moi, heu... docteur Reis, c'est bien ça... ?

Il hocha simplement la tête. En temps normal, il avait peur des femmes de caractère, mais il les trouvait

256

aussi particulièrement attirantes. Celle-là battait tous les records.

—Vous commenciez à nous parler d'un rapport du laboratoire ?

Reis jeta un coup d'œil interrogateur vers Arkadian, qui se contenta de hausser les épaules.

—Bon, très bien. Donc, comme vous le savez sans doute, les analyses en laboratoire font partie de la procédure standard. Ici, nous effectuons toujours une série de tests sur des tissus et une recherche toxicologique pour établir certains faits et en éliminer d'autres. Par exemple, pour savoir si la victime a absorbé ou s'est vu administrer quelque chose qui pourrait avoir contribué à sa mort. L'une de ces mesures porte sur l'étendue de la nécrose du foie, ce qui permet souvent de préciser l'heure du décès. Dans le cas présent, nous n'en avions pas vraiment besoin, avec tous les témoins présents sur les lieux, mais la procédure est la procédure. Voici donc les résultats… annonça-t-il en montrant un papier rouge agrafé à la première page. Ils nous sont parvenus avec une question sur une contamination possible. Les techniciens pensent que l'échantillon a dû être mal étiqueté. Il n'y a aucun signe de nécrose. En fait, c'est même plutôt le contraire : les cellules semblent se… régénérer. Bien sûr, les cellules du foie se régénèrent, mais seulement si la personne est vivante…

Arkadian se demanda – un peu tard – s'il avait bien fait de laisser Liv entendre ça.

—J'ai tout vérifié soigneusement, reprit Reis. L'échantillon qu'ils ont reçu provient bien du moine. Par conséquent, sur la simple base de ces résultats, et indépendamment du fait que j'ai pratiqué l'autopsie moi-même…

Il hésita avant de conclure :

—Je dirais qu'il était en train de se rétablir.

257

67

Au tiers de la rue Alléluia, dans un grand bâtiment élégant qui avait été converti en un parking aux tarifs exorbitants, un volet de fer se releva et une camionnette blanche apparut, qui s'inséra aussitôt dans le flot de la circulation.

De l'autre côté de la rue, le visage caché par la visière de son casque, Gabriel l'observait. Il consulta un petit appareil qu'il tenait à la main, comme un coursier vérifiant les détails d'une livraison à effectuer. En haut de l'écran, un petit rond blanc clignotait sur un plan des rues. Son mouvement correspondait exactement au déplacement de la camionnette, ou plus précisément à celui du corps de Samuel, grâce à l'émetteur qu'il lui avait inséré dans la gorge.

Il remit l'appareil dans sa poche, démarra sa moto. Arrivée au bout de la rue, la camionnette tourna à gauche vers le centre de la vieille ville. Gabriel la suivit en gardant ses distances.

Juste avant le boulevard du Nord, la camionnette s'engagea dans une rue secondaire en passant devant un grand panneau souhaitant la bienvenue aux visiteurs dans le quartier Ombrien.

Depuis que Ruine existait, le quartier Ombrien, qu'on surnommait le quartier des Ombres, avait toujours été la partie la moins populaire et donc la moins peuplée de la ville. Nichées sous le flanc est de la Citadelle, ses rues restaient perpétuellement plongées dans l'ombre de la montagne, même au plus fort de l'été. À l'époque moderne, le faible prix des terrains en faisait l'endroit idéal pour y construire de vastes parkings destinés à accueillir les hordes de touristes. C'est dans cette vallée de béton gris que la camionnette roulait à présent.

Une fois qu'ils eurent quitté l'anonymat du boulevard de ceinture, Gabriel augmenta la distance entre eux et se glissa derrière un petit autocar. La camionnette vira brusquement à droite et s'engagea dans une allée étroite entre deux monstruosités de béton.

Gabriel continua tout droit avant d'effectuer un rapide demi-tour pour monter sur le trottoir. Il coupa le moteur et mit sa moto sur sa béquille, puis il en détacha le rétroviseur amovible et courut vers le coin de la rue tout en relevant la visière de son casque. Il s'accroupit contre le mur en tenant le rétroviseur au ras du sol, orienté vers l'allée. C'était une impasse terminée par une paroi rocheuse s'élevant jusqu'à la muraille de la vieille ville.

Il vit la camionnette s'arrêter et un barbu aux cheveux longs se pencher par la portière pour passer une carte dans un lecteur commandant l'entrée de ce qui semblait être un parking souterrain. L'homme jeta un coup d'œil dans sa direction et Gabriel se figea aussitôt. En l'absence de soleil qui puisse se refléter sur le rétroviseur, seul un mouvement risquerait de le trahir.

Il examina le conducteur. L'homme ressemblait plus à une star du rock ou à un acteur de cinéma qu'à un tueur à gages. Quelques secondes plus tard, la camionnette s'avança et disparut dans le flanc du bâtiment.

Gabriel sortit son détecteur de sa poche. Le point blanc clignotant se déplaça en haut de l'écran jusqu'à l'endroit où le fond du parking jouxtait le flanc de la montagne. Gabriel remit le rétroviseur dans sa poche et se releva. Sur sa gauche s'étendait un muret qu'il franchit d'un bond avant de courir vers le fond de la ruelle.

Il y faisait froid et humide, et il y flottait des relents d'urine et de vapeurs d'essence. Sachant qu'il était sans doute dans le champ d'une caméra de surveillance, Gabriel se dirigea vers une Audi garée un peu plus loin et fit semblant de vouloir l'ouvrir. Il se baissa comme s'il venait de laisser tomber ses clés et examina son écran.

La tache blanche n'était plus dans les limites de l'impasse : elle avait pénétré la roche au-delà. Il la regarda couper le réseau de rues et les bâtiments de la vieille ville, se dirigeant droit vers la Citadelle. Quand elle fut aux deux tiers du chemin, elle s'arrêta et clignota encore un instant avant de disparaître.

Gabriel s'approcha du mur du fond et posa son appareil contre le béton pour améliorer la réception du signal. Le point réapparut, encore plus près de la Citadelle.

Presque arrivé à la limite des anciennes douves, il disparut pour de bon.

68

Kutlar était assis à l'avant et regardait les profondeurs obscures du tunnel. Le grondement des pneus sur le sol irrégulier et le martèlement du moteur diesel se combinaient pour produire un son particulièrement lugubre. Les vibrations faisaient trembler le tableau de bord en plastique et tiraient sur les agrafes de sa blessure. Il était content de ressentir cette douleur – elle le maintenait concentré et lui prouvait qu'il était encore en vie.

Il avait le cerveau engourdi par tous les cachets qu'il avait pris. Il savait qu'il devait s'en méfier. Il allait devoir garder l'esprit vif s'il voulait réussir à se sortir de ce guêpier. Tout était devenu très clair quand Cornelius et Johann l'avaient aidé à sortir de la clinique et à grimper dans la camionnette.

« Il faut que vous nous racontiez ce qui s'est passé, avait dit Cornelius sur un ton amical. Vous devez nous dire comment la fille a réussi à s'échapper. Et plus important encore, lui avait-il chuchoté à l'oreille, vous devez nous dire à quoi elle ressemble. »

C'était pour cela qu'il respirait encore. Ils ne connaissaient que le nom de la fille, mais lui, il avait vu son visage. Tant qu'ils seraient à sa recherche, il leur serait plus utile vivant.

Le passage monta brusquement et ils se retrouvèrent dans une grande salle caverneuse. Johann donna un coup de volant et le faisceau des phares balaya une porte en acier, puis la camionnette s'arrêta. Johann coupa le moteur, Cornelius descendit. Kutlar resta assis et regarda les deux hommes dans le rétroviseur. Le châssis se souleva légèrement quand les portes arrière s'ouvrirent, et Kutlar entendit un froissement de plastique tandis que le premier des cadavres était déchargé.

Il avait été terriblement choqué quand ils avaient abattu les deux ambulanciers. En un sens, la mort du toubib lui avait semblé plus acceptable : personne ne serait surpris quand on retrouverait son corps affalé sur la chaise où ils l'avaient laissé. Il avait franchi la ligne jaune depuis bien longtemps, quand il était devenu accro à la morphine et qu'il avait commencé à soigner des blessures par balle. Mais les infirmiers… ce n'étaient que des civils, après tout.

Baignés de la lumière rouge des feux arrière, les deux moines réapparurent, portant le premier corps dans sa housse, qu'ils déposèrent près de la porte en acier. Quand ils eurent fait de même pour les deux autres, Johann sortit son badge et la porte s'ouvrit vers l'intérieur. Quelques secondes plus tard, elle se remit en place et les corps avaient disparu.

Cornelius et Johann remontèrent dans la camionnette.

— Je peux vous aider à la trouver, dit Kutlar.

Cornelius se tourna vers lui en plissant les lèvres.

— Comment ?

— Sortons d'ici et je vous montrerai, dit Kutlar en essayant un sourire qui n'était qu'une pauvre grimace. Il faut que je passe un coup de fil, ajouta-t-il en haussant ostensiblement les épaules, mais ici, je n'ai pas le réseau.

Cornelius resta silencieux un instant, observant la fine pellicule de sueur qui recouvrait le visage de Kutlar malgré la fraîcheur qui régnait autour d'eux.

— Bon, d'accord, dit-il enfin.

Johann tourna la clé de contact.

Le bruit du moteur remplit soudain l'espace confiné. Kutlar jeta un coup d'œil dans le rétroviseur et vit la lueur rouge s'estomper dans la caverne tandis qu'ils s'éloignaient.

Alors que les trois housses mortuaires gisaient dans les ténèbres silencieuses de la montagne, des torches étaient allumées dans le dédale de tunnels au-dessus par ceux qui allaient venir les chercher. Un peu plus de vingt-quatre heures après s'être échappé de la Citadelle, frère Samuel était de retour.

IV

Au commencement était le Monde,
Et le Monde était Dieu, et le Monde était bon.

Fragment de la Bible hérétique

69

Dans le genre scène de crime, la chambre froide de la morgue municipale était ce qu'on pouvait rêver de mieux. Un accès sévèrement limité avait empêché l'accumulation habituelle d'empreintes digitales partielles, de cheveux et autres traces d'indices qui obscurcissent en général la plupart des enquêtes. Toutes les surfaces étaient impeccablement propres. Et il y avait un enregistrement complet d'une caméra de surveillance montrant ce que les suspects avaient fait et ce qu'ils avaient touché.

— Là, fit Arkadian en désignant le bord du drap en plastique posé en bouchon sur le chariot. Le premier suspect l'a touché quand il s'est caché dessous.

Petersen sourit. Après le verre, c'était la surface la mieux adaptée aux relevés d'empreintes.

— Il a aussi touché à ce casier, poursuivit Arkadian en montrant le numéro 8. Prévenez-moi dès que vous aurez quelque chose.

Il laissa Petersen qui avait fini de sortir ses brosses et commençait à dévisser un flacon de fine poudre d'aluminium.

Un policier en uniforme était posté devant la porte pour veiller à ce que personne n'entre. Reis faisait les cent pas dans le couloir devant son bureau. Quand Arkadian s'approcha, il lui tendit un petit paquet.

Arkadian le prit sans s'arrêter.

— Où est-elle ? demanda-t-il.

— Dans la salle de réunion, au premier étage, répondit Reis.

La déclaration détaillait tout ce qui s'était passé entre le moment où elle était entrée dans le bâtiment et celui où elle avait identifié l'inconnu sur l'enregistrement vidéo. Liv s'apprêtait à la signer quand Arkadian fit son entrée. Elle se demandait encore à quel jeu jouait Gabriel, et pourquoi.

Elle aurait pu le décrire comme étant « l'homme qui a tenté de m'enlever ». Elle ne l'avait pas fait. Au pire, il s'était fait passer pour un policier et lui avait proposé de la conduire en ville. Ce n'était pas lui qui lui avait braqué une arme dans la figure. Il n'avait pas non plus volé le corps de son frère, même si elle ne voyait pas encore très bien ce qu'il était venu faire à la morgue. Finalement, elle avait opté pour « l'homme qui est venu me chercher à l'aéroport et qui a prétendu être mon escorte policière ». Stylistiquement c'était moyen, mais ça avait le mérite de la précision. Elle griffonna la date à côté de son nom.

Le policier en uniforme vérifia sa signature, puis il repoussa sa chaise de la table étroite. Arkadian referma la porte derrière lui.

Un géranium en pot à l'air déprimé était posé sur la table. Liv le tira à elle et entreprit d'en retirer les fleurs fanées.

— Alors, dit-elle, vous l'avez retrouvé ?

Par la fenêtre, Arkadian jeta un coup d'œil dans la rue en contrebas. Le moment aurait été idéal pour qu'un fourgon de police arrive toutes sirènes hurlantes avec les trois suspects menottés à l'arrière, mais la réalité était différente…

— Pas encore, répondit-il.

Une flaque d'essence irisée s'étalait sur la chaussée mouillée là où les camions de pompiers s'étaient garés.

— On continue d'y travailler.

Il se retourna, vit le journal froissé dont la première page était couverte d'anagrammes et de lettres barrées.

— Ça donne quelque chose ? demanda-t-il.

— À dire vrai, je n'ai pas vraiment eu le temps de me concentrer. J'ai été un peu distraite.

Arkadian ne dit rien, espérant que le silence l'amadouerait.

— Vous croyez vraiment que c'est pour ça qu'ils l'ont enlevé ? dit-elle en examinant une fois de plus le jeu de symboles et de lettres.

— Peut-être. Quand on aura mis la main dessus, on leur posera la question. Mais pour l'instant, j'aimerais vous demander quelque chose.

Il posa sur la table le paquet que Reis lui avait remis.

Liv le regarda d'un air soupçonneux.

— C'est un kit de prélèvement d'ADN, dit-elle.

Arkadian acquiesça.

— Étant donné ce que Reis a récupéré du labo, ça nous serait très utile de comparer votre ADN avec celui de votre frère. Cela permettrait aussi d'établir sans l'ombre d'un doute votre parenté biologique.

Il poussa le kit vers elle.

Liv retira la dernière fleur morte du géranium et la réduisit en poudre entre ses doigts. Elle s'essuya les mains avant d'ouvrir le bocal et de se frotter l'intérieur de la joue avec le bâtonnet de coton. Elle revissa le couvercle du bocal et le tendit à Arkadian. La Citadelle se dressait au-dessus des bâtiments de l'autre côté de la rue, sa silhouette sombre et impassible se découpant sur le ciel. Elle frissonna devant ce spectacle.

Arkadian suivit son regard, et perçut du mouvement dans la rue.

— Ah, nom de Dieu ! s'écria-t-il en se levant d'un bond.

Une camionnette de reportage venait de s'arrêter au pied de l'immeuble.

— Ce n'est pas moi qui les ai appelés, dit Liv. Je suis strictement papier. J'ai horreur de ces gars-là.

On frappa à la porte.

— Désolé de vous interrompre, patron, dit Petersen, mais j'ai récupéré toute une série d'empreintes sur le drap. Vous voulez que je les envoie pour un traitement standard, ou en procédure d'urgence ?

— Attendez deux secondes, je vous rejoins, dit Arkadian avant de se retourner vers Liv. Je sais que ce n'est pas vous qui les avez appelés, et c'est pourquoi je vous demande de ne pas prendre mal ce que je vais vous dire… Je crois qu'il faut que nous vous sortions d'ici.

L'expression de Liv s'assombrit.

— Je ne cherche pas du tout à me débarrasser de vous. Je crois simplement que vous serez plus en sécurité ailleurs. Si les journalistes savent ce qui s'est passé, ils vont camper en bas aussi longtemps qu'il le faudra. Je ne tiens pas à ce que les gens qui ont enlevé votre frère apprennent au journal de vingt heures que vous êtes ici. Je vais demander à quelqu'un de vous ramener au bureau central pour que vous puissiez prendre une douche et vous changer. Je vous rejoindrai plus tard, ça vous va ?

Liv regarda ses vêtements maculés de boue.

268

— Bon, d'accord, fit-elle. Mais si c'est un prétexte pour me mettre sur la touche, je vais revenir ici et organiser une conférence de presse…

— Comme vous voudrez, dit-il. Pour l'instant, ne vous montrez pas aux fenêtres. Je n'ai pas envie de voir votre photo aux infos.

Moi non plus, pensa Liv en examinant son chemisier crasseux.

Elle tira sur une mèche de cheveux raides de boue et jeta un coup d'œil vers la vitre pour essayer d'y voir son reflet. Mais son regard fut de nouveau attiré par le monolithe sombre qui se dressait dans un ciel parfaitement bleu.

70

Athanase avait été convoqué dans le bureau de son maître peu après les matines, et s'était vu demander de l'accompagner – «Une mission pour le salut de notre confrérie», lui avait dit l'Abbé, ajoutant : «Dont vous ne devrez parler à personne.»

Et c'est ainsi qu'ils se retrouvaient à descendre prudemment les marches jonchées de gravats d'un escalier étroit à la seule lueur de la torche que l'Abbé tenait à la main. De temps à autre, ils distinguaient le départ d'un passage étroit et mystérieux.

Cela faisait presque cinq minutes qu'ils descendaient quand Athanase aperçut une lueur devant eux. Elle provenait d'une ouverture dont l'arche semblait plus récente et plus élaborée que les autres. Il suivit l'Abbé et se retrouva dans une petite grotte où deux moines se tenaient silencieux, une torche à la main. Ils portaient tous deux la robe verte des Sancti.

Athanase détourna les yeux et remarqua une autre porte enfoncée dans la paroi. Celle-là était en acier, avec une petite fente à côté semblable aux verrous de haute technologie qui protégeaient les accès à la grande bibliothèque. L'Abbé salua les Sancti d'un simple signe de tête et sortit de sa manche une carte magnétique. On entendit un bruit métallique étouffé. L'Abbé poussa la porte et franchit le seuil avec les deux Sancti. Athanase resta seul un instant, puis il les suivit.

La pièce était un peu plus petite que celle qu'ils venaient de quitter, et il y faisait plus chaud. L'atmosphère était chargée d'une fine poussière qui prenait des teintes orangées dans la lueur des flambeaux. Il y avait au fond une porte en acier semblable à la précédente, et trois cocons de plastique étaient posés devant. Athanase comprit aussitôt ce qu'ils devaient contenir.

L'un des Sancti ouvrit le premier sac juste assez pour qu'une tête apparaisse. Un mince filet de sang coulait d'un trou dans la tempe. Athanase ne reconnut pas le cadavre, ni le suivant. Mais il connaissait le troisième. Il vit le visage de son ami mort, dut s'appuyer au mur pour ne pas tomber.

— La croix est revenue dans la Citadelle, dit l'Abbé d'une voix douce en regardant lui aussi le visage tuméfié de frère Samuel.

Les quatre hommes contemplèrent un instant le corps sans rien dire, et puis, sur un geste de l'Abbé, les Sancti refermèrent le sac et l'emportèrent. Athanase attendit qu'ils reviennent chercher les deux autres, mais il n'en fut rien.

— Il faut se débarrasser de ces deux malheureux, dit l'Abbé. Je suis désolé de vous imposer cette tâche – je sais qu'elle vous est déplaisante –, mais d'autres affaires d'une grande importance m'attendent. Par ailleurs, vos frères ne sont pas autorisés à pénétrer dans le niveau inférieur de la Citadelle, et vous êtes le seul en qui je puisse avoir confiance…

Il n'expliqua pas qui étaient ces hommes, ni pourquoi ils gisaient à présent sur le sol de cette grotte oubliée.

— Emportez-les dans la partie déserte des salles de l'est, et jetez-les dans l'une des anciennes oubliettes. Leurs corps seront oubliés, mais leurs âmes seront en paix.

Il s'arrêta un instant sur le seuil en se frottant les mains comme pour les laver avant d'ajouter :

— La porte se refermera automatiquement dans cinq minutes. Assurez-vous d'avoir quitté la pièce avant.

Athanase écouta le bruit de ses pas s'éloigner dans les ténèbres.

«La croix est revenue dans la Citadelle…»

Il repensa aux mots inscrits dans la Bible hérétique :

La croix tombera
La croix se relèvera

Il se demanda ce qu'ils comptaient faire de la dépouille profanée de son ami. On l'emporterait sans doute dans la chapelle du Sacrement. Pour quelle autre raison les Sancti seraient-ils venus le prendre ?

Mais penser qu'il puisse se relever…

C'était dément.

Il regarda les deux housses restantes, deux cadavres anonymes dans une crypte silencieuse, et se demanda pour quel genre d'existence ils s'étaient réveillés ce matin, et qui pouvait en ce moment s'interroger avec angoisse sur leur absence. Une épouse ? Une maîtresse ? Un enfant ?

Il s'accroupit et pria en silence pour chacun des deux corps en les retirant doucement de leurs suaires en plastique. Il les traîna ensuite dans l'antichambre, inquiet à l'idée que la porte puisse se refermer à tout instant et fasse de cette pièce poussiéreuse son propre tombeau.

71

Assise dans la salle de réunion de la morgue, Liv regardait la photo de son frère et des images de son passé lui remontaient à l'esprit. En racontant l'histoire de sa famille à Arkadian, c'était comme si elle avait braqué un projecteur dessus. Elle se souvenait en particulier de ce jour où elle avait fait venir Samuel dans sa chambre à l'université pour lui faire part de tout ce qu'elle avait découvert lors de sa visite à Paradise.

Elle le revit assis sur le lit étroit, son visage déjà assombri par le chagrin et la tristesse prenant un teint de cendre quand elle lui avait donné les détails de leur naissance. Pour elle, c'était l'explication à toutes les questions restées sans réponse sur son identité, des questions qui l'avaient tourmentée pendant toute son enfance et son adolescence. Elle avait espéré qu'en la lui faisant partager il trouverait lui aussi la paix. Mais sa tentative de le guérir de cette haine de soi-même qui le rongeait n'avait fait au contraire que l'attiser. Il se reprochait déjà d'être la cause de la mort de son père. Elle venait maintenant de lui donner une raison de s'en vouloir aussi pour la mort de sa mère…

Il était reparti silencieusement, comme un fantôme.

Il ne lui avait plus parlé pendant des mois. Il ne répondait jamais à ses appels. Elle avait même laissé des messages au bureau de son psychothérapeute, jusqu'à ce qu'elle découvre qu'il n'y allait plus.

La dernière fois qu'elle l'avait vu, c'était à New York. Un beau matin, il l'avait appelée comme si de rien n'était. Il semblait joyeux et plein d'entrain, comme autrefois. Il lui avait dit qu'il allait faire un voyage et qu'il aimerait la revoir avant son départ.

Ils s'étaient retrouvés à la gare de Grand Central et avaient passé la journée à jouer les touristes. Il lui avait dit avoir compris certaines choses qui donnaient une nouvelle orientation à sa vie, que lorsqu'une personne mourait afin qu'une autre puisse vivre, cela signifiait que cette vie avait été épargnée pour une bonne raison. L'existence avait un sens, un objectif supérieur. Le voyage qu'il allait entreprendre serait sa façon de découvrir ce sens.

Elle avait pensé que ce voyage consisterait en une série d'ascensions de montagnes toutes plus périlleuses les unes que les autres, mais il lui avait dit que ce n'était pas comme ça qu'on pouvait se rapprocher de Dieu. Il n'avait pas été plus explicite, et elle ne lui avait pas posé de questions. Elle était simplement heureuse qu'il ait apparemment retrouvé son enthousiasme. Lorsqu'elle lui avait dit au revoir, à l'aéroport, elle n'avait pas pensé un instant qu'elle ne le reverrait plus jamais vivant.

D'un battement de paupières, Liv chassa ses larmes et leva les yeux vers la Citadelle qui se dressait, tel un fragment de nuit contre le ciel de printemps. Elle ressentait maintenant la douleur que son frère avait dû éprouver à l'époque. Elle ne s'était jamais reproché la mort de son père ni de sa mère, mais elle se reprochait celle de Samuel. Arkadian pouvait penser ce qu'il voulait, c'était son désir égoïste qui l'avait amenée à découvrir la vérité sur les circonstances de leur naissance, et c'était la révélation irréfléchie qu'elle en avait faite à Samuel qui l'avait mené à sa chute du haut de cette montagne sanglante.

Le bruit de la porte qui s'ouvrait la ramena brutalement aux réalités du présent. Elle frotta ses yeux mouillés de larmes et se retourna. Un policier en civil venait d'entrer. Un homme corpulent, au visage rond et au teint blême, doté d'une calvitie naissante, les cheveux rouge brique. Il la regarda fixement en posant les mains sur les hanches. Sa veste entrouverte laissait apercevoir un étui de cuir sous son aisselle et des menottes à sa ceinture. Sa chemise était tendue par sa bedaine, son badge d'identité était accroché à son cou par une ficelle.

Elle en avait vu des milliers comme lui : le genre qui manque d'assurance et qui tient à vous faire savoir qu'il est de la police, même s'il ne porte pas d'uniforme. Quand elle travaillait sur un article, c'était toujours ceux-là qu'elle essayait de se mettre dans la poche, parce qu'ils aimaient bavarder.

— Tout va bien ? demanda-t-il en plissant le front d'un air inquiet.

— Oui, oui… C'est juste que… Ça va passer…

Il hocha la tête d'un air hésitant, essaya de sourire. Il y renonça et pointa un pouce par-dessus son épaule.

— Bon, dit-il, c'est parce que j'ai une voiture qui vous attend, quand vous vous sentirez prête. Je vais vous faire sortir discrètement et vous emmener au bureau central. On a une salle de gymnastique où vous pourrez prendre une douche bien chaude et vous changer.

Liv s'essuya les yeux avec la manche de son chemisier.

— D'accord, dit-elle en lui faisant un sourire qui était encore plus pitoyable que le sien. Comment vous appelez-vous ?

— Sulleiman, répondit-il en soulevant son badge. Mes amis m'appellent Sulley.

Elle aperçut l'éclat métallique de ce qui semblait être un revolver calibre 38 dépassant de son étui. Elle examina la photo. L'éclair du flash lui donnait un teint plus pâle et il avait l'air plus sérieux que dans la réalité, mais c'était bien lui : le sous-inspecteur Sulleiman Mantus, police de Ruine.

— Très bien, dit-elle, maintenant assurée qu'elle n'allait pas être de nouveau kidnappée. Allons-y, Sulley.

Elle prit le journal sur la table et le suivit.

Le hall d'accueil était une ruche bourdonnante quand ils le traversèrent. Deux policiers en uniforme montaient la garde devant l'entrée et contrôlaient systématiquement les identités. Derrière eux, Liv aperçut une équipe de télé, projecteurs allumés et caméras en train de tourner. La journaliste tournait le dos au bâtiment pendant qu'elle enregistrait son reportage – ou c'était peut-être filmé en direct. Liv suivit le sous-inspecteur dans un couloir silencieux menant à l'arrière de l'immeuble. Un autre policier en uniforme se tenait devant une sortie fermée par deux lourds rideaux en plastique. Il hocha la tête en les voyant s'approcher.

— Après vous… dit Sulley en s'effaçant.

Liv franchit le seuil pour se retrouver dans ce qu'elle crut d'abord être l'éclat du soleil.

C'est alors qu'une femme lui cria :

— Avez-vous un lien avec la disparition du moine ?

Liv fit aussitôt demi-tour pour se réfugier à l'intérieur, mais le sous-inspecteur la saisit par le bras et l'entraîna vers une voiture banalisée garée un peu plus loin. Elle baissa la tête pour que ses cheveux lui cachent le visage.

— Êtes-vous en état d'arrestation ? cria la journaliste.

Un nouvel éclair de flash explosa sur sa droite et d'autres voix se firent entendre :

— Quelle est votre relation avec l'homme disparu ?

— Y avait-il des complicités à l'intérieur ?

Sulleiman ouvrit la portière arrière et poussa fermement Liv sur la banquette avant de la claquer derrière elle.

Liv releva les yeux juste au moment où l'intérieur se trouva brillamment éclairé par une caméra pressée contre la vitre. Elle baissa aussitôt la tête.

— Désolé pour tout ça, dit le sous-inspecteur en démarrant. C'est incroyable à quelle vitesse la presse est au courant, dans ces affaires…

Il desserra le frein à main et commença à s'éloigner de la meute. La dernière chose que vit Liv quand elle jeta un coup d'œil par la lunette arrière fut l'objectif d'une caméra braqué sur elle.

72

Kathryn désigna un emplacement sur le sol de béton poussiéreux de l'entrepôt, et le chariot-élévateur pivota avec grâce pour y déposer l'un des conteneurs provenant du C-123.

Elle essayait d'organiser le stockage pour que la prochaine expédition prévue, des fournitures agricoles pour l'un de leurs projets en Ouganda, ne se retrouve pas ensevelie sous une pile d'autres caisses. Chaque conteneur était en aluminium et avait la taille de deux gros réfrigérateurs. Elle avait l'impression de faire un énorme puzzle en trois dimensions, mais c'était toujours mieux que de rester assise dans son bureau à regarder les infos avec Oscar et à attendre que Gabriel la rappelle.

Le chariot dégagea ses fourches de la palette et retourna à l'avion-cargo. Avec un peu de chance, la plus grande partie de l'engrais repartirait dans quelques jours.

Un coup frappé au carreau lui fit relever les yeux. Par l'interstice entre deux rangées de caisses, elle aperçut Oscar qui lui faisait signe de venir. Il avait une expression grave.

Kathryn tendit sa liste à Becky.

— Tu veux bien faire en sorte que ceux-là restent sur le devant ? lui dit-elle.

— Regarde, lui fit Oscar dès qu'elle fut entrée dans le bureau. Le corps de Samuel a été volé…

Il pointa la télécommande vers le poste de télévision fixé au mur et augmenta le volume.

« …et l'enquête, disait le présentateur sur le ton de voix généralement réservé aux massacres et aux guerres, a donc pris une tournure macabre ce matin. Selon des sources proches de la police, son corps aurait disparu de la morgue municipale…»

Une image instable apparut à l'écran : celle d'une femme décoiffée et passablement dépenaillée qu'on entraînait vers une voiture.

«Avez-vous un lien avec la disparition du moine ? lança la voix d'une journaliste. Êtes-vous en état d'arrestation ?»

La femme leva brièvement les yeux et regarda droit vers l'objectif avant de baisser la tête et de cacher son visage derrière un rideau de cheveux.

— Ça doit être la fille, dit Oscar.

Kathryn ne l'entendait pas. Elle était hypnotisée par la vue du policier en civil au côté de Liv. Elle le regarda la pousser fermement à l'arrière de la voiture. Elle vit la caméra s'approcher de son visage. Elle le vit tendre une main criblée de taches de rousseur pour l'écarter.

Puis il se mit au volant et la voiture s'éloigna, emmenant Liv…

73

Athanase se sentait hébété en se rendant à la petite chapelle pour y prier. Il transpirait encore de ses efforts pour traîner les corps inertes à travers un dédale de tunnels menant aux cavernes médiévales de la partie est de la Citadelle. Il était maintenant de retour dans la partie principale, mais cette terrible épreuve lui collait encore à la peau, tout comme la légère odeur chimique des housses mortuaires. Il avait eu beau se frotter énergiquement les mains dans les bassins d'eau de pluie de la laverie, il n'avait pas réussi à se débarrasser de cette odeur.

Les anciens cachots étaient de puissants rappels du passé violent de l'Église : des fers rouillés et des tenailles à l'aspect redoutable qui avaient la couleur du sang séché. Il connaissait l'histoire de la Citadelle, naturellement, les croisades et les persécutions au cours d'époques plus brutales, quand la croyance en Dieu et les enseignements de l'Église avaient été forgés dans la peur. Mais il avait cru ces temps révolus. À présent, le spectre de ces heures sombres plantait ses griffes dans le présent, tout comme la puanteur de morts anciennes était montée de l'oubliette où il avait jeté les corps l'un après l'autre. Quand il avait entendu le bruit sec des cadavres s'écrasant sur des monceaux d'ossements oubliés, il avait senti quelque chose se briser également en lui, comme si ses actes et ses croyances avaient été tellement écartelés qu'ils avaient fini par céder. Alors qu'il tremblait, seul dans la montagne glacée, les deux phrases qu'il avait pu apercevoir dans la Bible hérétique se mirent à briller dans son esprit comme deux vérités toutes fraîches au milieu des ténèbres.

Il s'arrêta un instant devant le seuil de la petite chapelle, craignant d'y entrer à cause de la honte qu'il apportait avec lui. Il se passa distraitement la main sur le crâne, sentit de nouveau l'odeur d'antiseptique sur sa manche.

Il fallait qu'il prie. Quel autre espoir lui restait-il ? Il respira profondément et franchit le seuil en se baissant.

La chapelle était éclairée par de petits cierges d'offrande dont les flammes vacillaient autour de la croix en forme de T sur le mur du fond. Il n'y avait pas de chaises, seulement des nattes et de minces coussins pour protéger les vieux genoux osseux du contact de la pierre. Il n'avait pas remarqué de bougie allumée devant l'entrée, mais il y avait déjà un occupant en prière. Il faillit pleurer de soulagement quand il le reconnut.

— Cher frère…

Le père Thomas se releva et passa un bras sur les épaules tremblantes de son ami.

— Qu'est-ce qui vous trouble ainsi ? demanda-t-il.

Athanase essaya de respirer profondément pour recouvrer son calme. Il fallut un moment avant que son cœur et sa respiration reprennent un rythme normal. Il jeta un coup d'œil vers l'entrée, puis sur le visage inquiet de son ami. Athanase était partagé entre le désir de se confier et le souci de ne rien dire pour ne pas mettre en danger la vie de Thomas. Il avait l'impression d'être au bord d'un précipice, sachant que s'il avançait, il ne pourrait jamais revenir en arrière…

Il regarda au fond des yeux de son ami, dans lesquels il lut la curiosité et l'inquiétude. Et il se mit à parler. Il lui raconta son entrevue avec l'Abbé dans la crypte interdite, la Bible hérétique et la prophétie qu'elle contenait, et la tâche effroyable qu'il venait juste d'accomplir. Il lui dit tout.

Quand il eut fini, les deux hommes restèrent silencieux un long moment. Athanase savait que ce qu'il venait de partager les mettait tous deux en danger. Le père Thomas releva les yeux et lança un regard furtif vers la porte. Il se pencha vers Athanase et d'une voix qui n'était plus qu'un murmure il lui demanda :

— Quelles étaient ces phrases que vous avez vues dans le livre interdit ?

Athanase se sentit gagné par un soulagement intense.

—La première était : «La lumière de Dieu, enfermée dans les ténèbres», chuchota-t-il. Et la seconde : «Non pas une montagne sanctifiée, mais une prison maudite.»

Il se recula. Le regard plein d'intelligence de Thomas balayait la pièce sombre au rythme de ses pensées enfiévrées.

—Ces derniers temps, dit-il enfin, très progressivement j'ai senti qu'il y avait quelque chose… d'anormal… dans cet endroit.

Il semblait choisir soigneusement ses mots.

—Toutes ces connaissances accumulées, le produit des cerveaux les plus brillants de l'humanité, cachées dans les ténèbres de la bibliothèque et ne pouvant éclairer personne. J'ai entrepris mon travail ici afin de protéger le savoir, mais pour le préserver, non pour l'emprisonner.

«Quand j'ai terminé mes améliorations de la bibliothèque, et quand j'ai vu à quel point elles étaient efficaces, j'ai adressé une demande au Prélat afin qu'il m'autorise à en publier les plans pour que toutes les autres grandes bibliothèques du monde puissent bénéficier des systèmes que nous utilisons maintenant. Il a refusé en disant que les livres, et le savoir qu'ils renferment, sont des armes dangereuses dans les mains de ceux dont l'esprit n'a pas été éclairé par la révélation de Dieu. Il a ajouté que s'ils tombaient en poussière dans les bibliothèques à l'extérieur de nos murailles, cela n'en serait que mieux.

Il s'interrompit un instant, et Athanase put lire sur son visage toute la souffrance et la déception qu'il avait gardées enfouies jusqu'ici. Thomas poursuivit :

—Il semblerait que j'aie construit un système qui ne profite qu'à ceux qui veulent emprisonner le plus divin des cadeaux… la connaissance.

— «La lumière de Dieu, enfermée dans les ténèbres», répéta Athanase à voix basse.

— «Non pas une montagne sanctifiée, mais une prison maudite», répondit le père Thomas.

Ils se plongèrent de nouveau dans le silence.

— C'est à la fois frustrant et non dénué d'ironie, dit enfin Athanase, que votre ingénieux système de sécurité nous empêche de découvrir ce que ce livre interdit peut contenir d'autre.

Il baissa les yeux vers la flamme vacillante d'un cierge.

Le père Thomas le regarda un moment, puis il inspira profondément avant de dire, les yeux maintenant brillants de conviction :

— Il existe peut-être un moyen. Nous devons attendre la fin des vêpres, quand la plupart de nos frères seront à table ou dans leurs dortoirs. Le moment de plus grand calme dans la bibliothèque…

74

Gabriel sentit son téléphone vibrer dans sa poche. Il regarda qui l'appelait.

— Maman…

— Où es-tu ? demanda Kathryn.

— Je suis en train de suivre les voleurs de cadavre. Ils ont ramené le corps du moine dans la Citadelle, et en ce moment il y en a deux dans une boutique louche, à la limite du quartier Perdu. Le troisième est resté dans leur camionnette.

— Qu'est-ce qu'ils font ?

— Aucune idée, mais j'ai jugé préférable de continuer de les surveiller. Je pense que la fille est suffisamment en sécurité tant qu'elle est avec Arkadian.

— Justement, dit Kathryn. Elle n'est pas en sécurité. Pas du tout.

Kutlar était assis dans l'arrière-boutique remplie d'un véritable capharnaüm, Cornelius à sa gauche. Un autre homme était assis en face de lui, derrière un bureau couvert d'ordinateurs et de téléphones portables désossés. Zilli était le type à voir quand on voulait se procurer le genre de technologie qu'on ne trouve pas couramment dans le commerce. Son fauteuil grinçait chaque fois qu'il sortait un paquet de billets d'une boîte en plastique rouge pour les mettre dans sa machine à compter. De longs cheveux noirs dépassaient d'une casquette de base-ball portant une publicité pour un fabricant de tracteurs qui avait depuis longtemps mis la clé sous la porte. Kutlar savait que la casquette cachait en fait une calvitie que personne n'était censé remarquer.

La chemise hawaïenne de Zilli était l'objet le plus coloré dans ce qui ressemblait à n'importe quelle boutique de réparations et de matériel d'occasion dans un quartier pauvre. Mais l'endroit servait aussi de façade pour le recel et le trafic d'armes, de stupéfiants et même d'êtres humains. C'était Zilli qui avait recommandé à Kutlar la clinique pour chiennes, au cas où il aurait une blessure à faire soigner.

Zilli regarda le dernier billet de banque passer dans le compteur avec le regard fasciné d'un toxicomane qui fait chauffer son produit dans une cuiller. Il tendit le bras sous son bureau sans quitter Cornelius des yeux. Un petit ventilateur ronronnait dans le silence, occupé à refroidir la carte-mère d'un ordinateur éventré.

Kutlar sentit une douleur lui traverser la jambe tandis que Zilli sortait un objet métallique qu'il pointa vers Cornelius. Celui-ci ne cilla pas.

— C'est un plaisir de faire affaire avec vous, dit Zilli avec un sourire grimaçant qui révéla des dents étonnamment parfaites. Les amis de Kutlar…

Il repoussa le tas de billets sur le côté et posa ce qui ressemblait à un agenda électronique au milieu du bureau. Il l'ouvrit et un écran s'alluma, affichant une carte du monde avec une colonne blanche à droite sous deux fenêtres de recherche.

— Technologie chinoise, dit Zilli comme s'il leur vendait une montre. Avec ça, on peut s'infiltrer dans le réseau de n'importe quel opérateur de la planète. Il suffit de taper un numéro, et ça vous donne tout ce que vous voulez savoir sur les appels entrants et sortants : l'heure, la durée, et même les détails de facturation et les adresses enregistrées.

Cornelius regarda un instant Zilli d'un air impassible, puis il sortit un bout de papier qui s'était trouvé dans l'enveloppe remise par l'Abbé. Il comportait deux noms et deux numéros de téléphone. Le premier était celui de Liv. Il le copia dans la fenêtre de recherche et tapa sur la touche « entrée ». Une icône en forme de sablier apparut à l'écran et le logiciel commença ses recherches. Au bout de quelques secondes, un nouveau numéro apparut dans la colonne au-dessous.

— Il a trouvé le réseau, expliqua Zilli. C'est le seul numéro de correspondant enregistré au cours des douze

284

dernières heures. C'est la période par défaut, que vous pouvez modifier dans le menu des préférences si vous voulez. Mais je vous le déconseille. On se retrouve avec les numéros de tous les livreurs de pizza de la planète et des conneries comme ça. Mais là… regardez un peu ça…

Il déplaça le curseur sur le nouveau numéro. Une boîte de dialogue apparut à côté, listant un service de messagerie. Elle indiquait aussi une adresse postale à Palo Alto, en Californie.

— C'est le fournisseur de services. Si le numéro avait appartenu à une personne, vous sauriez maintenant où elle habite.

Cornelius continua d'observer l'appareil qui se frayait un chemin au milieu des réseaux de téléphonie mobile pour tenter de trouver le portable de Liv. Kutlar jeta un coup d'œil vers Zilli pour essayer d'attirer son attention. Mais Zilli restait concentré sur l'écran. Une nouvelle boîte de dialogue apparut enfin : NUMÉRO NON DÉTECTÉ.

Cornelius se tourna vers Zilli.

— Bon, fit celui-ci en se rasseyant sur son fauteuil grinçant. Le hic, c'est que ça ne marche que si l'appareil que vous cherchez est allumé. Les portables émettent un signal toutes les trois ou quatre minutes pour repérer le relais le plus proche. Pas d'alimentation, pas de signal, pas de trace. Essayez avec le numéro d'un portable que vous savez actif et vous verrez ce que je veux dire.

Kutlar ressentit un autre élancement dans sa jambe tandis que le ventilateur se mettait à tourner plus vite.

Cornelius entra son propre numéro dans la deuxième fenêtre de recherche. Zilli se mit les mains derrière la nuque, rabattant la visière de sa casquette sur ses yeux. Son expression était indéchiffrable.

Cela prit une dizaine de secondes. La carte qui remplissait la fenêtre principale devint plus détaillée, zoomant comme une caméra plongeant de l'espace pour se diriger vers le centre de Ruine. Le zoom ralentit quand un contour de bâtiments commença d'apparaître et s'arrêta brusquement au-dessus d'un réseau de rues. Une flèche pointait sur la rue de la Trinité.

— Vous voyez ? dit Zilli sans même vérifier l'écran tant il était sûr de lui. L'appareil possède aussi des fonctionnalités de navigation par satellite. Il peut trianguler un signal actif avec une précision de deux mètres. Il peut aussi suivre deux numéros à la fois et afficher la distance qui les sépare. Ça veut dire que vous pouvez repérer le portable de quelqu'un par rapport au vôtre, et le logiciel vous indique le meilleur itinéraire entre les deux. Tout ce qu'il faut, encore une fois, c'est que le portable cible soit allumé.

Cornelius referma l'agenda.

— Merci de votre aide, dit-il.

— Il n'y a pas de quoi.

Cornelius jeta un coup d'œil vers Kutlar, qui se leva et sortit en boitillant, soulagé d'en avoir fini. Cornelius le suivit.

— Vous ne prenez pas votre jolie boîte rouge ? lança Zilli.

— Gardez-la, fit Cornelius sans même se retourner.

Liv entra dans la douche et régla la température au maximum de ce qu'elle pouvait supporter. Le jet puissant était douloureux mais aussi bienfaisant, et lui donnait l'impression de revivre. Elle regarda l'eau ruisseler sur son corps, d'abord grise puis de plus en plus claire à mesure qu'elle emportait avec elle toute la saleté de la nuit.

Elle se passa la main sur le flanc et trouva sa cicatrice cruciforme dont elle suivit le contour du bout des doigts, s'attardant sur cette partie d'elle qui l'avait autrefois reliée à son frère. Sa main remonta et passa sur son bras, où sa peau était quadrillée de cicatrices plus fines, des dizaines d'entailles qu'elle s'était infligées pendant une enfance perturbée par l'absence d'une mère et le sentiment qu'elle était une étrangère dans sa propre famille.

La douleur qu'elle ressentait maintenant sous le jet brûlant lui fit revenir en mémoire la morsure du rasoir qui avait permis à son cerveau d'adolescente de se concentrer sur autre chose que le chaos tétanisant de ses émotions. Si seulement son père lui avait dit à l'époque ce qu'elle avait découvert par elle-même dans cette véranda ombragée de Paradise… Elle comprenait maintenant que lorsqu'il la regardait avec cette infinie tristesse dans les yeux, ce n'était pas parce qu'elle l'avait déçu. C'était parce qu'il voyait la femme dont elle portait le nom. Il voyait l'amour qu'il avait perdu.

L'eau brûlante continuait de la marteler et ses pensées dérivèrent vers ses propres deuils : sa mère, puis son père, et maintenant son frère. Elle tourna le robinet à fond jusqu'à ce que des aiguilles brûlantes viennent percer sa chair et emportent les larmes qui coulaient de ses yeux. Ressentir la douleur valait mieux que de ne rien ressentir du tout.

Le sous-inspecteur Sulleiman Mantus faisait nerveusement les cent pas dans le couloir. Il se sentait trop débordant d'énergie pour s'asseoir. Mais c'était une bonne chose. C'était la sensation qu'éprouve l'athlète lorsque la victoire est proche, celle du chasseur qui va atteindre sa proie...

L'information qu'il avait transmise à la presse concernant le vol à la morgue n'était que la partie émergée de l'iceberg. Il savait bien comment ces choses-là se passaient. La police allait essayer de minimiser l'affaire, parce que, quelle que soit la façon dont on regarderait les choses, sa réputation allait en prendre un sacré coup. Mais plus elle essaierait de cacher des informations, plus la presse chercherait à en obtenir, et personne ne payait mieux que les journalistes. Cette histoire faisait la première page des journaux internationaux, et il commençait à toucher de belles sommes de la part des grandes chaînes d'actualités, tout comme de ses deux clients d'origine, dont l'intérêt pour l'affaire ne semblait pas diminuer, bien au contraire.

Il jeta un coup d'œil dans le couloir. Deux policiers en uniforme montaient la garde devant les portes. Il entendait le murmure de leur conversation, mais il ne pouvait pas distinguer leurs paroles. Ils avaient l'air de râler à propos de quelque chose. Il prit son téléphone, en fit dérouler le menu, puis il composa un numéro.

— J'ai un truc qui pourrait vous intéresser, dit-il.

Debout à côté de la camionnette, Cornelius regarda Kutlar s'approcher en claudiquant. Si son état empirait encore, il faudrait peut-être qu'ils reconsidèrent son utilité. Assis au volant, Johann discutait au téléphone avec l'informateur. Il nota une adresse et raccrocha.

— C'est là qu'est la fille, dit-il simplement.

Cornelius prit le bout de papier et jeta un coup d'œil dans la rue. Kutlar était le seul à l'avoir vue, mais lui-même en avait une image en tête, et ce depuis que l'Abbé leur avait décrit leur mission. Il caressa distraitement les cicatrices sur sa joue en repensant à une rue dans la banlieue de Kaboul, et à cette silhouette plaintive tenant dans les bras un paquet de guenilles qui aurait dû être un enfant.

C'était bien de pouvoir imaginer son ennemi.

Cela permettait de se concentrer.

Et ainsi, pour lui, cette fille était la femme qui avait massacré toute sa section, celle qui avait détruit la seule famille qu'il ait jamais connue – jusqu'à ce que l'Église l'accueille en son sein. Il l'imaginait menaçant cette nouvelle famille, et cela lui donnait force et détermination. Cette fois, il saurait l'en empêcher.

Johann se glissa hors de la cabine et se rendit à l'arrière de la camionnette que Kutlar venait enfin de rejoindre en boitillant.

— Montez, lui dit Cornelius.

Kutlar s'exécuta, tel un chien qui obéit aveuglément au maître qui l'a battu.

Johann réapparut vêtu de son blouson rouge et passa à côté d'eux sans un mot, se dirigeant vers l'endroit d'où venait Kutlar.

Cornelius grimpa derrière le volant et tendit le papier avec l'adresse à Kutlar.

— Montrez-moi le chemin, dit-il.

Kutlar sentit les vibrations se propager dans sa cuisse meurtrie tandis que la camionnette roulait sur la chaussée bosselée. Il pensa un instant prendre un des cachets dans sa poche, mais il résista à la tentation. Les comprimés calmaient la douleur, bien sûr, mais ils lui faisaient aussi voir la vie en rose… et ça, il ne pouvait pas se le permettre.

Pas s'il voulait vivre.

Johann ne tourna pas la tête quand la camionnette passa à côté de lui. Il poursuivit son chemin jusqu'au coin de la rue, vers la boutique de Zilli. Arrivé à proximité, il prit son téléphone portable d'une main en gardant l'autre serrée sur la crosse de son Glock dans la poche de son blouson.

Zilli était debout sur une chaise derrière le comptoir et rangeait une boîte en plastique rouge sur une étagère, entre un boîtier de disque dur et une vieille console Sega Megadrive.

— Vous pouvez déverrouiller ces machins ? demanda Johann en lui montrant son téléphone.

Zilli se retourna et y jeta un coup d'œil.

— Oui, bien sûr, dit-il en descendant de la chaise. Qu'est-ce que c'est ? Un BlackBerry ?

Johann confirma d'un hochement de tête.

— C'est un chouette appareil.

Zilli se mit à pianoter sur le clavier d'un PC qui, malgré son aspect antique, était capable de venir à bout de n'importe quel téléphone.

Il appuya sur la touche du menu et fut surpris de constater que l'appareil était déjà déverrouillé...

77

Les arômes qui se dégageaient de la machine à café dans un coin de la pièce ne parvenaient pas à masquer l'odeur de la morgue. Assis au bureau de Reis, Arkadian regardait un gros fichier PDF se télécharger. Dehors, les cliquetis et les bourdonnements venant du laboratoire attestaient d'un retour progressif à la normale.

Le fichier était transmis par le service des archives de la Sécurité intérieure américaine, à qui avait été transmise l'empreinte digitale relevée sur le drap en plastique. Ils avaient trouvé la correspondance en moins d'une minute. Arkadian avait du mal à y croire. Bien sûr, dans les séries télévisées, les flics n'avaient qu'à entrer une empreinte dans l'ordinateur et en quelques secondes ils obtenaient un nom, une adresse et une photo récente du suspect, lequel avait le plus souvent une vraie tête de gangster. Ça faisait rigoler tout le monde, dans les commissariats. En réalité, on se servait rarement d'empreintes digitales pour identifier des suspects. Elles faisaient simplement partie d'un ensemble d'indices permettant de rattacher un crime à un suspect *après* son arrestation sur la base d'autres éléments qui prenaient beaucoup plus de temps. En fait, la plupart des empreintes n'étaient même pas archivées à des fins de comparaison.

291

Le téléchargement terminé, Arkadian cliqua sur l'icône du fichier. En voyant s'afficher la première page du document, il comprit pourquoi le résultat avait été obtenu aussi rapidement. C'était un dossier militaire. C'était la procédure standard, de relever les empreintes des personnels des forces armées. Cela permettait de les identifier plus facilement en cas de mort au combat. Jusqu'à récemment encore, la plupart des pays avaient conservé jalousement les dossiers de leurs troupes – mais c'était avant le 11-Septembre. Maintenant, ils étaient disponibles pour tout pays allié qui en faisait la demande.

Arkadian sauta la page de couverture et commença à lire.

Le dossier détaillait les états de service du sergent Gabriel de la Cruz Mann (à la retraite), qui avait appartenu au 5e Groupe de forces spéciales de l'armée américaine. Une photo montrait un homme en uniforme au crâne presque rasé avec des yeux bleu clair pénétrants. Arkadian la compara à une photo imprimée tirée de la vidéo prise dans la chambre froide. Les cheveux avaient poussé, mais c'était bien lui.

Arkadian parcourut entièrement le document – passé familial et scolaire, évaluations psychiatriques, vérifications de sécurité, absolument tout. Trente-deux ans, né de père américain et de mère moitié brésilienne moitié turque. Le père était archéologue et la mère dirigeait une organisation caritative internationale, Ortus, après y avoir longtemps travaillé. Ses premières années avaient donc été passées à parcourir le monde.

Son éducation était un patchwork de périodes d'études dans toute une série d'établissements internationaux, puis il était entré à Harvard pour y étudier l'économie et les langues modernes. Il en parlait cinq, dont l'anglais, le turc et le portugais, et il se débrouillait pas mal en pachto et en dari, appris lors de ses campagnes en Afghanistan.

Quelque chose attira l'attention d'Arkadian et il se mit à lire plus en détail. Au début de sa dernière année à Harvard, il s'était produit un événement qui avait manifestement eu un impact majeur sur le jeune Gabriel. Alors qu'il cataloguait une nouvelle découverte importante de textes anciens retrouvés enfouis dans les sables du désert d'Irak, près d'un endroit appelé Al-Hillah, le Dr John Mann avait été tué, ainsi que plusieurs de ses collègues. L'affaire avait suscité un grand émoi dans le monde entier. Saddam Hussein, qui était encore le dictateur à l'époque, avait rejeté la faute sur des rebelles kurdes. La communauté internationale le soupçonnait d'avoir fomenté ce massacre afin de s'approprier ces trésors archéologiques. On n'avait jamais revu aucun de ces textes.

Il était difficile de dire d'après le dossier qui Gabriel tenait pour responsable de la mort de son père, mais le fait qu'il ait aussitôt abandonné ses études pour s'engager dans l'armée américaine, alors que les menaces de guerre en Irak commençaient à se préciser, laissait penser qu'il avait quelques soupçons. Il s'était engagé comme simple soldat – alors que son niveau universitaire lui aurait garanti un grade d'officier – et avait obtenu de telles notes au cours de son entraînement de base qu'on l'avait immédiatement accepté dans les unités spéciales parachutées.

Il avait passé neuf mois à Fort Campbell, à la frontière entre le Kentucky et le Tennessee, où il avait appris à piloter des avions, à sauter en parachute et à tuer les gens par toutes sortes de méthodes et avec un large assortiment d'armes. Le dossier était plus obscur à mesure que le détail de ses activités devenait confidentiel, mais il avait servi en Afghanistan comme sergent en charge d'une section, pendant l'opération Enduring Freedom, où il avait été décoré deux fois : une fois pour son courage sous le feu de l'ennemi, la seconde pour sa participation à une opération de commando pour libérer des otages. Avec ses hommes, il avait sauvé la vie d'un groupe de bénévoles enlevés par les talibans et détenus dans un de leurs repaires. Cela faisait quatre ans qu'il avait quitté l'armée, sans que le dossier en précise la raison.

Une page ajoutée à la fin du document détaillait ses déplacements connus depuis sa démobilisation. Il était conseiller en sécurité pour Ortus, et avait effectué de nombreux voyages en Amérique du Sud, en Europe et en Afrique.

Arkadian chercha Ortus dans Google. La page d'accueil du site montrait une image étrangement familière : un monument de pierre représentant un homme barbu aux bras écartés – la statue du Christ Rédempteur qui se dresse au-dessus de Rio de Janeiro. Ortus affirmait être l'organisation caritative la plus ancienne au monde, fondée au XIᵉ siècle suite à la dissolution d'un très ancien ordre monastique – la Confrérie de Mala – dont les origines remontaient à la préhistoire. Ces moines avaient été contraints de renoncer à leurs vœux spirituels après que l'Église les eut dénoncés comme hérétiques. Un grand nombre d'entre eux avaient péri sur le bûcher à cause de leurs croyances. Ils affirmaient que le monde est une déesse et le soleil un dieu, et que la vie provient de leur union. D'autres avaient réussi à s'échapper, puis s'étaient regroupés avant de réapparaître sous la forme d'une organisation laïque se consacrant à la poursuite de leur œuvre.

Arkadian parcourut la liste des projets en cours, ceux dans lesquels Gabriel de la Cruz Mann devait être impliqué. Il y en avait un très important au Brésil, destiné à protéger de vaste zones de la forêt amazonienne contre les abattages clandestins et les chercheurs d'or, un autre au Soudan, qui consistait à replanter des cultures dévastées par la guerre civile, et encore un en Irak, où il s'agissait de restaurer des marais naturels asséchés par des extensions industrielles sauvages et des années de guerre.

Arkadian pouvait imaginer ce qu'impliquait le travail d'un conseiller en sécurité dans des endroits pareils… Assurer la protection de bénévoles sans armes contre les bandits et la guérilla locale tandis qu'ils essayaient d'apporter de la nourriture et de l'eau dans les régions les plus pauvres du globe. Essayer d'instaurer l'ordre et la justice là où il n'y en avait pas. Ce type était manifestement un saint – ce qui rendait sa présence à la morgue ce matin encore plus étonnante.

Arkadian retourna à la page d'accueil et sélectionna le lien «Nous contacter». La première adresse sur la liste se trouvait à Rio de Janeiro, ce qui expliquait la statue. Il y en avait d'autres à New York, Rome, Jakarta, et une à Ruine – rue de l'Exégèse, dans le quartier des Jardins, juste à l'est de l'immeuble de la police.

Il la nota au dos de la photo de Gabriel récupérée dans la vidéo, plia la feuille en deux et la mit dans la poche de sa veste.

78

Seule dans le petit vestiaire carrelé de blanc, Liv essuya sa peau rougie avec une serviette mince et rêche. Elle entendait quelqu'un faire des longueurs dans la piscine de l'autre côté des douches.

La petite pile de vêtements de gym bleu et blanc que le sous-inspecteur lui avait donnés avait un petit air luxueux à côté de son vieux jean et de son chemisier taché. Elle enfila le pantalon de survêtement et le tee-shirt. Le mot POLICE y était imprimé en grosses lettres noires sur la poitrine et dans le dos. Elle transféra le contenu de ses poches – quelques billets et un peu de monnaie en dollars –, essuya la boue sur son portable. Elle l'alluma et l'écran s'éclaira. L'appareil trembla légèrement dans sa main : un nouveau texto. Elle ne reconnaissait pas l'émetteur.

Elle l'ouvrit, ressentit de nouveau un frisson glacé.

NE FAITES PAS CONFIANCE À LA POLICE

Les majuscules renforçaient l'urgence du message.

APPELEZ-MOI ET JE VOUS EXPLIQUERAI

Elle repensa à la mise en garde qu'elle avait reçue la veille, avant l'accident et les coups de feu.

Liv resta immobile. Elle entendait couler l'eau dans les douches, le bruit des éclaboussures du nageur dans la piscine et le bourdonnement de la climatisation, mais rien d'autre de particulier. Pas de bruit de pas en approche. Pas de conversations étouffées dans le couloir. Mais elle eut soudain l'impression qu'il y avait quelqu'un d'autre dans la pièce, derrière la cloison qui séparait le vestiaire de la porte de sortie, écoutant ses mouvements.

Elle glissa le téléphone dans sa poche et enfila des chaussettes blanches.

«Je crois qu'il vaut mieux que vous restiez sous notre protection…»

C'est ce qu'Arkadian avait dit avant de la confier à son chaperon.

La protection de la police. Ça n'avait pas servi à grand-chose, s'agissant de la dépouille de son frère…

Elle noua les lacets de ses tennis boueuses par-dessus ses chaussettes impeccablement blanches. Le sweat-shirt bleu foncé était un peu trop large pour ses épaules étroites. Lui aussi avait un POLICE imprimé dans le dos. Elle jeta encore un coup d'œil vers la porte, puis elle ramassa son journal taché d'encre et partit dans l'autre direction, le long des cabines de douche, pour rejoindre la piscine.

L'atmosphère y était chaude et humide, et Liv sentit le chlore la prendre à la gorge quand elle longea le bassin jusqu'à l'issue de secours. Le soleil matinal avait réussi à se faufiler entre deux bâtiments et faisait scintiller la surface de l'eau.

Liv appuya sur la barre de la porte et une sirène se mit à mugir. Elle referma la porte derrière elle, et l'alarme s'interrompit aussitôt. Le nageur ne leva même pas les yeux, continuant simplement de faire ses brasses régulières en projetant des reflets miroitants sur les murs blancs.

Sulley était au téléphone avec un producteur de la télé. L'alarme ne dura que quelques secondes, mais il réagit aussitôt.

—Écoutez, chuchota-t-il, je vais devoir vous rappeler…

Il s'approcha de l'entrée du vestiaire en faisant crisser ses semelles sur le sol brillant. Ah, les femmes… Ça faisait une éternité qu'elle était là-dedans. Il guetta le bruit de la douche, n'entendit rien. Il frappa doucement à la porte.

—Mademoiselle Adamsen ?

Il entrebâilla la porte pour passer la tête à l'intérieur.

Pas de réponse. Il y avait une cloison de séparation qui l'empêchait de voir quoi que ce soit.

—Mademoiselle Adamsen ? répéta-t-il, un peu plus fort cette fois. Tout va bien, là-dedans ?

Toujours rien.

Il jeta un coup d'œil de l'autre côté de la cloison. À part une pile de vêtements sales et une serviette mouillée, l'endroit était désert. Sulley sentit la sueur couler sur sa nuque.

—Mademoiselle Adamsen ?

Il regarda sur sa gauche. Les quatre toilettes avaient leur porte grande ouverte.

Il se précipita vers les cabines de douche. Vides.

En continuant d'avancer, il se retrouva dans l'atmosphère chimique de la piscine. Il regarda le nageur en espérant que c'était une femme. Il vit les cheveux noirs coupés court et le maillot de bain réglementaire de la police. Ce n'était pas elle. Il se sentit la gorge sèche en apercevant l'issue de secours et il s'en approcha au petit trot. Lorsqu'il l'ouvrit et qu'il entendit la sonnerie d'alarme, il comprit ce qui s'était passé.

Dehors, la rue était très animée : des hommes en costume, des touristes en tenue décontractée. Il chercha des yeux dans la foule un sweat-shirt bleu de la police. Ne vit rien. La porte se referma derrière lui et la sonnerie stridente s'arrêta. Son téléphone se mit à vibrer dans sa main et il regarda l'écran, inquiet à l'idée que ce soit Arkadian, désireux de savoir où il en était. Le numéro était caché.

— Allô ?

Une camionnette blanche s'arrêta à sa hauteur.

— Hello, répondit le conducteur.

79

Liv avançait au milieu de la foule. Elle n'avait aucune idée de l'endroit où elle allait, mais elle savait qu'elle devait rester hors de vue et mettre le plus de distance possible entre le bâtiment de la police et elle, le temps de réfléchir à sa situation. Elle releva sa capuche sur ses cheveux mouillés et marcha au même rythme qu'un groupe de femmes en restant suffisamment près d'elles pour qu'on puisse croire qu'elles étaient ensemble. À cette heure de la journée, la plupart des gens dans les rues étaient des touristes, ce qui était une chance. Dans une marée de costumes et de tailleurs, sa tenue ne serait pas passée inaperçue, et elle n'avait pas vu beaucoup de blondes parmi la population locale.

Des vendeurs des rues proposaient avec enthousiasme leur marchandise aux passants – des petits objets typiques en cuivre et des tapis –, et un kiosque à journaux se dressait devant elle au milieu du trottoir, séparant la foule tel un îlot au milieu d'une rivière. Au passage, Liv jeta un coup d'œil aux journaux : tous affichaient en première page la photo de son frère. Elle sentit une forte émotion remonter en elle, mais ce n'était plus du chagrin – plutôt de la colère. Il y avait trop de points d'interrogation autour de sa mort pour continuer de perdre du temps à essayer de résoudre des casse-tête avec des lettres. Elle se sentait en partie responsable de son destin tragique, mais c'était autre chose qui l'avait amené à se suicider, et elle avait le devoir de découvrir ce que c'était, pour honorer sa mémoire.

Elle leva les yeux et vit la Citadelle s'élevant au-dessus de la horde des touristes. Tous s'en approchaient lentement, attirés par son magnétisme telles des feuilles aspirées par un tourbillon. Elle se sentait attirée, elle aussi, pour des raisons tout à fait différentes, mais cela devrait attendre encore un peu. Elle avait lu dans le guide qu'il fallait s'acquitter de vingt euros pour entrer dans la vieille ville, et elle n'avait pour l'instant que quelques dollars sur elle.

Elle prit son téléphone, ouvrit le dernier texto qu'elle avait reçu et appuya sur la touche de rappel.

La camionnette roulait lentement. Sulley était assis près de la portière, à côté du type qui transpirait comme si on était en plein été. Le grand type avec la drôle de barbe conduisait. Tous trois regardaient la rue sans rien dire.

Sulley avait commencé par refuser de monter avec eux. C'était une chose de vendre des informations, mais là, se trouver impliqué dans ce qui allait manifestement être un enlèvement, ça n'allait plus du tout. Il ne pouvait pas faire une chose pareille. C'était criminel. Ça fichait tout en l'air. Mais le grand type aux cicatrices s'était fait insistant, et comme Sulley ne voulait pas rester devant l'immeuble de la police à papoter, il avait fini par monter.

Il regardait par la vitre, scrutant la foule à la recherche des cheveux blonds de la fille, ou de lettres blanches sur un sweater bleu marine, en espérant secrètement qu'il ne verrait ni l'un ni l'autre. Quand il rentrerait au commissariat, il allait se faire passer une avoinée sérieuse pour avoir perdu la fille, mais il survivrait... Ça serait toujours mieux que de la retrouver avec ces...

— Ça y est, je l'ai !

Le type au milieu de la banquette orienta l'écran de son agenda électronique vers le conducteur.

Celui-ci y jeta un rapide coup d'œil et reporta son attention devant lui : la rue faisait un coude sur la gauche et une grande place pavée s'étendait au-delà d'une rangée de bornes en béton – une zone piétonne, où les bâtiments anciens avaient été convertis en boutiques. La place était noire de monde.

— Elle est là, quelque part, dit-il. Tout près.

Tandis que la camionnette s'en approchait, Sulley aperçut un groupe de touristes qui s'éloignaient. L'une d'elles portait un sweat-shirt bleu marine. La foule s'écarta légèrement juste avant que le groupe ne disparaisse derrière un kiosque à journaux, et il eut le temps de voir le mot POLICE inscrit au dos du sweat-shirt.

Le conducteur l'avait vu, lui aussi.

— On va aller de l'autre côté, là où la place rejoint la rue.

Il s'arrêta le long du trottoir.

— Allez la chercher.

Sulley sentit la panique monter en lui.

— C'est vous qui l'avez perdue, dit le conducteur. Elle risque moins de s'enfuir si c'est vous qu'elle voit.

Sulley ouvrit la bouche et la referma aussitôt en voyant le regard glacé de l'homme aux cicatrices. Ce n'était pas le genre de type avec qui on peut discuter, et il n'essaya même pas. Il ouvrit la portière, descendit sur le trottoir et partit dans la direction où il avait aperçu la fille.

80

— Allô ?

Liv reconnut la voix de la femme qui lui avait laissé un message la veille.

— Vous n'arrêtez pas de m'envoyer des messages, dit Liv. Qui êtes-vous ?

Il y eut une hésitation presque imperceptible, qu'elle n'aurait même pas remarquée en temps normal, mais là, sa méfiance s'éveilla aussitôt.

— Vous ne le savez sans doute pas encore, répondit la femme, mais nous sommes des amis. Où êtes-vous, en ce moment ?

Liv continua de se laisser emporter par la foule. Elle se sentait rassurée par la présence de gens ordinaires et normaux autour d'elle.

— Pourquoi je vous le dirais ?

— Parce que nous pouvons vous protéger. Parce qu'il y a des gens qui vous cherchent, en ce moment même. Des gens qui veulent vous faire taire. Liv, je ne sais pas comment vous le dire moins brutalement, mais… ces gens veulent vous tuer.

302

Liv hésita. Assez curieusement, elle était plus troublée par le ton d'intimité de cette femme qui l'appelait par son prénom que par ce qu'elle venait de lui dire.

— Qui cherche à me tuer ?

— Des gens redoutables et sans pitié. Ils veulent vous réduire au silence parce qu'ils pensent que votre frère a partagé avec vous un secret que nul n'est censé connaître.

Liv regarda les lettres griffonnées sur le journal qu'elle tenait toujours à la main.

— Je ne sais rien du tout, dit-elle.

— Peu leur importe. Il leur suffit de croire que vous savez quelque chose. Ils ont tenté de vous enlever à l'aéroport. Ils ont également dérobé le corps de votre frère à cause de ça, et ils continueront de chercher jusqu'à ce qu'ils vous trouvent. Ils ne prennent jamais aucun risque.

La femme se tut un instant avant de reprendre, d'une voix plus douce :

— Si vous me dites où vous êtes, je pourrai vous envoyer quelqu'un qui vous emmènera en lieu sûr. L'homme que je vous ai envoyé pour vous protéger, la nuit dernière...

— Gabriel ?

— Oui, fit Kathryn. Il est avec nous. Il était chargé de vous protéger, et c'est ce qu'il a fait. Dites-moi où vous êtes, et je vous l'envoie. Liv, c'est mon fils...

Liv avait envie de lui faire confiance, mais elle avait besoin d'un peu de temps pour réfléchir avant de prendre un tel risque. À part les vêtements qu'on lui avait prêtés, elle n'avait que quelques dollars en poche, un téléphone dont la batterie allait bientôt lâcher et un journal de la veille. Elle le regarda, vit le visage de son frère au milieu d'un halo de lettres et de symboles griffonnés. Elle eut soudain une idée. Elle retourna le journal et lut une mention en petits caractères au bas de la dernière page.

— Je vous rappellerai, dit-elle.

Sulley passa à côté du kiosque à journaux.

La fille était à une quinzaine de mètres devant lui. Il se fraya un chemin dans la foule et réduisit la distance. Il ne savait pas encore très bien ce qu'il allait faire quand il la rejoindrait. Il envisagea un instant de faire demi-tour et de retourner au bureau central. Mais le type de la camionnette pourrait le dénoncer : un coup de fil anonyme donnant le nom de la personne qui avait communiqué des infos à la presse. Il avait pris soin de camoufler ses traces – mais on ne pouvait jamais être totalement sûr. Si jamais on faisait le lien entre la disparition du moine et lui, il encourrait une lourde peine. Intervention dans le déroulement d'une enquête en cours, obstruction à la justice, vente d'informations confidentielles… Largement de quoi se retrouver en prison, le pire cauchemar pour un policier.

Il continua donc d'avancer en gardant la foule comme écran pour que la fille ne puisse pas le voir si jamais elle se retournait. La procédure de filature standard. Pendant qu'il s'approchait d'elle, il pensa un instant lui dire simplement de s'enfuir, et disparaître lui-même jusqu'à ce que toute cette affaire retombe.

Il garda les yeux fixés sur la capuche bleue et se mit à marcher un peu plus vite. Plus que trois mètres, maintenant.

Deux.

Il allait la rejoindre quand il vit la camionnette blanche s'arrêter de l'autre côté de la zone piétonne. La fille était faite comme un rat dans un tuyau. Elle n'avait plus aucun moyen de s'en sortir. Lui non plus. Il fallait qu'il aille jusqu'au bout.

Il ralentit pour lui laisser le temps de s'approcher de la camionnette. Il ne voulait pas avoir à la traîner plus que nécessaire. Devant lui, il vit le barbu baraqué descendre de la camionnette et ouvrir les portes arrière. Ils n'étaient plus qu'à trois mètres. Il s'avança et tendit le bras pour attraper la fille quand il remarqua que l'autre type dans la camionnette regardait son notebook en secouant la tête.

Trop tard.

Sa main criblée de taches de rousseur se posa sur l'épaule de la fille et il la fit se retourner.

— Hé là ! dit-elle en essayant de se dégager.

Sulley vit le visage surpris sous la capuche bleue. Ce n'était pas Liv Adamsen.

— Excusez-moi, dit-il en retirant aussitôt sa main comme s'il venait de toucher un câble à haute tension. J'ai cru que vous étiez…

Il pointa le doigt vers le sweat-shirt de la police.

— Où est-ce que vous avez trouvé ça ?

La fille le foudroya du regard. Il lui montra son badge, vit sa méfiance disparaître.

Elle indiqua la direction d'où ils venaient.

— J'ai fait l'échange avec une fille.

Sulley se retourna, mais il ne vit qu'une masse d'étrangers.

— Vous l'avez échangé contre quoi ?

— Oh, juste un autre sweat-shirt.

— Vous pourriez me le décrire ?

— C'était un sweat blanc. Heu… délavé, et un peu usé aux coudes.

Dans la chaleur de cette fin de matinée, la plupart des gens avaient ôté leurs manteaux et leurs vestes, et plus de la moitié portaient quelque chose de blanc. Le dos toujours tourné vers la camionnette, Sulley se permit un petit sourire.

Bien joué, ma petite demoiselle, pensa-t-il. *Drôlement bien joué...*

81

Liv sortit de l'office de tourisme et s'éloigna à contre-courant de la foule – ce qui l'embêtait un peu –, dans la direction du bâtiment central de la police, ce qui l'embêtait beaucoup plus.

Elle déplia le plan de la ville qu'on lui avait donné et étudia les différents itinéraires possibles pour rejoindre la rue entourée au feutre noir. Elle aurait pu choisir un itinéraire détourné, mais ça lui prendrait plus de temps et elle en manquait déjà terriblement. Elle allait devoir prendre le risque. Elle sortit son téléphone de sa poche, consulta l'écran. L'indicateur de batterie était vide. Elle appuya quand même sur une touche de numéro abrégé en espérant qu'il restait assez de charge pour un appel.

— Ce n'était pas elle, dit Kutlar avant que le policier ait pu ouvrir la bouche.

Il tenait à rappeler à Cornelius qu'il avait son utilité.

— Non, effectivement, dit le policier par la vitre ouverte. Elle a échangé son sweat contre un autre, tout blanc. La fille avec qui elle a fait l'échange ne savait pas quelle direction elle a prise.

Cornelius démarra.

— Montez, dit-il.

Le policier hésita et pointa du pouce par-dessus son épaule.

— Vous savez, je ferais peut-être mieux de…

— Montez, répéta Cornelius.

Sulley obéit.

Kutlar jeta un coup d'œil à son écran et commença à se détendre un peu. Le fait qu'il sache à quoi ressemblait la fille était la seule chose qui le maintenait en vie. La présence du policier le rendait un peu nerveux parce que lui aussi connaissait la fille. Plus tôt il s'en irait, mieux ce serait.

La camionnette s'ébranla en cahotant sur la chaussée déformée, et Kutlar sentit de nouveau un élancement douloureux dans sa jambe.

Il appuya sur la touche « entrée » et le sablier apparut, indiquant que le système recherchait le signal de la fille.

82

L'appel aboutit alors que Liv passait devant l'étal d'un boulanger qui vendait des petits pains fourrés tout chauds. Le puissant arôme d'épices et d'oignons lui rappela que cela faisait un bon bout de temps qu'elle n'avait rien mangé de substantiel. Le soleil dardait ses rayons sur les pavés couleur ivoire et sur les bâtiments, qui ressemblaient tous à des églises.

— Bon sang, où est-ce que vous étiez passée ? cria la voix familière.

Rawls Baker, propriétaire et rédacteur en chef du *New Jersey Inquirer*, n'était pas du genre à chuchoter.

— J'espère bien que vous m'appelez pour m'envoyer votre article sur l'accouchement... J'ai un trou tellement béant dans la partie «Tranches de vie» qu'on pourrait y faire passer un camion !

— Écoutez, Rawls, je...

— Pas besoin d'excuses, envoyez-moi seulement l'article.

— Rawls, je ne l'ai pas écrit.

Il y eut un silence.

— Eh bien, vous avez intérêt à vous y mettre tout de suite, sinon...

— Qu'est-ce que vous avez en première page, ce matin ? demanda-t-elle avant qu'il ait pu se lancer dans une tirade incendiaire.

— Qu'est-ce que ça peut bien foutre ?

— Répondez simplement à ma question.

— L'histoire du moine. Comme tous les autres journaux.

— C'était mon frère.

Il y eut un long silence, et puis :

— Vous me faites marcher, là !

— Je suis à Ruine, en ce moment. J'ai débarqué ce matin. Il se passe quelque chose de bizarre. Je ne sais pas ce que c'est, mais c'est un truc considérable. J'y suis mêlée jusqu'au cou, et j'ai besoin de votre aide.

Le silence revint. Elle l'imaginait dans son bureau, contemplant la rivière tout en réfléchissant à ce que pouvait valoir une telle exclusivité. Liv entendit un bip dans son écouteur et crut un instant avoir été coupée. Puis la voix de Rawls se fit de nouveau entendre :

— De quoi vous avez besoin ?

— Je me dirige en ce moment vers les bureaux d'un journal local qui s'appelle *Itaat Eden Kimse*. J'aimerais que vous les appeliez pour qu'ils me donnent un peu d'argent, un carnet et des stylos. Et voyez s'ils peuvent me prêter un bureau pour quelques heures.

— Pas de problème.

Elle entendit le grattement du stylo de Rawls sur le papier.

— Et surtout, n'allez pas leur confier des infos importantes, ajouta-t-il. N'oubliez pas qui signe vos chèques en fin de mois. Dites-leur que vous écrivez un article sur Ruine ou je ne sais quoi.

— OK, dit-elle.

Le signal de fin de batterie bipa de nouveau à son oreille.

— Ma batterie est en train de rendre l'âme, ajouta-t-elle. Demandez-leur aussi s'ils peuvent me prêter un chargeur…

Elle lui donna la marque et le modèle, mais il n'y avait plus que le silence à l'autre bout de la ligne.

L'écran était éteint. Elle remit l'appareil dans sa poche et jeta un coup d'œil derrière elle dans la rue. Une voiture s'approchait…

83

— Là-bas, fit Kutlar en désignant un groupe de gens qui mangeaient des pains farcis devant l'étal d'un marchand.

Cornelius tourna la tête vers eux. Sulley ouvrit la portière avant même que la camionnette se soit arrêtée.

— Je vais jeter un coup d'œil, dit-il en claquant la portière derrière lui mais pas avant qu'une puissante odeur d'épices et d'oignons ait pénétré dans l'habitacle.

Kutlar releva les yeux de son écran. Il vit le policier remonter la ceinture de son pantalon et examiner la foule.

— Vous la voyez ? lui demanda Cornelius.

Kutlar scruta l'océan de visages de chaque côté de la rue.

— Non, dit-il enfin.

Cette odeur de nourriture lui soulevait le cœur.

Cornelius lui prit le notebook des mains. Le plan des rues était figé et la flèche au centre pointait sur l'endroit où ils étaient à présent garés. La colonne indiquait le dernier numéro que la fille avait appelé, et le sablier tournait lentement à côté tandis que le système le cherchait dans le dédale des réseaux.

Kutlar regarda dans le rétroviseur. Le policier était maintenant en train de parler au marchand en se servant à l'étal. Il sentit son estomac se retourner et il détourna les yeux. À cause de ce fichu système de sens uniques, il leur avait fallu près de cinq minutes pour arriver jusqu'ici. Il aurait pu le faire en deux fois moins de temps, mais le navigateur les avait fait passer par de grandes rues encombrées, et il s'était bien gardé d'intervenir. Plus ils passeraient de temps à chercher la fille, meilleures seraient ses chances de trouver un moyen de s'en sortir.

Il avait aussi une autre idée en tête, pas aussi forte que son instinct de survie mais tout de même de taille. Elle concernait l'homme qui lui avait logé une balle dans la jambe et l'avait forcé à abandonner son cousin sur la route. Il n'avait jamais été vraiment proche de Serko, mais il faisait partie de la famille. Si ces gars réussissaient à trouver la fille, ils trouveraient peut-être aussi le type qui l'avait tué. Il espérait vraiment qu'il essaierait de se mettre en travers de leur chemin.

Le sablier avait disparu de l'écran, laissant place à une boîte de dialogue contenant un nom et une adresse. Il regarda Cornelius recopier l'information dans un texto.

— Le marchand dit qu'il a vu quelqu'un qui ressemblait à la fille, il y a cinq minutes de ça.

Le policier se pencha par la vitre ouverte en mâchant sa dernière bouchée de pain. Kutlar eut un geste de recul sous l'assaut des effluves d'ail.

— Il pense qu'elle a dû prendre un taxi.

Cornelius appuya sur le bouton d'envoi et attendit que le texto soit transmis.

— Écoutez, fit Sulleiman, si elle s'est trouvé un moyen de transport, elle peut être n'importe où, maintenant. Vous, vous pourrez la repérer dès qu'elle rallumera son portable, mais moi, il faut vraiment que je retourne au bureau. J'ai pris un gros risque pour vous donner un coup de main... et si je ne rentre pas pour signaler que la fille a disparu, ça va chauffer dur.

Cornelius attendit que la confirmation d'envoi s'affiche à l'écran, puis il jeta un coup d'œil au flot de voitures : un véhicule sur deux était un taxi.

— Oui, bien sûr, dit-il. Montez, on va vous déposer au passage.

Sulleiman hésita une seconde, puis il finit par grimper dans la camionnette.

Kutlar s'écarta de lui autant qu'il le pouvait. L'odeur d'ail et de transpiration qui se dégageait du policier lui donnait envie de vomir.

84

Il faisait froid à New York, plus froid que dans son souvenir, et Rodriguez avait enfilé son blouson rouge dès sa descente de l'avion. Il traversait le hall des arrivées internationales quand son portable vibra dans sa poche. Il jeta un coup d'œil au nouveau nom, avec une adresse quelque part dans Newark. Un quartier résidentiel, apparemment.

Il chercha des yeux une librairie ou un marchand de journaux. L'ancien bâtiment de la TWA était tout en courbes et en lignes élégantes. On aurait dit qu'il avait été construit par des insectes géants plutôt que par des bureaucrates et des syndicalistes. Il repéra un Barnes and Noble.

La dernière fois qu'il était venu ici, c'était il y a six ans. À l'époque, il avait pensé quitter pour toujours son pays et son ancienne existence. Et à présent, il était de retour, pour reprendre des activités assez proches de ce qu'il faisait autrefois. Il effaça le message et composa un numéro de mémoire. Il ne savait pas s'il était encore valide, ni même si la personne qu'il essayait de contacter était morte ou en prison. Le téléphone commença à sonner alors qu'il entrait dans la librairie, au milieu des rangées de livres de cuisine et de bouquins de poche.

— Allô ?

La voix évoquait du vieux papier froissé. Il entendait une télé beugler en arrière-fond, des gens qui criaient et d'autres qui applaudissaient.

— Madame Barrow ?

Il était arrivé dans la section où on avait regroupé les guides de la ville.

— Vous êtes qui ? fit la voix pleine de méfiance.

— Je m'appelle Guillermo, répondit-il en reprenant son accent des rues d'autrefois qui lui semblait maintenant étrange sur la langue. Guillermo Rodriguez. On m'appelait Gil. Je suis un vieux copain de JJ, madame B. Ça fait une paye que je suis pas revenu en ville. Ça me ferait plaisir de le revoir – s'il est toujours dans le coin.

Il y eut un silence rempli d'applaudissements et de cris d'encouragement. On aurait dit Springer ou Ricki Lake, ce genre d'émissions dont il avait oublié l'existence.

— Le gamin de Loretta ! s'exclama soudain la femme. Elle habitait dans ce petit deux pièces, dans Tooley Street…

— C'est ça, madame B. Le gamin de Loretta.

— Ça fait un bail que je l'ai pas vue.

Une image apparut dans son esprit. La peau tendue sur des os fragiles. Des tuyaux pompant des médicaments dans ses bras, là où autrefois coulait de la drogue.

— Elle est morte, madame Barrow, dit-il. Ça fait à peu près sept ans de ça.

313

— Oh ! Je suis désolée, mon garçon. Elle était vraiment gentille, dans son genre.

— Merci, fit-il en sachant très bien ce qu'elle voulait dire mais sans relever la remarque.

Les voix stridentes venant de la télé remplirent encore une fois le silence et il se demanda si elle n'avait pas oublié qu'il était là.

— Bon, dit-elle soudain, donne-moi ton numéro, fiston. Je le ferai passer à Jason. S'il veut te parler, il le fera.

Rodriguez sourit.

— Merci, madame Barrow, c'est vraiment sympa de votre part.

Il lui donna son numéro et elle raccrocha pendant qu'il la remerciait encore. Il prit un plan de Newark et s'approcha du comptoir pour payer. Son téléphone se remit à sonner au moment où il récupérait sa monnaie. Il remercia la caissière et retourna dans le grand hall.

— Gil ? C'est toi, mec ?

— Ouais, JJ mon pote, c'est moi.

— Ah, putain. Gilly Rodriguez…

On pouvait entendre un large sourire dans sa voix.

— On m'a dit que la brigade de Dieu t'avait mis le grappin dessus…

— Non, non. J'ai juste pris un peu de vacances.

Il laissa le silence s'installer. Dans son existence précédente, « prendre un peu de vacances » signifiait généralement faire un séjour en prison.

— Alors, t'es où, là ?

— Dans Queens. J'ai deux, trois trucs en vue, tu sais comment c'est. J'ai juste besoin d'un peu de matos.

— Ah ouais ?

Le ton de JJ devint méfiant, comme sa grand-mère tout à l'heure.

— De quoi t'as besoin ?

Rodriguez pensa à ce qu'il avait lu dans l'avion, des témoignages de contemporains sur la façon dont les hérétiques étaient purifiés dans les flammes de la Tabula Rasa.

— Tu crois que tu peux me dégotter quelque chose d'un peu… spécial ?

— Je peux te trouver tout ce que tu veux, du moment que t'as le pognon.

Rodriguez sourit.

— Pas de souci, fit-il en poussant la porte et en se retrouvant dans le froid d'une matinée new-yorkaise. Du pognon, j'en ai.

85

La plaque en bronze sur la façade indiquait que l'immeuble abritait les bureaux de l'*Itaat Eden Kimse*, avec la traduction au-dessous : *L'Observateur de Ruine*. Le chauffeur de taxi alluma ses warnings et Liv lui tendit son téléphone.

— Je vous envoie quelqu'un tout de suite, dit-elle.

Elle fut accueillie par la plus vieille réceptionniste du monde, qui lui indiqua que le service international était au premier étage. En entrant dans l'espace paysager, elle se sentit aussitôt chez elle. Toutes les salles de presse qu'elle avait connues étaient exactement comme celle-là : un faux plafond assez bas, des petits bureaux séparés par des demi-cloisons, des tubes au néon qui éclairaient la salle jour et nuit d'une lumière impersonnelle. Liv était toujours étonnée que toutes les grandes œuvres du journalisme moderne, tous les articles fustigeant le pouvoir en place, raflant des prix Pulitzer et enrichissant la vie des gens, tout ce qui se déversait quotidiennement chez les marchands de journaux, ait été produit dans des environnements si désespérément anodins.

Elle regarda autour d'elle, vit une femme coiffée à la mode des années 1940 s'avancer vers elle d'un pas décidé, sans perdre un instant le sourire qui étirait ses lèvres parfaitement dessinées. Elle semblait tellement débordante de vitalité que Liv n'aurait pas été autrement surprise de la voir se lancer dans un numéro de claquettes.

— Mademoiselle Adamsen ? fit la femme en tendant une main manucurée en une sorte de salut nazi à l'horizontale.

Totalement hypnotisée, Liv acquiesça et lui tendit la sienne en retour.

— Je suis Ahla, dit l'apparition en lui serrant la main. Je dirige le service.

Elle avait une voix grave et gutturale, un contraste surprenant avec ses airs de poupée de porcelaine.

— J'ai obtenu l'accord pour votre argent, poursuivit-elle en lui faisant signe de la suivre.

— Oh, fit Liv, réveillée de sa transe par le mot « argent ». Il y a un taxi en bas qui détient mon portable en otage. Est-ce que quelqu'un pourrait aller le libérer ? Je n'ai pas un sou sur moi.

Les lèvres parfaites se plissèrent en une moue.

— Pas de problème. Pour aujourd'hui, vous pouvez vous installer là, ajouta-t-elle en désignant un bureau inoccupé. Mais si vous comptez rester plus longtemps, il faudra le partager. Tout le monde est en ville pour l'histoire de la Citadelle. Vous aussi ?

— Heu, non, fit Liv. J'écris un article de… de tourisme.

— Ah. Bon, eh bien, je vous apporte l'argent dès que j'aurai trouvé quelqu'un pour signer. Je vais m'occuper du taxi.

Elle pivota sur ses élégants talons et ajouta, par-dessus son épaule :

— Oh, votre patron a demandé que vous l'appeliez. Faites le 9 pour avoir l'extérieur.

Liv la regarda s'éloigner, pleine d'énergie et de détermination. Dans un film, le rôle aurait été joué par Katharine Hepburn jeune.

Elle se tourna vers le bureau qu'on lui prêtait, vit l'ordinateur beige standard, le téléphone multitouches, un cactus qui avait été torturé à mort à coups d'arrosages trop fréquents, et la photo d'un homme d'une trentaine d'années penché au-dessus d'une femme tenant sur ses genoux un bambin de trois ans. Le petit garçon était une réplique en miniature de l'homme. Liv se demanda auquel des parents le bureau appartenait. Sans doute à l'homme. Il avait l'air un peu obsessionnel… Ce bureau était beaucoup trop net pour être celui d'un journaliste.

Elle s'attarda sur ce tableau figé d'une vie de famille heureuse. Elle vit la chaleur des émotions qui se dégageait de la photo, unissant ces trois personnes par des liens invisibles que rien ne pouvait rompre. Elle avait l'impression de feuilleter une brochure touristique vantant une destination de rêve où elle ne pourrait sans doute jamais se rendre.

Elle détacha les yeux de la photo et prit un carnet, un de ces blocs sténo avec une spirale en haut. Elle l'ouvrit et écrivit sur la première page la date et l'endroit où elle se trouvait. D'une façon générale, dans son travail, elle remplissait tellement de ces carnets qu'il était impératif qu'elle puisse rattacher leur contenu à un endroit et un moment précis.

Elle dessina ensuite la silhouette d'un corps humain et y nota de mémoire le réseau de cicatrices qu'elle avait vues sur les photos de l'autopsie. Quand elle eut terminé, elle regarda l'image, dont chaque trait rappelait les souffrances de son frère.

Sur la page suivante, elle recopia les groupes de lettres et symboles trouvés sur les pépins de pomme, ainsi que les mots qu'elle avait réussi pour l'instant à en extraire. Ce faisant, son attention revenait sans cesse sur deux mots en particulier : « Sam », pour des raisons évidentes, et « Ask », le mot anglais pour « demander », parce qu'il représentait un des piliers de sa profession.

À l'université, son professeur lui avait dit que le journalisme se résumait à ce simple verbe. Il considérait que la différence entre un bon et un mauvais journaliste tenait à la capacité de poser les bonnes questions. Il lui avait dit aussi que, si elle se retrouvait un jour bloquée pour écrire un article, elle n'avait qu'à se poser cinq questions et à se concentrer sur les réponses.

Liv tourna la page et écrivit :

Qui – Samuel
Quoi – S'est suicidé
Quand – Hier matin à 8 h 30, heure locale
Où – Du haut de la Citadelle, dans la ville de Ruine
Pourquoi –

La ligne blanche s'étendait indéfiniment, dans l'attente de la dernière réponse. Pourquoi avait-il fait ça ? En temps normal, elle aurait cherché à interviewer tous ceux qui avaient parlé à la victime dans la période précédant sa mort, mais Arkadian avait dit que c'était impossible. La Citadelle ne parlait à personne. Elle était le silence au centre de tout.

— Voilà, dit Ahla en réapparaissant soudain avec le téléphone de Liv et une grosse enveloppe. J'ai pris dix euros pour payer le taxi. Le reçu est à l'intérieur. Si vous voulez bien signer…

Elle lui tendit un carnet avec du papier carbone bleu entre les pages.

Liv signa et brancha le chargeur dans une prise. L'écran s'alluma et le symbole de chargement en cours apparut.

— Dites-moi, fit-elle en se tournant vers Ahla, à qui pourrais-je m'adresser pour en savoir un peu plus sur la Citadelle ?

— Le professeur Anata, mais elle est très occupée avec l'affaire du moine. Peut-être trop occupée pour discuter de… d'un article de tourisme.

Liv respira un grand coup et s'efforça de sourire. Elle aurait dû se trouver un prétexte un peu plus prestigieux…

— Bon, fit-elle, si vous me donniez quand même son numéro ? Ça ne coûte rien d'essayer…

86

Par la vitre du taxi, Rodriguez regardait défiler sa vie d'autrefois. De nouvelles constructions s'élevaient sur ce qui avait été jadis des terrains vagues ou de vieux immeubles, destinées aux gens qui n'avaient pas les moyens d'habiter Manhattan, ni même Brooklyn, et qui devaient donc se rabattre sur la partie sud du Bronx. Plus ils s'approchaient du 16ᵉ District, plus le spectacle devenait familier. Les nouveaux flux d'argent n'avaient pas encore atteint ce quartier, du moins pas sous la forme qu'on inscrit dans les déclarations de revenus, et quand le taxi atteignit Hunts Point, il eut l'impression de n'en être jamais parti.

Le chauffeur s'arrêta dans Garrison Avenue et se retourna vers lui.

— Je ne vais pas plus loin, l'ami, fit-il derrière sa cage de plastique éraflé.

Ils étaient encore à trois rues de l'adresse que JJ lui avait donnée. Sans un mot, Rodriguez paya le chauffeur et descendit.

Le quartier était peut-être toujours le même, mais pendant toutes ces années d'absence, Rodriguez, lui, avait changé. La dernière fois qu'il s'était trouvé ici, sa vie avait été assombrie par la peur et le soupçon. À présent, il baignait dans la chaleur de la lumière de Dieu. Il la sentait sur lui tandis qu'il marchait dans les rues polluées. D'autres sentaient aussi cette différence. Il le voyait à leur façon de le regarder. Même les dealers et les putes le laissaient tranquille. Il était devenu comme ces types qu'il évitait autrefois en traversant la rue. Un homme avec un but. Sûr de lui. N'ayant peur de rien. Dangereux.

Il passa devant une carcasse de voiture posée sur des briques et une boutique aux fenêtres barricadées par des volets de fer qui portaient encore des traces d'incendie. Des souvenirs affluèrent. À l'époque, c'était une pizzeria. Il avait glissé des chiffons par un carreau cassé et il y avait mis le feu avant de se retirer dans l'ombre, jusqu'à ce qu'une bande de types rappliquent pour l'éteindre. Il avait toujours adoré regarder des trucs brûler. Et maintenant, il avait trouvé une flamme qui ne s'éteignait jamais. Elle éclairait son chemin dans ce royaume de ténèbres permanentes.

La maison semblait déserte, tout comme la rue, mais il sentait des regards posés sur lui tandis qu'il grimpait les marches. La porte s'ouvrit avant même qu'il l'ait touchée. Un gamin en capuche passa la tête dehors pour jeter un rapide coup d'œil dans la rue, puis il examina Rodriguez, sans faire un geste pour le laisser passer. Derrière lui, Rodriguez entendit des coups de feu.

— JJ est là ? demanda-t-il.

— Laisse-le entrer ! rugit une voix par-dessus les détonations.

Le gamin cligna des yeux et s'écarta.

L'intérieur de la maison était surprenant. Le petit vestibule donnait sur une pièce remplie de meubles et de matériel électronique flambant neufs. Un énorme aquarium couvrait tout un mur, et un écran plat de la taille d'un lit double était fixé sur le mur opposé. Un jeu vidéo de baston était en cours. Deux types étaient scotchés à l'écran, le doigt crispé sur la détente de leurs pistolets électroniques, leurs vraies armes posées à côté d'un cendrier et d'une pipe à crack. L'un des deux releva la tête un instant avant de se replonger dans son combat virtuel.

— Gilly Rodriguez ! s'exclama-t-il au milieu du carnage. Regarde-toi, mec, avec toute cette barbe. On dirait Jésus en parka.

Il rit de sa propre plaisanterie.

Rodriguez se contenta de sourire en regardant son vieil ami. Il voyait l'ombre de ce qu'il aurait pu devenir. JJ avait perdu une quinzaine de kilos depuis la dernière fois qu'il l'avait vu, et il avait le même teint grisâtre que sa mère quand elle s'était enfoncée si profondément dans la drogue que plus rien n'avait d'importance en dehors de sa prochaine dose et du moyen de l'obtenir. Il arborait tous les symboles du succès, avec ses vêtements et son équipe, mais les années dans la rue comptent triple. Sa jeunesse était pratiquement enfuie et sa lumière pâlissait. Rodriguez lui donnait encore deux ans. Peut-être moins.

— Ça fait plaisir de te voir, dit-il. T'as l'air en pleine forme.

JJ secoua tristement la tête.

— Non, non, il faudrait que je lève un peu le pied. Que je me laisse pousser la barbe, peut-être, et que tu me donnes l'adresse de ton tailleur…

Il appuya sur le bouton «pause» de sa manette et la tendit au gamin qui se tenait à côté de Rodriguez.

— Tiens, dit-il, prends le relais, et descends-moi quelques Blancs.

Il se releva lentement du canapé de cuir.

— Ah, ben dis donc, fit-il en levant les yeux vers Rodriguez. T'as encore grandi, non?

Rodriguez secoua la tête.

— J'étais déjà comme ça. C'est juste que ça fait longtemps que tu m'as pas vu.

Ils s'embrassèrent en se donnant de grandes tapes dans le dos, comme si c'était le bon vieux temps, puis ils s'écartèrent en se regardant d'un air embarrassé, parce que ce bon vieux temps était en fait révolu.

— T'as quelque chose pour moi? demanda Rodriguez.

JJ plongea la main dans l'aquarium et en retira un sac en plastique caché derrière un bloc de corail.

— T'as des goûts drôlement exotiques, toi, dit-il.

Rodriguez prit le sac et en examina le contenu : un Glock 34 avec un chargeur de rechange, un silencieux Evolution-9 et une petite mallette en plastique contenant un pistolet avec un gros canon et douze cartouches ressemblant à des munitions de fusil de chasse.

— Qu'est-ce que tu veux faire avec ça ? demanda JJ. T'as peur dans le noir ?

Rodriguez referma la mallette et fit glisser son sac de l'épaule.

— J'ai peur de rien, dit-il en lançant à JJ une grosse liasse de billets.

Il regarda JJ compter l'argent en se frottant le nez tous les quatre ou cinq billets, comme si ça le démangeait en permanence. Sa mère faisait ça, elle aussi. Elle se grattait le nez jusqu'au sang. Il jeta un coup d'œil vers les deux autres, occupés à se tirer dessus avec de faux pistolets tandis que les vrais étaient posés sur la table. Non, JJ ne tiendrait certainement pas deux ans, à moins qu'il ne voie la lumière qui pourrait le mener au salut. Il aurait de la chance s'il était encore là à Noël...

87

Le docteur Miriam Anata se tenait devant un distributeur de boissons dans le hall d'une station d'infos locale quand les premières notes de *L'Hymne à la joie* retentirent dans la poche de sa veste – gris foncé aujourd'hui, mais toujours à rayures. Elle se plaisait à penser que c'était sa marque de fabrique.

Elle était censée avoir éteint son portable, mais des tas de gens la contactaient pour l'interviewer, et il était hors de question qu'ils soient obligés d'appeler quelqu'un d'autre. Elle voulut répondre, mais elle coupa la communication sans le vouloir. Elle jeta un coup d'œil autour d'elle pour voir si quelqu'un l'avait remarqué.

Elle reporta son attention sur le distributeur et y glissa quelques pièces pour récupérer une cannette de thé glacé. Elle l'ouvrit et but une longue gorgée avec soulagement. Depuis que le moine s'était tué, la veille, elle n'avait pratiquement pas arrêté un instant de baigner dans la chaleur des projecteurs. Elle ne s'en plaignait pas, bien au contraire. C'était pain bénit pour la vente de ses livres.

L'Hymne à la joie résonna de nouveau, et elle prit aussitôt l'appel, avant même la fin de la première mesure.

— Allô ? Professeur Anata ?

Une voix de femme. Sans doute une Américaine, à moins que ce ne soit une Canadienne – elle était incapable de faire la différence. De toute façon, c'étaient deux grands marchés pour ses livres.

— Oui, c'est bien moi.

— Super, fit la femme. Écoutez, je sais que vous êtes très occupée, mais j'aurais vraiment besoin de votre aide rapidement pour quelques informations…

— Vous me demandez une interview ?

— Hem… d'une certaine façon, oui.

— Et vous représentez quelle chaîne, m'avez-vous dit ?

Il y eut un silence.

— Professeur Anata, je ne vous appelle pas pour une chaîne d'infos… je suis mêlée à toute l'affaire, ajouta Liv avant que son interlocutrice ait pu raccrocher. Je suis… je suis la sœur du moine.

Miriam hésita un instant, en se demandant si elle avait bien entendu – et si elle devait y croire.

— J'ai vu son corps, poursuivit Liv, ou du moins des photos. Il a disparu avant que j'aie pu le voir à la morgue. Il portait des marques, comme des cicatrices rituelles. Je me demandais si vous pourriez y jeter un coup d'œil et me donner votre avis d'experte sur leur signification éventuelle.

En entendant cette mention de cicatrices, Miriam eut une sensation de vertige.

— Vous avez ces photos ? chuchota-t-elle.

— Non, mais je peux vous montrer à quoi ressemblaient les cicatrices. Et il y a encore autre chose. Une chose qui pourrait avoir un rapport avec le Sacrement.

Miriam s'appuya contre le distributeur.

— Quel genre de chose ? demanda-t-elle.

— Ce sera sans doute plus facile si je vous le montre.

— Oui, bien sûr.

— Quand pouvez-vous vous libérer ?

— Je suis libre maintenant. Je suis dans un studio de télé, près du centre de la ville. Et vous, où êtes-vous ?

Liv hésita. Elle ne voulait révéler l'endroit où elle se trouvait à personne. Un policier de ses amis lui avait dit un jour que le meilleur endroit pour se cacher, c'était au milieu de la foule. Il lui fallait quelque chose de public, avec beaucoup de monde et pas trop loin. Elle regarda le journal avec la photo de Samuel debout au sommet du monument ancien le plus visité au monde.

— Je vous retrouve à la Citadelle, dit-elle.

Kutlar sentait encore l'odeur d'ail qui se dégageait de la place vide à côté de lui. Il cligna des yeux quand la camionnette sortit du tunnel. Une silhouette s'approchait d'eux dans la ruelle entre les deux parkings.

Kutlar ouvrit le notebook et regarda l'icône du sablier avec ses petits pixels noirs qui tournaient, du sable virtuel qui lui rappelait à quel point son propre temps était compté.

Arrivé à la camionnette, Johann prit la place de Cornelius au volant tandis que le plan des rues sur l'écran se reconfigurait. Une flèche pointait sur la position du téléphone de Liv. Le sablier réapparut un court instant avant que le plan s'agrandisse pour montrer une deuxième flèche, au-dessus et à gauche de la première – leur propre position, obtenue grâce au signal du portable de Cornelius.

Ils étaient proches de leur cible.

Cornelius vit la flèche au centre remonter légèrement la rue.

— Elle se déplace.

Johann prit la direction du boulevard circulaire.

Quand l'écran se rafraîchit encore, la seconde flèche se déplaçait maintenant en tournant autour de la première, tel un vautour se rapprochant de sa proie.

Le corps de frère Samuel, dénudé jusqu'à la taille, avait été disposé les bras écartés, reproduisant la forme qui dominait l'autel au fond de la chapelle du Sacrement. L'Abbé parcourut des yeux la chair meurtrie couleur de cire sur le sol de pierre, percée en de nombreux endroits par des fragments d'os et grossièrement recousue là où le médecin légiste l'avait incisée.

La dépouille de cet homme peut-elle réellement se relever et accomplir la prophétie ? Il ne savait que penser.

L'Abbé remarqua une fine pousse de lierre-de-sang enroulée au pied de l'autel. Il la suivit dans l'ombre jusqu'à ce qu'il en trouve la racine, sortant d'une des rigoles humides creusées dans le sol. Il la saisit fermement et l'arracha, puis il s'approcha d'une des grandes torches et tint la plante sinueuse au-dessus de la flamme. Elle se consuma en sifflant, bientôt réduite à un filament calciné et une goutte de sève rouge dans la paume de l'Abbé.

La flamme de la torche vacilla quand la porte s'ouvrit derrière lui. L'Abbé se retourna en s'essuyant la main contre la rude étoffe de sa soutane, là où la sève commençait à lui irriter la peau. Le frère Septus, l'un des moines qui avaient aidé à transporter Samuel au cœur de la montagne, se tenait sur le seuil d'un air hésitant.

— Tout est prêt pour vous, frère Abbé, dit-il.

L'Abbé hocha la tête et le suivit pour se rendre dans une autre pièce dans la partie haute de la Citadelle, une pièce restée silencieuse depuis l'époque des Grandes Inquisitions.

La porte se referma derrière eux, laissant frère Samuel seul avec le Sacrement. Les flammes vacillèrent encore une fois dans le courant d'air, et leur lumière mouvante se refléta doucement sur son corps.

Ce fut comme s'il avait bougé.

Rodriguez était lui aussi en train de regarder Samuel. Celui-ci se tenait sur le célèbre pont de Central Park, le bras sur les épaules d'une fille qui lui ressemblait comme deux gouttes d'eau. La photo se trouvait, dans un cadre bon marché, parmi plusieurs autres, accrochées ici et là sur les murs de l'appartement.

Il n'avait pas été difficile de s'y introduire. La fille habitait au rez-de-chaussée d'un immeuble suffisamment proche du centre-ville pour attirer de jeunes cadres, et quand il était arrivé tous les occupants étaient déjà partis travailler. Il n'avait eu qu'à sauter dans son minuscule jardin, où le feuillage était assez dense pour le dissimuler, puis il avait posé son blouson contre la fenêtre pour briser un carreau en silence. Ses frères restés à Ruine s'occuperaient de la fille. Son rôle à lui était de s'assurer qu'elle n'avait rien laissé de compromettant derrière elle.

Il avait à peine connu Samuel dans la Citadelle, et le fait de voir des fragments de son existence antérieure ainsi figés sur les murs de sa sœur était une expérience étrange. Il y avait une autre photo où il semblait beaucoup plus jeune, assis dans une barque avec une version également plus juvénile de la fille. Ils plissaient tous les deux les yeux dans l'éclat du soleil. Il avait repéré les photos sur le mur près du téléphone, en partie cachées par les feuilles d'une des nombreuses plantes qui recouvraient pratiquement toutes les surfaces horizontales.

Rodriguez appuya sur la touche clignotante du répondeur et écouta les messages enregistrés tout en empilant au milieu du salon tous les papiers qu'il pouvait trouver.

Il y avait eu deux appels de quelqu'un qui devait être son patron. Il l'engueulait parce qu'elle était partie sans lui avoir remis son article.

Il tira la couette restée sur le lit défait et l'ajouta à la pile, ce qui lui rappela un film qu'il avait vu quand il était gamin : un type obsédé par les extraterrestres remplissait sa maison d'une montagne de trucs de ce genre.

Il se faisait l'impression d'être lui-même un extraterrestre.

Une fois qu'il eut rassemblé suffisamment de matériaux inflammables dans le salon, il répandit de l'essence dans le reste de l'appartement, sur le lit, les tapis et le canapé. Il n'avait pas le temps d'explorer toutes les pièces à fond, et il fallait donc qu'il s'assure que tout serait détruit.

Il ressortit par où il était entré et jeta une allumette enflammée par la vitre brisée. Il entendit les autres fenêtres sauter sous la pression quand les vapeurs d'essence prirent feu. Il ne s'attarda pas pour regarder l'appartement brûler, bien qu'il en eût très envie. Il avait encore deux endroits à visiter avant de pouvoir reprendre l'avion et quitter cette ville pour toujours.

Il accomplissait l'œuvre de Dieu. Il n'avait pas de temps pour s'amuser.

90

Liv n'eut pas besoin de son plan pour trouver la Citadelle. Il lui suffit d'aller dans sa direction générale et de se laisser emporter par le flot de touristes jusqu'aux caisses à l'entrée, puis à travers les grilles et dans les petites rues étroites vers la montagne la plus célèbre du monde.

Ce fut en entrant ici, dans la partie la plus ancienne de la ville, qu'elle prit vraiment conscience de son antiquité extraordinaire. Ce n'était pas tant à cause des rues pavées, mais surtout parce que les maisons étaient remarquables. Toutes petites, avec des fenêtres miniatures et des portes basses, construites pour des gens qui se nourrissaient mal et menaient de dures existences qui les voyaient rarement dépasser les trente ans. Elles avaient été construites puis réparées avec des matériaux de bric et de broc récupérés au fil de la très longue histoire de la ville. Des colonnes romaines émergeaient de murs médiévaux, et les intervalles étaient comblés par des poutres en chêne et des clayonnages d'argile. Liv passa devant une porte entrouverte sur laquelle était fixée une main de Fatima en fer forgé, un rappel de la longue occupation de la ville par les Maures au temps des Croisades. On distinguait par l'entrebâillement une petite cour intérieure, entourée d'arcades, une explosion de verdure, des citronniers en fleur et des bananiers aux longues feuilles enroulées en spirale. Toute cette végétation débordait sur la mosaïque du sol et des murs. La maison voisine avait été bâtie dans le style italien du XVIIIᵉ siècle, la suivante était un mélange de villa de la Grèce antique et de forteresse napoléonienne. Parfois, on pouvait apercevoir entre deux maisons les constructions modernes dans la plaine qui s'étendait jusqu'au pied des montagnes rouges encerclant la ville.

Une légère brise apportait avec elle une chaude odeur de nourriture. Liv prit soudain conscience qu'elle avait très faim et continua de monter dans la ruelle étroite, attirée par l'étal d'où provenaient ces arômes tentateurs. On y vendait des pains plats et des condiments variés, encore un exemple de la façon dont la ville avait absorbé différentes influences au fil des siècles. Malgré l'histoire sanglante qui s'était déroulée autour de la Citadelle et toutes les guerres de religions menées dans son ombre, il ne restait plus de ces empires disparus que quelques solides éléments d'architecture et de la bonne nourriture.

Liv sortit un billet de son enveloppe et l'échangea contre un pain triangulaire aux graines de pavot et un petit pot de baba-ghanoush. Elle prit une cuillerée de la pâte épaisse, se l'enfourna dans la bouche. Elle avait un goût fumé et aillé, un mélange de purée d'aubergine et de tahiné, avec du cumin et d'autres épices en toile de fond. Elle n'avait jamais rien mangé d'aussi délicieux. Elle retrempa son pain dans le pot et venait juste de l'en ressortir chargé de cette crème quand son téléphone sonna. Elle mit le pain dans sa bouche et sortit son portable de sa poche.

—Allô, fit-elle la bouche pleine.

—Ah, enfin ! Vous étiez où, bon sang ? hurla Rawls.

Liv fit la grimace. Elle avait allumé son téléphone en quittant le bureau du journal pour que la ruinologiste puisse la contacter. Rawls lui était complètement sorti de l'esprit.

—Je me fais un sang d'encre, ici ! poursuivit-il. Je viens de vous voir sur CNN en train de vous faire embarquer par la police… Mais, putain, qu'est-ce qui se passe, là-bas ?

—Ne vous inquiétez pas, répondit Liv en avalant sa bouchée. Je vais très bien.

—Vous êtes sûre ?

—Oui, oui.

—Eh bien, alors, pourquoi vous ne m'avez pas rappelé ? J'avais dit à la fille du bureau de vous demander de le faire…

—Elle a dû oublier. Elle avait l'air un peu cruche.

—Bon, dites-moi un peu ce qui se passe.

Exactement le genre de conversation qu'elle aurait voulu éviter.

—J'essaie simplement de comprendre ce qui est arrivé à mon frère. Je vais bien, ne vous inquiétez pas pour moi.

—Vous m'avez l'air essoufflée.

—Je *suis* essoufflée. Je suis en train de monter une rue vraiment pentue.

—Bon, d'accord. N'empêche, ce n'est pas normal de souffler comme ça. Vous devriez faire un peu plus attention à votre santé et arrêter de fumer.

Liv se rendit compte que, malgré la situation de stress intense où elle se trouvait, cela faisait des heures qu'elle n'avait pas eu envie d'une cigarette.

—Je crois que j'ai arrêté, dit-elle.

—Bien. C'est très bien. Écoutez, j'ai besoin que vous me rendiez un service…

Nous y voilà… pensa Liv.

Elle savait bien qu'il ne l'avait pas appelée simplement pour s'inquiéter de sa santé.

—Notez ce numéro, dit Rawls.

—Attendez deux secondes…

Elle prit son stylo et griffonna sur sa main le numéro qu'il lui indiquait.

—C'est le numéro de qui ? demanda-t-elle.

—C'est celui de cette femme flic que vous avez regardée accoucher l'autre soir.

—Bonnie ?

— C'est ça, Bonnie. Bon, je sais que le moment est mal choisi, mais il me faut absolument cet article pour le numéro du week-end. J'ai toujours mon trou dans la section « Tranches de vie », alors j'aimerais bien que vous l'appeliez pour préparer le terrain avant que j'envoie quelqu'un d'autre pour prendre le relais. C'est d'accord ?

— Je vais l'appeler tout de suite. Autre chose ?

— Non, c'est tout. Soyez très prudente – et prenez plein de notes.

— Je suis toujours prudente, dit Liv en souriant.

Elle raccrocha.

Sur le perron de sa maison, Rawls referma son portable. Il était en retard pour un déjeuner à l'hôtel de ville organisé pour collecter des fonds. Il tenait à rencontrer le type dont tout le monde disait qu'il serait le prochain maire. Ça payait toujours de se rapprocher du futur roi.

Il se glissa au volant de sa Ford Mustang – qui n'avait rien à voir avec sa crise de la cinquantaine – et s'apprêtait à mettre le contact quand il entendit frapper contre sa vitre. Il tourna la tête et vit le gros canon d'une arme pointé sur lui. L'inconnu lui fit signe de baisser la vitre. Il portait un blouson rouge, et sa barbe semblait incongrue sur son mince visage juvénile.

Rawls obéit. Quand la vitre fut à moitié baissée, l'homme y fit passer une grande bouteille d'eau minérale.

— Tenez ça, dit-il.

Rawls prit la bouteille.

— Qu'est-ce que vous voulez ? demanda-t-il.

C'est alors qu'il sentit la drôle d'odeur et qu'il comprit que ce n'était pas du tout de l'eau.

—Votre silence, répondit l'homme en tirant une cartouche de magnésium enflammé à travers la bouteille d'essence de térébenthine et dans la poitrine de Rawls Baker.

91

Le répondeur de Bonnie se déclencha juste au moment où Liv passait sous la grande arche de pierre menant à la place de l'église. Elle éprouva un sentiment un peu surréaliste en entendant cette voix banale lui demander de laisser un message alors qu'elle se trouvait devant la splendeur gothique de l'énorme bâtiment.

—Hello, Bonnie, dit-elle en avançant lentement sur la place au milieu des nuées de touristes. C'est Liv Adamsen, du *New Jersey Inquirer*. J'espère que tout va bien pour vous et Myron, et les jumeaux, et je suis vraiment désolée de vous avoir laissée tomber comme ça, mais j'ai dû m'absenter quelques jours. On tient quand même à faire l'article, bien sûr, et quelqu'un d'autre va venir très bientôt pour prendre le relais. Je sais que c'est toujours prévu pour l'édition du week-end, si ça vous va. Alors, bon, je vous appellerai quand je rentrerai. À bientôt.

Elle raccrocha et franchit la deuxième arche.

Elle sortit de l'ombre, cligna des yeux dans la clarté soudaine – et s'arrêta net. Là, devant elle, tel un mur de ténèbres, se dressait la Citadelle. Ainsi vue de près, c'était un spectacle à la fois impressionnant et terrifiant. Elle leva les yeux vers le sommet, puis elle suivit du regard le trajet de la chute de son frère. Arrivée en bas, elle aperçut un attroupement près d'un muret de pierre. Une femme aux longs cheveux blonds et vêtue d'une jupe qui lui descendait jusqu'aux chevilles se tenait les bras écartés. Liv sentit comme des araignées de glace grimper dans son dos. L'espace d'un instant, elle avait cru voir le fantôme de son frère. La foule de touristes la bouscula et l'entraîna plus près du groupe, jusqu'à ce qu'elle commence à distinguer une symphonie de couleurs au centre. Un océan de fleurs déposées là par des étrangers, et on aurait dit qu'elles avaient poussé entre les dalles disjointes et fleuri en un hommage silencieux à l'homme qui s'était écrasé là. Liv les regarda et reconnut les significations secrètes cachées dans leurs couleurs et leurs formes : les narcisses jaunes pour le respect, les roses rouge foncé pour le deuil, le romarin pour le souvenir, le perce-neige pour l'espoir. Des cartes dépassaient çà et là, telles des voiles de bateaux à moitié enfoncées dans la mer.

Liv se baissa pour en prendre une et sentit un doigt glacé lui caresser la nuque quand elle vit ce qui y était écrit. Deux mots : MALA MARTYR, avec, au-dessus, remplissant le haut de la carte, un grand *T*.

— Mademoiselle Adamsen ?

Liv se retourna aussitôt en s'écartant instinctivement de la voix dont elle cherchait à repérer la source.

Une femme d'une cinquantaine d'années se tenait debout au-dessus d'elle. Elle portait un élégant tailleur-pantalon gris à rayures, plus foncé que ses cheveux impeccablement coupés court. La femme jeta un coup d'œil aux fleurs qui jonchaient le sol, puis elle se tourna de nouveau vers Liv.

— Professeur Anata ? fit celle-ci en se relevant pour la saluer.

La femme sourit en lui tendant la main.

— Mais comment avez-vous su que c'était moi ? demanda Liv en la lui serrant.

— J'arrive à l'instant d'un studio de télévision, dit la femme dans un murmure de conspirateur. Et vous, ma chère, vous êtes la vedette du jour.

Liv jeta un regard inquiet autour d'elle. L'attention des gens était divisée entre la montagne et le spectacle de la femme écartant les bras en silence. Personne ne semblait s'intéresser à elle.

— Si nous allions dans un endroit un peu plus tranquille ? proposa le professeur Anata en désignant les nombreuses terrasses de café un peu plus loin.

Liv jeta un dernier regard à tous ces témoignages marquant l'endroit où son frère était mort, puis elle hocha la tête et suivit Miriam.

La camionnette s'arrêta au pied de la muraille de la vieille ville, près de la porte Sud. Cornelius consulta l'écran. La flèche ne bougeait plus et pointait vers un endroit situé près des douves asséchées, sur l'ancienne berge. Cela faisait plusieurs minutes que la fille avait cessé de se déplacer.

Il descendit du côté passager en laissant la portière ouverte. Kutlar referma le notebook, qu'il tendit à Cornelius, puis il se glissa péniblement sur la banquette pour le rejoindre sur le trottoir. Il n'y avait pas bien haut à sauter, mais quand son pied entra en contact avec le pavé, ce fut comme si on venait à nouveau de lui tirer dessus. Il serra les dents, décidé à ne pas montrer sa faiblesse, mais il sentait la sueur couler sous sa chemise. Il se retint à la portière pour ne pas tomber, la tête baissée tandis qu'il s'efforçait de tendre la jambe. À la limite de son champ de vision, il vit le bout des chaussures de Cornelius pointant dans sa direction. Attendant. Cornelius ne pouvait rien faire sans lui.

Kutlar fouilla dans sa poche et en sortit le flacon de ces comprimés qu'il s'était refusés ces dernières heures. Il dévissa le couvercle, en versa quelques-uns dans la paume de sa main moite. L'étiquette indiquait qu'il ne devait en prendre qu'un toutes les quatre heures, mais il en avala deux d'un coup. Sans eau pour les faire passer, il faillit s'étrangler.

Il releva la tête et regarda la porte sud, un peu plus loin. La fille était quelque part là-bas, dans la vieille ville. Et comme il était le seul à savoir à quoi elle ressemblait, et que seuls les vélos étaient autorisés à rouler dans ces ruelles en pente, ils allaient devoir marcher. Il remit les cachets dans sa poche, lâcha la portière et commença à se diriger en boitillant vers les caisses situées à l'entrée. Le temps qu'il ait fait la moitié du chemin, il ne sentait déjà plus sa jambe.

92

Il y avait beaucoup de monde dans le café, bien qu'il fût à l'écart de la berge et loin du flot principal de touristes. Il était un peu moins couru que les autres car on ne pouvait pas voir la Citadelle depuis sa terrasse, mais Liv sentait toujours sa présence à travers le bâtiment de pierre qui la cachait. C'était comme une ombre solidifiée, ou un orage en approche. Elle était assise en face de la ruinologiste, tournant le dos à la foule, tandis qu'un jeune serveur vêtu d'un gilet noir et d'un tablier blanc prenait leur commande. Il en glissa le double sous le cendrier.

— Alors, dit Miriam une fois qu'il fut suffisamment éloigné, en quoi puis-je vous être utile ?

Liv posa son carnet sur la table. Elle tenait toujours à la main la carte qu'elle avait ramassée. Elle la retourna et relut les mots :

T
MALA
MARTYR

— Si vous commenciez par me dire ce que cela signifie ? dit-elle en la faisant glisser sur la table.

— D'accord, fit Miriam, mais il faut d'abord que vous me précisiez un point.

Elle posa un doigt sur le T.

— Vous m'avez dit avoir vu des marques sur le corps de votre frère. Est-ce que ce symbole en faisait partie ?

Liv revint à la première page et tourna son carnet pour montrer à Miriam le croquis qu'elle avait fait du corps de Samuel.

— Il était marqué au fer rouge sur son bras, dit-elle.

Miriam regarda le réseau de cicatrices, fascinée par leur terrible beauté. Elle referma rapidement le carnet quand le garçon réapparut et posa leurs boissons sur la nappe en papier.

— On l'appelle le Tau, dit-elle quand il se fut de nouveau éloigné. C'est un symbole ancien d'une très grande puissance, aussi vieux que cette terre qui a pris son nom.

Liv fronça les sourcils. Elle ne voyait pas très bien comment le mot « Tau » avait pu se transformer en « Turquie ».

— Je veux parler de la terre sur laquelle se dresse la Citadelle, expliqua le professeur Anata, qui avait remarqué sa perplexité.

Elle se tourna vers les cimes lointaines, tout juste visibles entre les bâtiments et dont la ligne déchiquetée formait comme une rangée de dents sur le fond d'azur.

— Le royaume du Tau.

Liv suivit son regard et se rappela la carte dans son guide, la chaîne de montagnes qui contournait la ville et s'étendait à travers le pays telle une épine dorsale.

— Les monts Taurus, dit-elle en accentuant la première syllabe, désormais lourde de signification.

Le professeur Anata acquiesça.

— Afin que vous compreniez bien l'importance du Tau et ce qu'il signifie ici, il faut que vous en sachiez un peu plus sur son histoire.

Elle se pencha vers Liv en croisant ses longs doigts chargés de bagues en argent par-dessus la blancheur immaculée de la nappe.

— Les premiers documents évoquant une présence humaine dans cette région décrivent une lutte entre deux tribus guerrières, chacune cherchant à acquérir la suprématie sur ces terres. L'une s'appelait les Yahweh. Ces hommes vivaient dans des grottes à mi-hauteur de la montagne, où l'on disait qu'ils protégeaient une relique sacrée qui leur conférait de grands pouvoirs. Même en ces temps préhistoriques, d'autres tribus les vénéraient, ou du moins les craignaient-elles suffisamment pour que leurs membres viennent ici en pèlerinage, apportant des offrandes de nourriture et de bétail aux dieux qui, selon leurs croyances, vivaient au cœur de la montagne.

«Avec le temps, une ville grandit et prospéra grâce aux pèlerins qui venaient apporter leurs offrandes à la montagne et profiter des eaux miraculeuses qui s'écoulaient du sol, et dont on disait qu'elles conféraient la santé et la longévité à ceux qui en buvaient. Une église ouverte à tous fut construite pour s'occuper des intérêts séculiers de la Citadelle et prêcher la parole de Dieu transmise depuis la montagne sous forme écrite. Dans ces documents, le nom de Dieu était écrit «YHWH», ce qui se traduit par Jéhovah ou Yahweh – le même nom que celui de la tribu. Ces écritures racontaient la façon dont le monde avait été créé et comment les hommes en étaient venus à l'habiter. Quiconque mettait en doute cette version officielle se voyait aussitôt traité d'hérétique et impitoyablement pourchassé par des prêtres-guerriers chevauchant sous une bannière portant le symbole de la divine autorité de la Citadelle.

Elle montra le signe du T.

—Le Tau. La seule vraie croix. Le symbole de la relique qui leur avait conféré leur pouvoir sur les autres à l'origine. Le symbole du Sacrement.

Cornelius s'arrêta juste avant de franchir l'arche menant à la grande place publique et ouvrit le notebook pour vérifier le signal. Sa flèche s'était rapprochée, et celle de la fille n'avait pas bougé.

Il jeta un coup d'œil par-dessus son épaule. Quelques mètres en arrière, Kutlar avançait péniblement dans la rue pentue, le devant de sa chemise trempé de sueur, utilisant la même méthode à chaque pas : sa jambe blessée se balançait lentement en avant, puis se posait doucement sur le sol, et la jambe valide la rejoignait aussitôt pour qu'elle supporte le moins de poids possible.

Cornelius avait l'intention de le tuer avec son pistolet muni d'un silencieux dès qu'il aurait identifié la fille, puis de le déposer sur un des bancs le long de la berge. Avec un peu de chance, cela rendrait la fille plus docile, suffisamment pour accepter de redescendre la colline sans résister, mais il avait aussi dans sa poche une seringue remplie de Haldol, si nécessaire. Il continua d'observer l'approche de métronome de Kutlar, attendit qu'il soit presque à sa hauteur pour regarder de nouveau son écran. La fille n'avait toujours pas bougé. Il referma le notebook, le mit dans sa poche et s'avança dans l'ombre de l'arcade.

93

Liv regardait le symbole du T – le Tau. Elle avait lu pas mal de choses sur le Sacrement pendant son voyage, sans se douter un instant qu'il puisse avoir un quelconque rapport avec la mort de son frère.

— Le fait que votre frère ait eu cette marque sur le bras signifie qu'il a eu connaissance du Sacrement, poursuivit la ruinologiste. Il a peut-être essayé de transmettre ce secret.

Liv se souvint de ce qu'Arkadian lui avait dit, en substance : résolvez le mystère du Sacrement, et vous résoudrez celui de la mort de Samuel. Elle releva les yeux vers le professeur Anata.

—Vous devez avoir votre propre idée de ce que pourrait être le Sacrement.

La ruinologiste secoua la tête.

—Chaque fois que je pense être sur le point d'aboutir à une conclusion, elle m'échappe toujours. Par contre, je peux vous dire ce qu'il n'est pas. Ce n'est pas la croix du Christ, comme certains l'imaginent. Comparé à l'ordre religieux qui vit dans cette montagne, le Christ est relativement récent. Ce n'est donc pas non plus sa couronne d'épines ni la lance qui lui a percé le flanc, pas davantage le Saint-Graal dans lequel il a bu. Ce sont là des mythes entretenus au fil des siècles par la Citadelle, des diversions permettant d'obscurcir la véritable identité du Sacrement.

—Mais alors, si personne ne l'a jamais vu, comment pouvons-nous être sûrs qu'il existe réellement ? demanda Liv.

—On ne peut pas bâtir la plus grande religion du monde sur une simple rumeur.

—Ah, vraiment ? Pourtant, si on y réfléchit un peu, voilà deux tribus préhistoriques qui se bagarrent, et pour l'emporter il y en a une qui s'installe dans la montagne et qui prétend avoir je ne sais quelle arme divine. Il y a peut-être une sécheresse ou une éclipse, et ils disent que c'est eux qui l'ont provoquée. Les gens se mettent à croire qu'ils ont un pouvoir, et les considèrent comme des dieux. Comme ça leur plaît bien, ils continuent leur bluff. Tant que personne ne découvre qu'il n'y a vraiment rien derrière, le bluff continue de marcher. Avançons de quelques milliers d'années, et les gens y croient encore. Seulement, entre-temps, une immense religion en est sortie.

Elle repensa à Samuel qui lui avait dit en la quittant qu'il voulait se rapprocher de Dieu.

— Et si mon frère a découvert ça, s'il a découvert que, après toutes les épreuves qu'il a traversées, la seule chose qui donnait un sens à sa vie, sa foi, était en fait construite sur rien…

Miriam vit des larmes dans les yeux de Liv.

— Mais il y a bien quelque chose là-haut, dit-elle. Quelque chose qui possède un pouvoir.

Elle prit sa bouteille d'eau et regarda l'image sur l'étiquette.

— Permettez-moi de vous poser une question, dit-elle en versant un peu d'eau dans son verre. Qu'attendez-vous de la vie ? Qu'est-ce que nous en attendons tous ? Nous voulons la santé, le bonheur et une longue vie, n'est-ce pas ? C'est le cas aujourd'hui comme cela l'a toujours été. Nos premiers ancêtres, ceux qui ont maîtrisé le feu et taillé des bâtons pour se protéger des bêtes sauvages, voulaient exactement la même chose. Et la montagne existait déjà à l'époque, ainsi que les saints hommes à l'intérieur. Et ces tribus primitives, qui voulaient simplement vivre un peu plus longtemps et ne pas tomber malades, les ont vénérés non pas à cause d'une rumeur ingénieuse, mais parce que les gens dans la montagne vivaient très longtemps, et que les maladies ne les affectaient pas. Dites-moi, quand vous pensez à Dieu, quelle image vous vient à l'esprit ?

Liv haussa les épaules.

— Un homme avec une longue barbe blanche.

— D'où croyez-vous que vient cette image ?

Miriam tourna la bouteille pour lui montrer l'image de la Citadelle sur l'étiquette.

— Dans les premiers temps, l'homme a levé les yeux vers cette montagne et y a aperçu parfois les dieux qui y habitaient : des hommes aux cheveux longs avec une longue barbe blanche. Des hommes très, très vieux, à une époque où l'on avait de la chance si on dépassait les trente ans.

Cette eau est exportée dans le monde entier, et ce depuis l'époque romaine, quand les empereurs en ont découvert l'existence. Vous croyez qu'ils lui faisaient faire tout ce chemin jusqu'à Rome simplement parce qu'elle avait bon goût ? Ils voulaient ce que tous les hommes ont toujours voulu, et les rois encore plus que les autres : ils voulaient vivre plus longtemps. Même aujourd'hui, un habitant de Ruine peut espérer vivre sept ans de plus en moyenne que dans n'importe quelle autre grande capitale, et des gens continuent d'y venir par milliers pour guérir de toutes sortes de maladies. Il ne s'agit pas là de rumeurs. Ce sont des faits. Alors, vous croyez toujours qu'il n'y a rien ?

Liv baissa les yeux vers le cendrier. Depuis qu'elle était à Ruine, son addiction à la nicotine, pourtant installée depuis dix ans, semblait s'être évaporée. Miriam avait raison, il devait y avoir quelque chose dans la montagne. Samuel ne l'aurait pas entraînée dans tout ça s'il n'y avait pas eu une raison. Et il n'aurait pas taillé ces symboles dans les pépins s'ils n'avaient pas eu une signification. La question était de savoir laquelle…

Elle tourna les pages de son carnet pour revenir à celle où elle avait recopié les lettres. Elle les regarda encore une fois. Et comme le soleil qui perce soudain les nuages, elle y découvrit quelque chose de nouveau.

Sous l'éclat du soleil de l'après-midi, Cornelius observait les groupes de touristes qui envahissaient la berge : les uns posaient pour des photos, d'autres étaient assemblés autour de leur guide. D'autres encore se contentaient de contempler la Citadelle, perdus dans leurs pensées. Il y avait beaucoup de jeunes femmes dont chacune aurait pu être celle qu'il cherchait. Il caressa distraitement les cicatrices sur sa joue en imaginant son ennemie. Pendant son séjour à l'hôpital, alors qu'il flottait dans un nuage de morphine en se remettant des greffes de peau qu'on lui avait faites, il avait souvent pensé à elle. Il la revoyait sans cesse, sortie de nulle part, portant un paquet de guenilles, le corps enveloppé d'une burqa qui ne laissait voir que ses yeux et ses mains. Parfois, c'était un paquet de journaux qu'elle tenait dans les mains, comme celui dans lequel sa mère l'avait enveloppé avant de le déposer devant la porte de l'orphelinat et d'aller se jeter sous le train express de Liverpool. Elle non plus, il n'avait jamais vu son visage. Mais il n'avait pas besoin de voir leur visage pour savoir ce qu'elles étaient. Des traîtresses. Toutes.

Derrière lui, la respiration hachée de Kutlar et sa démarche claudicante annoncèrent son arrivée. Cornelius glissa la main dans sa poche et la referma sur la crosse de son Glock.

— Alors, dit-il, c'est laquelle ?

Liv regarda les lettres telles qu'elle les avait recopiées dans leurs paires d'origine :

```
T a M + k
? s A a l
```

Puis elle les compara avec le texte de la carte qu'elle avait trouvée au milieu des fleurs :

T

MALA

MARTYR

Elle prit son stylo et écrivit le mot «Mala» dans son carnet, en barrant les lettres pour voir ce qui lui restait.

En supposant que le «T» soit le Tau, cela ne laissait plus que trois lettres – s, k et A – et les deux symboles – «+» et «?». Elle les examina un instant avant d'écrire un dernier mot et d'ajouter les deux symboles, et elle regarda le résultat :

T + ?

Ask Mala

La position des symboles sur la première ligne était plausible, tout comme le fait que chacun des deux mots au-dessous commençait par une majuscule. Était-ce le message que son frère avait voulu lui transmettre ? Il semblait avoir un sens. Le T était le Tau, le symbole du Sacrement, et le signe + pouvait représenter une croix. Le point d'interrogation symbolisait le mystère de son identité, laissant les deux derniers mots comme une instruction – «Ask Mala», «Demande à Mala».

— Qui est Mala ? fit Liv.

Miriam releva les yeux du carnet où elle avait lu les mots à mesure que Liv les inscrivait.

346

— Je vous ai dit qu'aux premiers temps il y avait deux tribus. L'une s'appelait Yahweh, les hommes de la montagne. L'autre était la tribu exilée qui pensait que les Yahweh avaient volé le Sacrement et que, en l'emprisonnant, ils avaient usurpé l'ordre naturel des choses. Ses membres estimaient qu'il leur fallait découvrir le Sacrement afin de le libérer – ils s'appelaient les Mala. Ils ont été persécutés par les Yahweh, leur peuple pourchassé et écrasé à cause de ses croyances. Mais ils ont préservé leur foi et une église secrète a grandi à l'ombre de la domination de la Citadelle. Quand les Yahweh conclurent leur marché avec les Romains afin de se transformer en religion d'État, ils avaient déjà instillé dans le langage le venin de leur haine envers cette tribu – en latin, *mala* est le pluriel de *malum*, qui signifie le Mal. Mais bien que la Citadelle les ait diabolisés et qu'elle ait brûlé leurs chapelles, bien qu'elle ait confisqué et détruit leurs textes sacrés, elle n'a jamais pu détruire leur esprit.

Liv se sentit frissonner.

— Ils existent toujours ? demanda-t-elle.

Miriam ouvrit la bouche pour répondre, mais elle leva soudain les yeux. Liv se retourna et vit la silhouette d'un homme à contre-jour. Ses yeux s'adaptèrent à la luminosité et elle vit ses traits prendre forme. D'abord les yeux, bleus et clairs, qui regardaient droit dans les siens. Elle sentit son cœur s'arrêter de battre un instant en le reconnaissant.

— Oui, dit Gabriel. Nous existons toujours.

95

De là où se tenait Kutlar, il pouvait voir toute la berge s'incurvant au pied de la montagne jusqu'à une rangée de bâtiments au loin qui proposaient toutes sortes de traitements thermaux miraculeux pour guérir et retrouver sa vigueur.

— Elle n'est pas là, dit-il.

Cornelius relâcha la crosse de son arme dans sa poche. Kutlar cherchait à gagner du temps, il en était sûr. Il ouvrit le notebook et examina le plan qu'il avait sous les yeux. Les deux flèches se recouvraient pratiquement au centre, pointant directement vers l'endroit où ils se trouvaient.

— Elle y est forcément.

Il prit son téléphone, y copia rapidement le numéro de Liv inscrit dans la fenêtre de recherche. Il appuya sur le bouton d'appel et écarta son appareil pour pouvoir plus facilement entendre le bruit d'une sonnerie. Il s'approcha de l'amoncellement de fleurs, en essayant de filtrer les murmures de la foule, et alors il entendit quelque chose, devant lui.

Il pencha la tête de côté et perçut un très léger mouvement quand le bruit se fit de nouveau entendre. On aurait dit le bourdonnement d'une abeille prise au piège au milieu des fleurs. Cornelius s'accroupit et passa la main dans les pétales. Il la referma sur le boîtier en plastique d'un téléphone qui vibra encore une fois. Il entendit dans son propre téléphone une voix de robot lui demandant de laisser un message. Il coupa la communication et parcourut le menu du téléphone de Liv pour regarder le journal des appels, le carnet d'adresses et les textos. Toutes les rubriques étaient vides.

Quelqu'un avait réinitialisé l'appareil avant de l'abandonner.

Miriam regarda le barbu s'éloigner rapidement du mémorial. Elle le vit s'arrêter près de la muraille et dire quelques mots à un autre homme avant de jeter un coup d'œil à ce qui ressemblait à un petit ordinateur portable. Gabriel ne s'était pas trompé. Ces types avaient suivi le signal de Liv.

Elle prit son téléphone dans sa poche et partit en direction des installations thermales, tournant le dos aux deux hommes. Elle éteignit son portable et pensa un instant le jeter dans l'une des poubelles le long du muret, mais elle le remit finalement dans sa poche et décida de quitter la ville pour quelques jours. Elle pourrait toujours s'en débarrasser plus tard – selon la tournure que prendraient les événements. Au moins, Liv était en sécurité maintenant. C'était le plus important.

La moto descendait par les étroites rues pavées en zigzaguant au milieu des touristes et des étals des marchands. Liv ne portait pas de casque et le vent faisait voler ses cheveux tandis qu'elle s'agrippait à Gabriel. Elle sentait ses muscles à travers ses vêtements, et elle crispait involontairement ses jambes contre lui chaque fois que la moto se cabrait et dérapait sur le revêtement irrégulier. Le puissant parfum qu'elle avait remarqué quand ils s'étaient rencontrés à l'aéroport l'enveloppait de nouveau. Maintenant qu'elle avait la tête à hauteur de ses larges épaules – elle luttait contre la tentation d'y poser la joue –, elle se rendait compte que ce n'était pas du tout une eau de toilette : c'était son odeur naturelle, et elle était délicieuse.

Elle ne savait pas du tout où ils allaient, ni comment elle pourrait contacter quelqu'un maintenant qu'elle n'avait plus de téléphone. Elle ne savait rien non plus de l'homme auquel elle s'accrochait. Pourtant, assez bizarrement, elle se sentait en sécurité pour la première fois depuis ces derniers jours. Il y avait quelque chose dans son attitude qui l'avait poussée à le suivre. Elle avait l'impression que tout ce qu'il lui demandait de faire allait dans son sens à elle et pas nécessairement dans le sien. Comme si son seul souci était sa sécurité à elle. Et il appartenait aux Mala. Et si ce que la ruinologiste lui avait appris était vrai, le moins qu'elle pouvait faire était d'avoir la foi et d'aller dans la direction que son frère lui avait indiquée.

Et de toute façon, pensa-t-elle alors que la moto franchissait la porte ouest et s'engageait dans le flot de voitures qui avançaient lentement sur le périphérique intérieur, *qu'est-ce que je pourrais faire d'autre ?*

96

Assis du côté passager dans une voiture de police banalisée, Arkadian regardait la file de voitures rouler au pas quand le standard répondit :

— Police centrale de Ruine.

— Pourriez-vous me passer le sous-inspecteur Sulley Mantus ? dit-il.

— C'est de la part de qui ?

— De l'inspecteur Arkadian.

Les *Quatre Saisons* de Vivaldi démarrèrent pour faire passer le temps. Quand l'opérateur revint en ligne, les voitures avaient réussi à avancer de trois ou quatre mètres.

— Désolé, il ne répond pas.

— Bon. Vous pouvez me basculer sur son portable ?

Cette fois, Arkadian se retrouva directement sur la messagerie.

Putain, mais où est-ce qu'il est passé ?

— C'est Arkadian, dit-il d'un ton agacé. Rappelez-moi immédiatement.

Il raccrocha et reporta son attention sur la rue embouteillée. Il avait essayé de joindre Sulley dès qu'il avait vu aux infos l'embuscade tendue par les journalistes à la sortie de la morgue, avec Sulley qui avait traîné Liv devant les caméras et l'avait pratiquement jetée dans la voiture comme si elle était un vulgaire suspect. Il allait lui passer un savon qu'il n'était pas près d'oublier. Sulley devait s'en douter, et c'était sans doute pour ça qu'il ne rappelait pas. Le téléphone vibra dans sa main et il l'ouvrit aussitôt.

— Sulley ?

— Non, c'est Reis. J'ai du nouveau pour vous.

Arkadian respira lentement pour essayer de se calmer.

— Une bonne nouvelle, j'espère ?

— Disons que c'est… intéressant. Je viens juste de passer au labo pour voir où on en était avec les empreintes génétiques du moine et de la fille. L'électrophorèse n'est pas terminée, mais j'ai quand même fait une fluorisation pour voir comment les chaînes se séparent.

— Je ne comprends pas un mot de ce que vous me racontez. Dites-moi simplement si elles se correspondent.

— Il y a encore un peu de chemin à faire pour les récupérer complètement, mais avec ce que je peux voir pour l'instant je dirais qu'elles font mieux que se correspondre : elles sont identiques. Et ça, c'est bizarre.

— Pourquoi ? Ça confirme son histoire, non ?

— Oui, c'est vrai, mais je m'attendais justement à ce que les résultats prouvent que la fille n'est *pas* la sœur du moine.

— Pourquoi ça ?

— Parce que, dans toute l'histoire médicale, il n'y a pas un seul exemple de jumeaux liés à la naissance qui soient de sexe différent. Génétiquement, ils doivent avoir le même sexe parce que, en fait, ils forment un seul et même individu.

— Alors, c'est impossible ?

Reis hésita un instant.

— Médicalement parlant, c'est très improbable.

— Mais pas impossible ?

— Non, pas impossible. On a beaucoup d'observations de caractéristiques sexuelles mixtes chez des individus, comme les hermaphrodites par exemple. Et compte tenu des aspects religieux de cette affaire, j'imagine que si on croit qu'une vierge peut avoir un enfant, ça laisse la porte ouverte à toutes sortes de…

— De miracles ?

— J'allais plutôt dire de « phénomènes inexpliqués ».

— Ce n'est pas la même chose ?

Reis ne répondit pas.

— Alors, d'après les résultats, vous pensez que la fille dit la vérité ?

Reis hésita encore, luttant contre le scepticisme naturel du scientifique.

— Oui, dit-il enfin, maintenant je la crois. Je n'y croyais pas avant d'avoir vu les résultats de l'ADN, mais c'est le genre de chose qu'on ne peut pas falsifier.

Arkadian sourit. Il était content d'avoir fait confiance à cette fille.

— Vous voulez bien me rendre un service ? dit-il. J'aimerais que vous ajoutiez tout ça au dossier, et je le lirai en détail quand je reviendrai au bureau.

— D'accord, pas de problème. Où êtes-vous pour l'instant ?

Arkadian regarda les voitures coincées dans les rues étroites menant au quartier des Jardins.

— Je continue de chercher le moine, dit-il. Cela dit, un mort marcherait plus vite que moi en ce moment. Comment ça va, de votre côté ? Les journalistes ont fini par se lasser ?

— Vous voulez rire ? Ils sont des centaines, maintenant. Vous devez avoir hâte de regarder les infos de six heures.

— C'est sûr, répondit Arkadian, soucieux.

Il imaginait déjà les gros titres : LE CORPS D'UN MOINE VOLÉ SOUS LE NEZ DE LA POLICE…

— Bon, à plus tard, Reis, conclut-il, en raccrochant avant que le médecin puisse ajouter quoi que ce soit.

Il se tourna vers le policier assis au volant.

— Je vais faire un peu de marche à pied, lui dit-il en détachant sa ceinture de sécurité. Vous avez l'adresse. Retrouvez-moi là-bas.

Il descendit de la voiture avant que le chauffeur ait eu le temps de répondre et commença à se faufiler entre les voitures, s'attirant un long coup de klaxon et un geste obscène de la part d'un conducteur de camionnette. Cela lui faisait du bien de marcher, ça le soulageait un peu de sa

353

frustration. Mais le silence prolongé de Sulley commençait à l'inquiéter. Il déroula la liste des appels reçus jusqu'à ce qu'il trouve le numéro de Liv. Il le composa et leva les yeux. Il aperçut au loin la mention *Rue de l'Exégèse*, sur un panneau indicateur qui semblait flotter dans la brume de chaleur et les vapeurs d'essence.

Il se dirigea vers le panneau en écoutant une voix de robot lui dire que la personne qu'il cherchait à contacter n'était pas disponible. Il fronça les sourcils. La dernière fois qu'il l'avait appelée, c'était la voix de Liv qui lui avait dit de laisser un message. Il fit un autre essai, obtint la même voix. C'était bien le numéro de Liv – mais ce n'était plus elle. Il raccrocha sans laisser de message.

La rue de l'Exégèse, beaucoup plus large que celles d'où il venait, était bordée de maisons autrefois prestigieuses mais qui n'abritaient plus que des bureaux derrière leurs façades noircies par la pollution et le temps. Il resta sur le trottoir à l'ombre jusqu'à ce qu'il trouve le numéro 38 gravé sur un pilier à côté d'une grande porte vitrée. Une plaque de cuivre fixée au-dessous arborait le nom ORTUS au-dessus d'un logo représentant une fleur à quatre pétales avec la Terre en son centre.

Il remit son téléphone dans sa poche et gravit les trois marches menant à la porte vitrée, d'une modernité incongrue dans cette entrée en pierre de taille. Il la poussa et entra.

97

Sulley revint lentement à lui.

Il avait l'impression de remonter doucement des profondeurs d'un lac sombre aux eaux huileuses. Il sut qu'il y avait quelque chose d'anormal avant même d'avoir ouvert les yeux. Il sentait autour de lui une odeur de fumée, d'humidité et de… ténèbres. Quand il essaya enfin d'ouvrir les yeux, il ne put soulever ses paupières lourdes. Il avait mal à la tête comme s'il avait passé son week-end à boire, mais il savait bien qu'il n'avait rien fait de tel – en tout cas, pas depuis un bout de temps. Il inspira profondément et cette odeur humide lui emplit les narines. En grognant comme un haltérophile, il rassembla son énergie pour ouvrir son œil gauche. Dans la demi-seconde qui s'écoula avant que sa paupière ne retombe, il eut le temps de voir qu'il se trouvait dans une sorte de grotte.

Épuisé par l'effort, il se reposa un instant pour essayer de clarifier ses idées et de comprendre ce qu'il venait de voir. Il tendit l'oreille, au cas où des bruits lui fourniraient un indice. Il n'entendit que le sang qui bruissait dans ses oreilles, comme un bruit de vagues s'abattant sur une plage de galets. Son rythme régulier l'apaisa et sa respiration se ralentit jusqu'à ce qu'il s'enfonce de nouveau dans le lac profond de l'inconscience, son esprit embrumé s'efforçant de comprendre comment diable il avait pu se retrouver dans une grotte au bord de la mer.

Quand il émergea de nouveau, le réveil fut brutal. Cette fois, il eut l'impression d'être suspendu à un piton planté à la base de sa nuque. Il voulut crier, ne put émettre qu'un miaulement plaintif. Il essaya de tourner la tête, mais il ne pouvait pas bouger. Il souleva ses paupières lourdes et ses yeux roulèrent doucement dans leur orbite à la recherche de la source de ses souffrances. Il put distinguer une paroi de roche grossièrement taillée éclairée par des torches, et le contour d'appareils à l'aspect menaçant se découpant dans l'ombre, mais il lui était impossible de voir ce qui le faisait souffrir ainsi. Ce fut cette impossibilité qui le terrifia plus que tout le reste, et qui lui fit reprendre connaissance plus vite que ne l'aurait fait un seau d'eau glacée.

La douleur commença enfin à s'atténuer, et un souvenir remonta des brumes de sa mémoire. Il se rappela être rentré dans la camionnette, s'être tourné pour attraper sa ceinture de sécurité et avoir ressenti alors une vive douleur dans la jambe droite. Il revit la seringue plantée dans sa cuisse, se souvint qu'il avait tenté de l'arracher avec des doigts qui ne lui obéissaient déjà plus. Après, plus rien.

Il baissa les yeux vers l'endroit où l'aiguille avait été plantée et essaya de le toucher, mais ses bras étaient immobilisés. Il essaya de baisser la tête, mais elle était immobilisée elle aussi. Il roula des yeux autant qu'il le pouvait, réussit à voir ses avant-bras solidement attachés par des lanières de cuir aux accoudoirs d'une espèce de fauteuil. Il vit aussi une autre chose, totalement surprenante et incongrue dans le cadre humide de cette grotte. Devant sa main droite se trouvait une petite table sur laquelle était posé un ordinateur relié par un câble à un téléphone portable. Il se crut un instant perdu dans un cauchemar surréaliste, mais la douleur dans sa nuque et quelque chose de chaud qui coulait dans son cou semblaient bien réels. Il essaya de bouger les pieds,

356

réalisa que ses jambes étaient elles aussi attachées au fauteuil. Il se débattit contre ses liens pour essayer de les détendre jusqu'à ce que l'aiguillon de douleur lui perce de nouveau la nuque. Il essaya de s'en écarter, mais les lanières posées en travers de son front et de sa gorge le maintenaient solidement en place. Il ne pouvait pas bouger. Il ne pouvait pas respirer. La douleur augmenta jusqu'à atteindre un niveau si insupportable qu'il crut que sa nuque allait se briser. Il resta ainsi pendant encore quelques instants, au maximum de la souffrance, avant que la douleur ne se relâche progressivement, lui accordant un répit infime mais bienvenu.

À travers le bruissement du sang dans sa tête, il entendit un frottement de pieds sur le sol derrière lui.

— Qui est là ? dit-il d'une voix rauque, sans pouvoir dissimuler sa peur.

Il sentit qu'on tirait sur sa main droite, et il constata qu'elle avait été libérée. Il essaya de la lever pour se frotter la nuque, mais son geste fut presque aussitôt arrêté dans un bruit métallique. Son poignet était enserré dans un épais bracelet de cuir relié à l'accoudoir par une courte chaîne. Il reposa sa main, guetta d'autres mouvements.

— Je suis inspecteur de police, lança-t-il dans les ténèbres, comme si ces mots pouvaient lui constituer une sorte de talisman protecteur.

La voix à son oreille était si proche qu'il gémit de surprise.

— Vous avez la couleur des traîtres. Judas n'était-il pas roux ?

Sulley tourna les yeux vers sa gauche, ne vit que les parois sombres et les lumières vacillantes.

— Vous êtes dans un fauteuil à garrot, poursuivit la voix grave émanant des ténèbres proches. L'une des principales armes utilisées pour extirper le cancer de l'hérésie pendant l'Inquisition. Il possède une pureté dans sa simplicité que vous apprécierez certainement. Un dispositif ingénieux est fixé au dossier juste à hauteur de votre nuque. Si je tourne cette vis dans un sens…

Sulley sentit de nouveau un aiguillon ardent lui vriller la nuque, et il poussa un gémissement.

— …l'étau se resserre et vous éprouvez une certaine douleur. Si je la tourne dans l'autre sens…

La douleur s'estompa.

— …vous êtes de nouveau soulagé. Et maintenant, fit la voix en s'approchant encore, que choisissez-vous ?

— Que me voulez-vous ? demanda Sulley aux ténèbres. Je peux vous donner de l'argent. C'est ça que vous voulez ?

— Tout ce que nous voulons, c'est votre loyauté. Et quelques informations. Sachez que si nous vous avons amené ici, ce n'est pas par plaisir mais par nécessité. Une nécessité qui résulte uniquement de vos actes. Nous vous avions demandé votre loyauté, et vous avez choisi de ne pas nous l'accorder. Vous avez trahi l'Église – et c'est un péché.

La voix s'approcha encore, si près que Sulley sentit le souffle de l'inconnu sur son oreille.

— Souhaitez-vous à présent vous confesser ?

Le cerveau de Sulley bourdonnait de douleur et d'indé-cision. Devait-il avouer qu'il avait vendu les informations à d'autres, ou au contraire le nier ? S'il le niait, il risquait de souffrir jusqu'à ce qu'il finisse de toute façon par le reconnaître. Il ne voulait pas que la douleur revienne.

— Je suis désolé, dit-il rapidement. J'ai commis une erreur. Si c'est un péché… alors, je vous en supplie, pardonnez-moi.

— Levez votre main droite, ordonna la voix.

Il la leva autant qu'il le pouvait.

— Cette chaîne s'appelle la *mea culpa*, dit la voix dans le noir. Elle permettait aux hérétiques de signer leur confession à la fin de leur inquisition. *Mea culpa* signifie « ma faute ». Reconnaître sa faute est le premier pas vers l'absolution. Savez-vous quel est le deuxième ?

— Non, fit Sulley d'une voix teintée de peur et de douleur.

— L'expiation. Vous devez accomplir une bonne action afin d'expier votre péché.

Sulley respira rapidement en essayant de maîtriser la panique qui menaçait de l'engloutir, mais il savait reconnaître quand on lui proposait un marché.

— Très bien, dit-il. Dites-moi ce que je dois faire.

98

Arkadian sortit son badge en s'approchant de l'accueil.

— Je cherche Gabriel Mann, dit-il avec un sourire rassurant. Est-ce qu'il travaille ici ?

— Oh, fit la réceptionniste, bouche bée, en regardant le badge.

Puis elle leva les yeux avec l'air coupable et gêné des gens réellement innocents.

— Oui, enfin… non, pas d'habitude. C'est-à-dire, il est généralement en déplacement, mais il travaille effectivement dans notre organisation. Je vais me renseigner pour savoir où il est.

Elle composa un numéro et parla à voix basse. Derrière elle, un élégant escalier en spirale permettait d'accéder au premier étage, d'où descendaient des bruits de conversation. La réceptionniste raccrocha et se tourna vers Arkadian.

— Il est au Soudan, dit-elle. Il ne devrait pas être de retour avant au moins un mois.

Arkadian hocha la tête, en repensant à l'empreinte digitale qui indiquait que ledit Gabriel effectuait une visite impromptue à la morgue municipale deux heures plus tôt.

— Je peux essayer de vous trouver un numéro où le contacter, si vous voulez, proposa la jeune femme. Il y a probablement une ligne téléphonique dans le camp de base, ou peut-être un portable avec une liaison par satellite. J'ai essayé de joindre sa mère pour savoir si elle lui a parlé. Elle dirige l'organisation, expliqua-t-elle.

— Est-ce que vous avez son numéro à elle ? Ou une idée de quand elle doit revenir ?

— Pas de problème, fit la jeune femme en prenant un stylo pour recopier un numéro sur un bout de papier. Tenez, c'est son portable. Je pensais qu'elle serait maintenant rentrée de l'aéroport. Je peux lui demander de vous appeler.

— Non, ce n'est pas la peine. Je l'appellerai moi-même. De quel aéroport s'agit-il ?

— Celui de la ville. C'est là que nous recevons toutes nos livraisons par avion.

Arkadian hocha la tête.

— Merci pour votre aide, dit-il en souriant.

Il fit demi-tour et poussa de nouveau la lourde porte vitrée. La voiture de police l'attendait dans la rue.

99

L'Abbé regarda la main tremblante de l'informateur se déplacer sur le clavier. La courte chaîne cliquetait tandis qu'il tapait une séquence de codes d'accès à distance. La connexion Internet à travers le téléphone portable était lente, et il lui fallut de longues minutes avant de pouvoir enfin ouvrir le dossier du moine.

— J'y suis, annonça-t-il aux ténèbres.

La sueur coulait du bout de son nez malgré le froid qui régnait dans la grotte.

— Quelque chose a-t-il été ajouté ? demanda l'Abbé en se penchant vers l'écran.

La chaîne se tendit quand la main aux taches de rousseur tapa encore quelques codes pour accéder à un compte e-mail. Une fenêtre apparut et l'informateur ouvrit un message envoyé par un certain Gargouille. Il contenait un seul mot : *Rouge*.

— Regardez ce qui est surligné en rouge, expliqua l'informateur d'une voix chevrotante. C'est tout ce qui a été ajouté.

Il effaça le message et ouvrit le dossier du moine, puis il en fit défiler les pages. L'Abbé regardait l'écran afficher les détails de choses que personne en dehors de la Citadelle n'aurait jamais dû voir. Il en était malade, à l'idée de tous ces regards avides qui s'étaient posés sur ces pages pour s'en repaître, comme des fourmis peuvent ronger les chairs sur un os. C'était une brève transcription de la conversation que Liv avait eue avec Arkadian, où elle racontait l'étrange histoire de sa naissance et pourquoi elle avait un nom et une date de naissance différents de ceux de son frère. L'Abbé la parcourut en hochant la tête.

C'était l'explication du mystère. Voilà pourquoi l'enquête sur le passé de Samuel avant son admission dans la Citadelle n'avait pas révélé l'existence d'une sœur.

L'Abbé contempla un instant l'écran rouge, le cerveau bourdonnant des constats et des déductions du médecin légiste. Ils étaient pareils. Non seulement frère Samuel avait une sœur, mais c'étaient de *vrais* jumeaux.

Cette information éclairait tout. La prophétie était véridique. Samuel avait été effectivement la croix. Mais il était tombé, et la fille s'était maintenant relevée à sa place : elle était la chair de sa chair, les os de ses os. La même.

C'était *elle* à présent qui était la croix.

C'était *elle* l'instrument qui permettrait de tuer le Sacrement et de débarrasser le monde de son hérésie. Elle était la clé de tout.

— Détruisez le fichier, dit-il. Copiez-le d'abord sur le disque dur, et effacez-le ensuite des bases de données de la police.

L'informateur hésita un instant, manifestement peu enclin à commettre un tel acte de vandalisme. L'Abbé posa doucement la main sur la vis de serrage, et la seule vibration suffit à envoyer une décharge dans la nuque de sa victime, qui obéit aussitôt en transmettant un virus sur le serveur de la police qui effacerait le contenu du dossier avant de s'autodétruire.

L'Abbé jeta un coup d'œil au téléphone portable relié à l'ordinateur. À la lumière de cette nouvelle information, il allait devoir prévenir Cornelius qu'il devait ramener rapidement la fille sans lui faire de mal. Il pourrait alors s'en servir pour accomplir la prophétie et tenir une promesse faite à Dieu depuis des millénaires. Il comprenait maintenant que c'était son destin. C'était dans ce but qu'il était né. Il repensa au Prélat allongé dans le noir, s'inquiétant de ce que Dieu pensait de l'œuvre qu'il avait accomplie, et il en ressentit de la pitié. Brièvement. Lui-même ne passerait pas les derniers jours de sa vie à regretter les occasions manquées. Alors que le Prélat lui avait ordonné de ne rien faire, il avait eu le courage d'écouter son cœur et d'entreprendre les actions nécessaires. Et le résultat était là.

Il revit la scène, le Prélat se détournant de lui en agitant sa main squelettique pour repousser sa demande d'agir. Le Prélat était faible mais têtu, et cet entêtement avait failli leur coûter cette chance d'être enfin délivrés.

Mais il était encore le maître.

L'Abbé réfléchit à cet aspect. La faiblesse du Prélat et sa réticence à agir pouvaient encore l'empêcher d'accomplir sa destinée. C'était une chose d'aller contre les instructions du Prélat dans le monde extérieur, mais à l'intérieur de la Citadelle son influence était beaucoup plus grande : les gens respectaient la fonction, sinon l'homme. Le Prélat pouvait encore l'empêcher d'agir. Pire encore, il pourrait agir à sa place. Il pourrait se lever de son lit et réaliser la séquence prophétique, le dernier acte d'un homme cherchant désespérément à conclure sa longue existence vide par quelque chose qui ait vraiment un sens. Et une fois la prophétie accomplie, que se passerait-il ? Assumeraient-ils le pouvoir du Sacrement, comme le pensaient de nombreux théologiens ? Obtiendraient-ils l'immortalité permanente, au lieu de n'en avoir qu'un avant-goût ? Si c'était le cas, le Prélat vivrait éternellement et l'Abbé resterait à jamais son adjoint.

L'Abbé releva la tête, soudain conscient du silence. Sur l'écran, la barre d'avancement atteignit cent pour cent et disparut.

— Tout a été effacé ? demanda-t-il.

— Oui, répondit l'informateur. Il n'y a plus rien.

— Très bien, dit l'Abbé en posant les deux mains sur la vis.

Le Prélat était un problème. Il pouvait encore tout gâcher.

— Tabula Rasa, chuchota-t-il.

Et il commença à tourner.

V

Tu ne souffriras point que vive la sorcière.

Exode, 22,18

100

Le crépuscule commençait à tomber quand la moto franchit le poste de sécurité et longea une série d'entrepôts silencieux pour se diriger vers le gros avion-cargo stationné devant le hangar numéro 12.

Liv n'arrivait toujours pas à croire que le garde ait pu la laisser passer sans contrôler son identité. Dans son pays, les mesures de sécurité n'étaient pas aussi relâchées que ça – du moins l'espérait-elle… Gabriel avait simplement dit au gardien qu'il avait besoin de déposer quelque chose au hangar, et il avait présenté Liv comme étant sa petite amie. Elle ne l'avait pas contredit. En fait, ça lui avait fait plutôt plaisir.

Ils passèrent sous l'aile de l'avion, pénétrèrent dans le bâtiment. Dans cet espace clos, le bruit du moteur se fit soudain assourdissant. Des caisses argentées y étaient empilées, et l'intervalle entre les rangées était tout juste suffisant pour laisser passer la moto. Ils se dirigèrent vers le fond du hangar, où une chaude lumière brillait derrière les fenêtres d'un bureau. Gabriel s'arrêta devant et coupa le moteur.

—Terminus, dit-il, tout le monde descend.

Liv lâcha sa taille et se glissa à bas de la selle. Elle essayait de recoiffer ses cheveux ébouriffés par le vent quand la porte du bureau s'ouvrit et une femme remarquablement élégante en sortit, suivie d'un homme plus âgé vêtu d'une combinaison de pilote. À peine si la femme regarda Liv. Elle s'approcha de Gabriel et le prit dans ses bras en fermant les yeux, ses longs cheveux brun soyeux tombant sur sa poitrine. Liv fut interloquée et éprouva soudain une étonnante pointe de jalousie. Elle détourna les yeux et vit devant elle le visage attentif du vieil homme.

— Je m'appelle Oscar de la Cruz, dit-il d'une voix chaude en reculant à l'intérieur du bureau. Je vous en prie, entrez.

Elle jeta un coup d'œil par-dessus son épaule, vers la femme élégante qui tenait toujours Gabriel dans ses bras, puis elle suivit Oscar. Il faisait bon dans le bureau, après la fraîcheur du trajet à moto, et l'odeur de café ainsi que le murmure d'un poste de télévision étaient réconfortants.

— Que diriez-vous d'un café ? demanda Oscar dont les yeux noirs pétillaient au milieu de son visage hâlé. Ou… peut-être quelque chose d'un peu plus fort ?

Il jeta un bref coup d'œil vers la porte.

— Strictement entre nous, ajouta-t-il, j'ai une flasque de whisky dans la poche de ma veste.

— Du café, ce sera très bien, dit Liv en s'asseyant sur une chaise près d'un bureau où étaient posés une pile de documents et un ordinateur.

Elle tourna légèrement la tête quand Gabriel entra. Il tenait la jolie femme par la taille, la tête penchée vers elle, et lui parlait rapidement à voix basse d'un air profondément concentré. La femme referma la porte quand Gabriel eut fini, puis elle alla s'asseoir de l'autre côté du bureau, face à Liv.

— Je suis heureuse que vous soyez ici en sécurité avec nous, dit-elle avec un sourire qui adoucit ses traits. Je suis Kathryn. C'est moi qui vous ai envoyé ces messages de mise en garde. Mon fils vient juste de me mettre au courant de ce qui s'est passé.

Liv jeta un bref coup d'œil vers Gabriel.

Son fils ?!

Gabriel approcha deux chaises et s'assit sur l'une d'elles en posant son grand sac noir par terre. Maintenant qu'ils étaient côte à côte, Liv remarqua une forte ressemblance – mais cette femme ne semblait pas en âge d'être sa mère. Gabriel sortit un objet du sac : c'était le sac de voyage de Liv. Elle sourit, pleine de reconnaissance pour cet acte simple mais tellement attentionné. Elle avait l'impression de revenir à la normalité. Elle trouva l'enveloppe dans la poche extérieure et en sortit le paquet de photos. Celle du dessus la montrait avec Samuel.

— Mes sincères condoléances, dit Kathryn. Et je suis désolée de toutes ces épreuves que vous avez dû subir depuis que vous avez appris la mort de votre frère. Pour rien au monde je n'aurais voulu que vous soyez mêlée à notre combat immémorial, mais le destin en a décidé autrement.

Oscar apparut et posa un mug de café sur la table devant Liv avant de s'asseoir à son tour. En le voyant à côté de Kathryn et Gabriel, Liv constata qu'il leur ressemblait aussi.

— Votre frère appartenait à une très ancienne confrérie de moines, dit-il en se penchant vers elle. Leur seul but est de garder et de protéger le Sacrement. Nous pensons que sa mort était un acte d'abnégation suprême, et qu'il s'est sacrifié afin de transmettre un message révélant l'identité du Sacrement.

Il fixa Liv de ses yeux pénétrants. Les rides profondes qui les entouraient attestaient d'une longue existence où le rire avait largement eu sa place.

—Nous pensons que ce message vous est destiné, conclut-il.

Liv le regarda un long moment avant de prendre son carnet et de le poser sur le bureau. Elle l'ouvrit à la deuxième page, là où elle avait recopié les symboles inscrits sur les pépins.

—Voici ce qu'il m'a envoyé, dit-elle en le tournant vers eux. J'ai commencé par regrouper les lettres dans tous les sens pour tenter de comprendre ce qu'elles signifiaient, jusqu'à ce que je rencontre le professeur Anata et que je trouve ceci à l'endroit où mon frère est tombé.

Elle sortit la carte glissée entre deux feuillets et leur montra le mystérieux message :

T

MALA

MARTYR

—C'est ce qui m'a permis de réorganiser les lettres ainsi… poursuivit-elle en leur montrant ce qu'elle avait écrit au bas de la page :

$\underline{T} + \underline{?}$

Ask Mala

—Et c'est à ce moment-là que vous êtes arrivé, dit-elle en levant les yeux vers Gabriel.

Elle s'aperçut qu'il la regardait. Il eut un petit sourire qu'on voyait même dans ses yeux. Elle se sentit rougir.

—Ainsi donc, fit-elle en se tournant vers le vieil homme, vous êtes les Mala, et je suis censée vous poser la question : qu'est-ce que ce «T» ?

Une lueur de tristesse et de lassitude apparut dans les yeux d'Oscar.

— Il nous a appartenu autrefois, dit-il, et on l'appelle parfois le T des Mala. Mais quant à dire de quoi il s'agit… je dois avouer que nous l'ignorons.

Liv le regarda un instant sans rien dire. Elle n'était pas sûre d'avoir bien entendu.

— Mais vous devez forcément le savoir, insista-t-elle. Mon frère a sacrifié sa vie pour ça. Pourquoi m'aurait-il envoyée à vous s'il ne vous croyait pas à même de m'aider ?

Oscar secoua la tête.

— Ce n'est peut-être pas ça le message.

Liv relut la phrase au bas de la page. Elle avait essayé toutes les combinaisons possibles, et c'était la seule qui ait un sens. Elle revint à la première page de son bloc.

— Regardez ça, dit-elle en montrant, sur le dessin du corps de son frère, le T dessiné sur le bras. Il portait le même signe brûlé au fer rouge, ainsi que toutes ces autres cicatrices. C'est peut-être là que se trouve le message ?

Un bruit de tissu déchiré lui fit lever les yeux.

— Non, ces cicatrices ne constituent pas le message, dit Oscar en tirant sur un autre Velcro de sa combinaison. Ce ne sont que les marques distinctives d'un statut. Elles font partie du rituel associé au Sacrement, mais elles n'en révèlent pas la nature.

Il dégagea les bras de sa combinaison verte et l'abaissa jusqu'à la taille, révélant le pull à col roulé qu'il portait au-dessous, puis il se mit torse nu. Liv vit que sa peau couleur acajou était sillonnée de vieilles cicatrices au dessin familier. Toutes précises. Toutes délibérées. Toutes identiques à celles qu'elle avait vues sur le corps de son frère.

101

On entendait encore le faible écho de la cloche de l'angélus dans les sombres couloirs de la Citadelle quand le père Thomas franchit le sas d'accès à la grande bibliothèque. La sonnerie marquait la fin des vêpres et le début du souper. La plupart des habitants de la Citadelle se rendaient en ce moment au réfectoire pour leur repas du soir. Thomas ne s'attendait pas à rencontrer grand monde dans la bibliothèque.

La deuxième porte glissa sur le côté et il s'avança dans le vestibule. Il aperçut quelques cercles de lumière au milieu des ténèbres, permettant de distinguer la forme sombre d'un moine au centre de chacun d'eux. C'étaient essentiellement des manteaux noirs, des bibliothécaires occupés à remettre un peu d'ordre après une longue journée d'étude. Il repéra le père Malachi, le bibliothécaire en chef, assis près de l'accès aux salles principales. Celui-ci leva les yeux quand Thomas entra et se leva aussitôt de sa chaise. Thomas avait beau s'être attendu à ce qu'il soit là, il sentit cependant la peur lui serrer la poitrine en le voyant s'approcher de lui, le visage grave. Thomas n'était pas habitué à garder des secrets. Ce n'était pas dans sa nature.

— Père Thomas, dit Malachi à voix basse en se penchant vers lui. J'ai retiré les parchemins et tablettes de la section préhistorique, comme vous me l'avez demandé.

— Ah, très bien, fit Thomas, qui avait peine à dissimuler la tension dans sa voix.

— Puis-je vous demander la raison de cette opération ?

—Oui, bien sûr, répondit Thomas en s'efforçant de parler à voix basse. Les capteurs ont enregistré quelques pics d'humidité anormaux dans cette partie de la grotte. J'ai circonscrit la source à une zone particulière, et j'ai besoin de pouvoir accéder librement aux étagères pour vérifier l'isolation et effectuer quelques diagnostics sur les systèmes de climatisation.

Il vit le regard de Malachi devenir vitreux. Pour le bibliothécaire, l'invention de l'imprimerie était le summum de la complexité technologique. Il était totalement dépassé par tout ce qui était venu ensuite.

—Ah, je vois, dit-il. Prévenez-moi quand vous aurez terminé votre travail afin que je puisse remettre les documents en place.

—Naturellement, fit Thomas. Cela ne devrait pas être très long. Je vais m'occuper maintenant de lancer les diagnostics…

Il s'inclina légèrement, puis il fit demi-tour et se dirigea avec autant de nonchalance que son cœur battant à se rompre le lui permettait vers une petite porte en face de l'entrée. Il l'ouvrit et put respirer un peu mieux une fois qu'il l'eut franchie.

Il se trouvait maintenant dans une petite pièce comportant un bureau et un terminal informatique. Un homme vêtu de la soutane rouge foncé des gardes leva les yeux.

—Bonsoir, frère, dit aimablement Thomas en passant devant lui pour rejoindre une porte à l'autre bout. Tout va bien ? Pas de problèmes particuliers ?

Le garde secoua lentement la tête. Il mâchonnait un morceau de pain que quelqu'un lui avait apporté.

—Parfait, dit Thomas en atteignant la porte et en tapant un code d'accès. Je viens simplement faire quelques vérifications sur la matrice d'éclairage. J'ai noté de légers décalages sur quelques-unes des lumières suiveuses. Votre terminal pourrait se déconnecter un instant, ajouta-t-il en désignant l'appareil sur le bureau du garde. Cela ne devrait pas durer bien longtemps.

Il tourna la poignée de la porte et disparut dans la pièce suivante sans attendre de réponse.

Ici, l'air était frais et résonnait du bourdonnement d'une batterie d'équipements électroniques. Chaque mur était couvert d'étagères métalliques contenant le cerveau du système d'éclairage de la bibliothèque, de la climatisation et des systèmes de sécurité. Thomas s'engagea dans le couloir de câbles et de circuits refroidis pour atteindre le poste de travail installé contre un mur.

Il ouvrit une session en tapant son mot de passe administrateur, et un plan de la bibliothèque s'afficha sur le moniteur. De petites taches tremblaient sur l'écran, tels des grains de pollen lumineux en suspension. Chacune représentait les déplacements d'un individu. Thomas déplaça le curseur sur l'une de ces taches et une fenêtre s'ouvrit à côté pour l'identifier : il s'agissait de frère Barrabas, l'un des bibliothécaires. Il recommença le processus sur les autres taches jusqu'à ce qu'il trouve la personne qu'il cherchait, se déplaçant apparemment au hasard au centre de la caverne des textes romains. Il jeta un coup d'œil inquiet vers la porte, bien qu'il sût que le garde ne disposait pas du code nécessaire pour entrer ici. Rassuré, il appuya simultanément sur trois touches pour ouvrir une fenêtre de commandes et lança un petit programme qu'il avait écrit un peu plus tôt à partir d'un terminal distant. L'écran se figea brièvement à l'initialisation du logiciel, puis toutes les petites taches recommencèrent à se déplacer comme avant sur le fond noir de l'écran.

C'était fait.

Thomas sentit des gouttes de sueur perler sur son crâne malgré la fraîcheur qui régnait dans la salle des machines. Il respira lentement pour recouvrer son calme, puis il referma la fenêtre de commandes et quitta la pièce.

— Vous êtes toujours connecté ? demanda-t-il en se penchant pour voir l'écran du garde.

Celui-ci hocha simplement la tête. Il avait la bouche trop pleine de pain et de fromage pour pouvoir répondre.

— Très bien, fit Thomas en tournant aussitôt les talons pour traverser rapidement la pièce jusqu'à la grande entrée afin d'éviter d'éventuelles discussions ou questions.

En sortant, il repéra Athanase dans le couloir menant aux textes plus anciens. Celui-ci était en train de consulter un plan fixé au mur et suivait du doigt d'un air concentré le dédale des couloirs. Le père Thomas le rejoignit et fit semblant d'examiner lui aussi le plan.

— Il est dans la section romaine, dit-il à voix basse.

Puis il se retourna et s'éloigna.

Athanase attendit encore quelques secondes avant de le suivre, les yeux fixés sur le halo de lumière de son ami s'enfonçant dans les ténèbres immenses de la grande bibliothèque de Ruine.

102

Médusée, Liv regardait le réseau de cicatrices sur le corps tanné du vieil homme. Elle releva les yeux et fronça les sourcils en une question muette.

— J'ai vécu quatre ans dans la Citadelle, expliqua Oscar. Il était prévu que je sois ordonné au sein des Sancti quand j'ai été… découvert.

Liv secoua la tête en repensant à ce qu'elle avait lu pendant son voyage.

— Mais je croyais que personne ne pouvait sortir de la Citadelle ?

— Oh, certains y sont parvenus. Mais jamais pour très longtemps. Ils ont toujours été impitoyablement traqués et réduits au silence.

Un sourire lui creusa les rides du visage tandis qu'il pliait soigneusement son pull et le posait sur ses genoux.

— Ce que vous avez devant vous, dit-il, c'est un homme mort. Connaissez-vous l'histoire du cheval de Troie ?

— Oui, fit Liv. L'exemple classique de la façon de mettre fin à un siège.

— Exactement. Tout comme les Grecs excédés devant les portes de Troie, mon peuple a finalement décidé de recourir à la ruse plutôt qu'à la force pour tenter de s'introduire dans la forteresse impénétrable, et de reprendre le mandat divin du Sacrement. Il a mis au point son propre cheval de Troie.

— C'était vous ?

— Oui. Ils m'ont trouvé dans un orphelinat au début du siècle dernier. Pas de parents. Pas de frères ni de sœurs.

Aucune relation d'aucune sorte. Le profil parfait pour être candidat à la confrérie. Je suis entré dans la Citadelle quand j'ai eu quatorze ans, pour une mission secrète : découvrir l'identité du Sacrement et m'échapper de la montagne en emportant cette information.

Il m'a fallu trois ans pour commencer même à m'en approcher. J'ai passé la plus grande partie de ce temps à travailler au milieu de l'immense collection de textes qu'ils gardent jalousement dans leur bibliothèque. J'étais chargé de trier les caisses de nouvelles acquisitions. Un jour – j'étais là depuis deux ans –, une caisse est arrivée remplie de reliques provenant de fouilles archéologiques sur le site de l'antique Ninive. La documentation qui les accompagnait faisait mention d'un livre interdit, peut-être lié au Sacrement. J'y ai trouvé des centaines de fragments d'ardoise. J'ai réussi à subtiliser l'un des plus grands avant que le bibliothécaire ne remarque ce que la caisse contenait et ne m'affecte à une autre tâche.

Une fois retiré dans ma cellule, j'ai examiné ce fragment, mais il était écrit dans un langage que je ne connaissais pas. J'ai donc entrepris de l'apprendre. Au contact des moines plus âgés que j'aidais, j'acquérais des techniques et des connaissances qui allaient m'aider à déchiffrer ce texte, tout en continuant d'examiner les nouvelles acquisitions à la recherche d'un élément qui me permettrait de percer le mystère du Sacrement. Finalement, le destin m'a guidé vers un chemin plus direct. Mon enthousiasme et ma soif d'apprendre ont été remarqués, et j'ai été retenu pour entrer dans le noviciat de l'ordre le plus élevé au sein de la Citadelle : les Sanctus Custodis Deus Specialis, les Gardiens du Saint Secret de Dieu, les seuls à connaître l'identité du Sacrement.

Liv regarda de nouveau les cicatrices, les mêmes que celles de son frère.

— D'où viennent ces marques ? demanda-t-elle.

— La préparation comporte entre autres une cérémonie qui se déroule une fois par mois dans une antichambre située dans les hauteurs de la montagne et dont l'accès est sévèrement restreint. Chaque novice se voit remettre un Tau en bois dans lequel est cachée une dague sacrificielle. Nous étions censés nous couper profondément, dit-il en passant lentement le doigt sur la cicatrice en haut de son bras gauche. De profondes entailles pour symboliser la profondeur de notre dévotion. Un acte de foi régulier – toujours récompensé par un miracle.

Son doigt passa de l'autre côté de sa poitrine, poursuivant son chemin du souvenir le long de ces lignes de souffrance ancienne.

— Car en fait, quelle que fût la profondeur de nos blessures, elles guérissaient presque aussitôt.

Il leva les yeux vers Liv.

— La proximité avec le Sacrement est récompensée par une santé robuste et une grande longévité. J'ai presque cent six ans, et j'ai pourtant la vigueur d'un homme de soixante. Si votre frère avait survécu, il aurait pu jouir d'une longue existence, car il a été préparé pour l'initiation comme je l'ai été avant lui.

Il tapa sur quelques touches du clavier et une image familière remplaça le fond d'écran. C'était l'une des photos prises lors de l'autopsie, montrant la marque au fer rouge sur le bras gauche de Samuel – le signe du Tau.

— Votre frère est allé plus loin que moi, dit Oscar en désignant l'écran. Il porte le symbole du Sacrement. Et comme vous pouvez le constater, ajouta-t-il en se tournant pour montrer son bras nu, ce n'est pas mon cas. Seuls ceux qui ont été pleinement ordonnés reçoivent cette marque. Il connaissait le secret.

Les larmes montèrent aux yeux de Liv et sa vision se brouilla.

—Que s'est-il passé ensuite ? demanda-t-elle. Comment se fait-il que vous ne l'ayez pas découvert, vous aussi ?

—Nous n'étions pas les seuls à avoir lu notre histoire, dit Oscar en remettant son pull-over. Les Sancti avaient eux aussi infiltré quelqu'un dans notre organisation, et ils ont appris mon existence. Heureusement, ils n'ont pas pu découvrir mon identité.

Il abaissa les manches de son pull et en ajusta le col pour cacher toutes ses cicatrices.

—Il y a eu une véritable chasse aux sorcières dans la Citadelle pour tenter de me trouver. Les moines ont commencé à se lancer des accusations à la tête, souvent dans le seul but de régler de vieux comptes. C'était insupportable. Sachant que le temps m'était compté, j'ai pris des risques, et j'ai été imprudent. Un novice du nom de Tiberius m'a vu glisser un fragment d'ardoise dans ma poche. Quand il s'est retourné pour sortir de la bibliothèque, j'ai su aussitôt qu'il allait me trahir, bien que nous fussions amis. J'ai donc déclenché un feu dans la bibliothèque et j'ai profité de la fumée et de la panique pour couvrir mon évasion. J'ai couru jusqu'à la partie basse de la montagne, j'ai brisé une fenêtre avec un banc et j'ai plongé dans le vide de la nuit. J'ai fait une chute de trente mètres jusqu'aux douves, que j'ai franchies à la nage avec toute l'énergie du désespoir. À l'époque, le monde était en guerre. C'était en juillet 1918. Pour couvrir mes traces, on a semé des indices fabriqués de toutes pièces pour créer une fausse piste menant aux tranchées de Belgique, et on a échangé mon identité avec celle d'un malheureux qui avait été déchiqueté par un obus. Les chevaliers du Sacrement – les Carmina – ont suivi la piste, ils ont trouvé le cadavre, et ils sont retournés à la Citadelle, convaincus que mon évasion réussie n'avait fait que me jeter dans les bras de la mort. Pendant ce temps, on m'a transporté au Brésil. C'est là que j'ai vécu depuis, dans le plus grand secret.

— Mais pourquoi revenir maintenant ? demanda Liv. Qu'y a-t-il de si important dans la mort de mon frère qui vous amène à sortir de votre cachette, et qui pousse des gens à vouloir me tuer ?

— Parce que, quand je me suis échappé, j'ai emporté avec moi ce fragment d'ardoise que j'avais volé, ainsi que les connaissances nécessaires pour le traduire. Il révélait les premières lignes d'une prophétie parlant du jour où le Sacrement serait révélé et où l'ordre légitime serait restauré : « La croix tombera / La croix se relèvera / Pour ouvrir le Sacrement / Instaurant un nouvel âge. »

« Ce texte nous a redonné l'espoir. Ensuite, il y a vingt ans de cela, une autre partie de la prophétie a été découverte, par un homme qui s'appelait John Mann.

Il regarda Kathryn, dont les yeux brillants semblèrent se ternir à la mention de ce nom.

— Le mari de ma fille. Le père de Gabriel. Le texte se trouvait au milieu de fragments qui formaient une partie d'un livre. D'après les quelques morceaux qu'il a trouvés, John a réussi à comprendre qu'il s'agissait d'une version de la création du monde différente de celle qu'on trouve dans la Genèse. Mais la Citadelle a eu vent de cette découverte. Les moines ont des informateurs partout. Le site archéologique était dans un endroit reculé. Il y a eu une attaque brutale. Nous ne savons pas avec certitude par qui elle a été perpétrée, mais il n'est pas difficile de le deviner. Nous n'avons jamais retrouvé le corps de John, ni les textes qu'il avait découverts.

Oscar baissa les yeux. Son silence était éloquent. Chacun d'eux se plongea un instant dans ses souvenirs personnels.

— Mon père est mort alors qu'il cherchait la vérité, dit enfin Gabriel. Et tous les fragments qu'il a découverts n'ont pas disparu. Il avait pris ses précautions, et le plus important avait été mis en lieu sûr. Nous l'avons réuni avec celui que mon grand-père avait emporté, et nous avons obtenu une version plus développée de la prophétie : « Le vrai signe de la croix apparaîtra sur la terre / Tous le verront en un seul instant, émerveillés / La croix tombera / La croix se relèvera / Pour ouvrir le Sacrement / Instaurant un nouvel âge / Par sa mort miséricordieuse »…

Liv écoutait ces mots et revoyait l'image de son frère debout au sommet de la montagne, faisant avec son corps le signe du Tau.

La croix tombera.

Elle regarda le dessin dans son carnet et ses yeux se posèrent sur une autre croix tombée, celle que son frère portait au côté et marquant l'endroit où elle avait été autrefois jointe à lui. Elle posa la main sur sa propre cicatrice.

La croix se relèvera.

Elle leva les yeux vers Oscar.

— Il y a quelque chose qu'il faut que vous sachiez, sur mon frère et moi, dit-elle.

Elle se leva, et comme en un écho des gestes d'Oscar précédemment, elle commença à relever le bas de son tee-shirt.

103

Athanase et le père Thomas entrèrent dans la section romaine de la bibliothèque et restèrent un moment immobiles, scrutant l'obscurité et tendant l'oreille pour guetter le moindre signe d'une présence.

La section des textes romains était l'une des salles les plus grandes et contenait, entre autres trésors, tous les documents apostoliques rassemblés dans la première Bible. C'est pourquoi les halos individuels qui les accompagnaient au milieu des ténèbres avaient maintenant pris une teinte cuivrée. Le seul autre éclairage venait du mince filament de lumières incrusté dans le sol.

Apparemment, la pièce était déserte.

Athanase jeta un coup d'œil au père Thomas, puis il se dirigea vers la première rangée d'étagères. Tandis qu'il s'avançait dans le sombre passage, sa respiration s'accéléra. Du fait de la climatisation, sa bouche était aussi desséchée que les rouleaux de parchemins entreposés autour de lui. Il atteignit le bout de l'allée et arriva à un coude où elle se poursuivait vers la droite le long du mur, parallèle à l'allée centrale. Il s'arrêta et jeta un coup d'œil par-dessus son épaule. Il apercevait le cercle de lumière orangée du père Thomas vacillant comme une flamme de bougie dans l'obscurité. En gardant les yeux fixés sur lui, il s'avança lentement dans l'allée perpendiculaire. Il vit réapparaître la lueur un peu plus loin tandis que Thomas marchait au même rythme dans l'allée centrale. Un peu plus tôt dans la chapelle, Thomas avait proposé cette méthode pour repérer une présence qui se découperait dans leurs halos respectifs. Avec un peu de chance, cela accélérerait leur recherche.

Ils continuèrent d'avancer ainsi à pas lents, éclairant par instants des rouleaux de parchemins et des tablettes gravées qui replongeaient aussitôt dans l'obscurité derrière eux. La lumière de Thomas clignotait comme un phare lointain et Athanase commença à avoir du mal à la distinguer. Cela créait l'illusion que Thomas s'éloignait de lui, et Athanase en ressentit un début de panique. Déjà, en temps normal, il détestait la bibliothèque – et la situation actuelle était tout sauf normale. Alors que son inquiétude grandissait, menaçant d'obscurcir son cerveau par des craintes irrationnelles, il l'aperçut enfin au détour d'une étagère – une forme humaine, une silhouette découpée sur le halo de lumière du père Thomas, à peu près à mi-chemin de la rangée.

Athanase s'arrêta et essaya de mieux la distinguer, pour voir si elle se déplaçait. Thomas avait dû également la voir, car sa lumière était à présent immobile au bout de la rangée. Athanase respira lentement pour recouvrer son calme, puis il s'avança en silence vers l'apparition. Il vit grossir le halo orangé de Thomas à mesure qu'il s'approchait, lui aussi. Ce fut Thomas qui rejoignit l'ombre le premier.

— Frère Ponti ! s'exclama-t-il, suffisamment fort pour qu'Athanase l'entende. C'est vous !

Athanase vit la forme voûtée du vieil homme sortir de l'obscurité à deux pas devant lui, éclairée par le halo de Thomas.

— Qui d'autre cela pourrait-il être ? fit Ponti d'une voix rendue rauque par la poussière et les ténèbres.

Même dans la chaleur soudaine de la lumière partagée, tout chez Ponti paraissait blanc et anémié, comme les araignées et autres pâles créatures qui réussissaient à survivre dans l'obscurité permanente de la montagne.

— Je n'en étais pas sûr, poursuivit Thomas d'un ton aimable. Je procédais à une simple vérification de routine quand j'ai décelé un problème concernant votre trace. Le système semble ne pas vous reconnaître. Vous êtes-vous enregistré correctement ?

— Comme d'habitude, répondit Ponti en levant la main devant ses yeux laiteux.

Athanase s'avança vers eux en s'efforçant de ne faire aucun bruit. Il vit la limite de son halo s'approcher de la forme spectrale du vieux moine. Il aurait pu le toucher en tendant le bras.

Au même instant, dans la salle de contrôle, le programme que le père Thomas avait installé s'activa. Si quelqu'un regardait en ce moment l'écran principal, il remarquerait les trois points lumineux qui se rejoignaient dans la salle romaine, et n'y verrait rien d'anormal. En fait, le programme venait juste d'échanger les identités de deux de ces points, de sorte que le système de surveillance suivait maintenant Athanase comme s'il s'agissait de Ponti – et réciproquement.

Dans la salle, Athanase se tenait parfaitement immobile et retenait son souffle. Il n'avait rien dit et n'avait fait aucun bruit, mais Ponti sembla cependant sentir quelque chose. Il se retourna et fixa Athanase de ses yeux aveugles. Il leva la tête comme un rat qui renifle l'air, et il s'apprêtait à faire un pas en avant quand le père Thomas le prit par le bras.

— Pourriez-vous me rendre un service ? dit-il en l'entraînant doucement dans le tunnel de livres. Si vous voulez bien retourner au capteur de l'entrée, je suis sûr que le système saura vous identifier correctement cette fois-ci.

Ponti continua de regarder un instant Athanase sans le voir, puis il suivit docilement Thomas.

Athanase éprouva un immense soulagement en les voyant partir, mais ce fut de courte durée. Il regarda la bulle de lumière orange s'éloigner dans l'étroit tunnel, avec Thomas et Ponti en son centre, emportant avec lui le murmure rassurant de leurs voix jusqu'à ce que celui-ci soit étouffé par l'acoustique étrange.

La lumière s'amenuisa et disparut enfin dans l'allée principale, laissant Athanase seul dans l'obscurité silencieuse de la bibliothèque.

104

Pour la deuxième fois de la journée, Liv finit de raconter les étranges circonstances de sa naissance et attendit la réaction de son auditoire. Elle regarda les trois visages en face d'elle, tournés vers sa cicatrice cruciforme.

— La croix se relèvera, murmura Oscar, pour ouvrir le Sacrement.

Il leva les yeux vers Liv et croisa son regard. On pouvait y lire un sentiment proche de l'émerveillement.

— C'est vous, dit-il.

Soudain intimidée, Liv rabaissa son tee-shirt.

— C'est possible, dit-elle. Seulement, je n'ai aucune idée de ce que peut être le Sacrement, et je ne sais pas vraiment comment je suis censée… l'ouvrir.

Elle se rassit et revint à la page de son carnet où elle avait copié les lettres. Elle relut le message qu'elle en avait dégagé. Quand elle l'avait écrit, elle avait pensé avoir trouvé une piste, mais ce n'était en fait qu'une impasse. Les Mala n'en savaient pas plus qu'elle sur le Sacrement. Une immense vague de lassitude la submergea soudain, comme si une digue venait de céder.

— Les lettres étaient-elles inscrites sur du cuir, comme le numéro de téléphone ? demanda Gabriel.

— Non, dit Liv en se frottant les yeux. Elles étaient gravées sur des pépins.

Quand elle abaissa les mains, elle vit que tous la regardaient fixement.

— Des pépins ? répéta Oscar.

Elle acquiesça. Le corps du vieil homme sembla se contracter dans un moment de profonde réflexion, puis il relâcha son souffle et tira le clavier de l'ordinateur à lui.

— Pendant mon séjour dans la Citadelle, dit-il en ouvrant une fenêtre de recherche, j'ai pu découvrir quelques-uns de ses secrets…

Il tapa quelques mots et appuya sur la touche « entrée ». Une image commença de se charger à l'écran. C'était une mosaïque de verts et de gris avec de larges zones de bleu. En s'affinant, elle se révéla être une photo de l'Europe orientale prise par satellite. Oscar cliqua sur une partie de l'image, et un zoom montra une partie du sud de la Turquie, et enfin un réseau de rues rayonnant à partir d'une grande tache sombre au centre.

— C'est une vue de Ruine, expliqua Oscar. Elle a été prise par satellite dans les années 1980. Jusque-là, aucun avion n'était autorisé à survoler la ville.

L'image continuait de se préciser. Liv se pencha vers l'écran quand le téléchargement fut terminé. La Citadelle était au milieu, une forme ovale et complètement noire, à l'exception d'une zone vert foncé près du centre.

— Après que la NASA a publié cette photo, l'interdiction a été levée, dit Oscar. Même le domaine de juridiction de la Citadelle ne s'étend pas encore à l'espace.

Liv se concentra sur la tache verte.

— Qu'est-ce que c'est ? demanda-t-elle. Un lac ?

— Non, répondit Oscar en zoomant au maximum sur l'image. C'est un jardin.

105

Athanase avançait silencieusement dans la bibliothèque, les bras tendus devant lui pour repérer d'éventuels obstacles invisibles. Il gardait les yeux fixés sur la ligne lumineuse incrustée dans le sol. Comme tous les habitants de la montagne, il était habitué à l'obscurité, mais pas comme celle-là. Une sorte de bruit blanc semblait y flotter, comme des essaims d'abeilles silencieuses qui se dispersaient dès qu'il essayait de les voir.

Il jeta un bref coup d'œil par-dessus son épaule pour s'assurer qu'aucun halo ne s'était aventuré aussi profondément dans la bibliothèque. Il ne vit rien – rien d'autre que ce tremblement à la périphérie de sa vision et le mince filet lumineux s'étendant devant lui telle une fissure dans les ténèbres. Il reprit son chemin, le cœur battant si fort qu'il n'entendait rien d'autre, pas même le bruit étouffé de ses pas sur la roche. Devant lui, il vit que le filet de lumière s'incurvait vers la droite avant de disparaître. C'était là que se trouvait le dernier couloir menant à la crypte interdite. Il continua d'avancer en posant soigneusement les pieds sur le filament lumineux, tel un funambule sur sa corde raide qui sait qu'un pas de côté le précipitera dans le vide. Il suivit la courbe et, arrivé à l'entrée du couloir, s'arrêta.

Les minuscules lumières s'étendaient encore sur une dizaine de mètres devant lui. Ensuite, il n'y avait plus rien. Athanase s'avança en comptant ses pas, attiré par les ténèbres sinistres au bout du chemin de lumière. Arrivé à vingt-huit, il atteignit la fin du filet lumineux. Il fit alors demi-tour en comptant de nouveau vingt-huit pas, jusqu'à l'entrée du couloir. Tout en comptant, il repensait aux explications du père Thomas sur la façon de contourner les mesures de sécurité qu'il avait lui-même mises en place. Mais, avait-il précisé, il ne pourrait plus rien faire une fois qu'Athanase serait entré dans la crypte interdite. Dès qu'il en franchirait le seuil, une alarme silencieuse se déclencherait, et il aurait au maximum deux minutes devant lui avant l'arrivée du garde.

Athanase fit ainsi plusieurs allers-retours le long du couloir en comptant ses pas, les bras écartés pour garder l'équilibre dans le noir. Une fois assuré d'avoir bien mémorisé sa voie de retraite, il retourna à l'endroit où s'arrêtaient les lumières et où commençaient les ténèbres. Il se sentait comme un homme au bord d'une falaise s'apprêtant à sauter.

Il revit en pensée la pièce qui se trouvait devant lui : le lutrin de pierre au centre, les quinze niches creusées dans la pierre au fond, avec dans chacune un coffret noir contenant les secrets jalousement gardés de son ordre. Il estimait qu'il lui faudrait une minute pour tout remettre en ordre dans la crypte et s'échapper par le couloir. Cela lui laissait soixante secondes pour trouver le livre. Il revit l'Abbé le prendre – troisième colonne, deuxième à partir du haut. Il passa en revue tous les gestes qu'il aurait à faire une fois dans la pièce. Soixante secondes, c'était insuffisant – mais c'était tout ce dont il disposait.

Il regarda l'obscurité devant lui, toujours conscient des essaims d'abeilles blanches à la limite de sa vision. Il respira profondément, compta jusqu'à dix.

Et fit un pas en avant.

Le garde leva la tête en entendant l'alarme stridente. Avant même qu'Athanase ait pu atteindre à tâtons le mur du fond de la crypte interdite, il était déjà debout et avait déverrouillé le tiroir de son bureau.

À l'intérieur, il y avait un Beretta, deux chargeurs et un casque muni d'un œilleton télescopique. Le garde prit le tout et inséra un chargeur dans son arme tout en franchissant la porte menant au hall principal.

Le père Malachi se leva de sa chaise, et son visage refléta une profonde inquiétude quand il vit le garde avec son arme dans une main et le casque de vision nocturne dans l'autre.

—Je n'en ai pas pour longtemps, dit l'homme en glissant son pistolet dans sa manche et en franchissant l'arche menant à la bibliothèque principale.

Athanase suivit le mur à tâtons en comptant les niches. Troisième colonne, deuxième à partir du haut. Il plongea les mains dans la niche glacée, les referma autour du coffret.

Il le sortit et le posa par terre. De ses doigts tremblants, il chercha les fermoirs et ouvrit la boîte.

Il sentit le rectangle d'ardoise à l'intérieur. Du bout des doigts, il reconnut le dessin du Tau gravé sur la couverture. Il ouvrit le livre.

Aucune alarme ne se faisait entendre à l'intérieur de la bibliothèque, mais chacun savait ce que cela signifiait quand un garde en soutane rouge parcourait les couloirs avec une main cachée dans sa manche.

La procédure standard était de se rendre aussitôt à l'entrée et d'attendre que quelqu'un annonce la fin de l'alerte. Les moines présents levaient maintenant les yeux et refermaient leurs livres en regardant le halo du garde s'estomper tandis qu'il s'enfonçait toujours plus profondément dans l'obscurité. Le père Thomas était l'un de ceux-là. Il se tenait à côté de Ponti, son cercle de lumière dissimulant le fait que le vieux moine en avait également un, et il regarda en silence le garde traverser la section médiévale et s'engager dans le couloir des textes vénérés menant à la préhistoire.

— Des problèmes ? demanda Ponti, qui sentait la tension comme un chien sentirait des fantômes.

— C'est possible, répondit Thomas.

Au loin, il vit le garde lever le bras et ajuster son casque infrarouge. L'homme fit encore deux pas et, alors qu'il entrait dans la crypte interdite, son halo lumineux s'éteignit.

Liv examinait attentivement le cercle de pixels verts sur l'écran. La résolution était insuffisante pour distinguer les détails, mais elle imaginait des arbres et des buissons dans les légères variations de teintes.

—L'un des grands mystères de la Citadelle, reprit Oscar dans le silence de la pièce, est la façon dont elle a miraculeusement survécu à des années de siège, sans aucun ravitaillement extérieur.

J'ai passé ma première année comme apprenti chez les jardiniers. J'arrachais les mauvaises herbes, je faisais des plantations et j'aidais à la récolte des fruits. L'une de mes tâches était d'arroser les sols. Pour cela, nous utilisions de grandes citernes qui recueillaient les eaux de pluie ainsi que celles provenant de la montagne. Parfois, ces eaux d'infiltration contenaient des minéraux qui les teintaient de rouge, si bien qu'on avait l'impression d'arroser la terre avec du sang.

J'ignore ce qu'elles contenaient, mais elles rendaient le sol extraordinairement fertile. On pouvait tout y faire pousser, bien que le jardin fût au fond d'un cratère et presque en permanence à l'ombre. Un jour, alors que je dégageais de longues herbes, j'ai trouvé un vieux râteau à moitié enfoncé dans le sol. Des pousses vertes commençaient à sortir du manche.

Il tendit la main pour reprendre le clavier.

—Ce jardin a nourri la Citadelle tout au long de son histoire, dit-il tout en ouvrant une fenêtre de navigation. La soutane verte des Sancti en est un rappel – ainsi que le nom sous lequel ils étaient connus autrefois : les Édénites.

Il tapa rapidement quelques mots et la photo aérienne disparut, laissant place à un nouveau téléchargement.

— Certains croient que ce nom faisait référence à l'ancienneté de leur ordre, qui remonte à l'aube de l'humanité. Mais d'autres pensent qu'il a une signification plus littérale, et que le Tau n'est pas du tout une croix.

La page finit de se charger. Liv regarda l'image qui remplissait à présent l'écran et illustrait puissamment ce qu'Oscar venait de dire.

C'était le dessin stylisé d'un arbre dont le tronc mince se dressait jusqu'à une fourche formée de deux branches horizontales chargées de fruits. Le tout rappelait la forme familière du «T». Un serpent était enroulé autour du tronc à côté duquel se tenaient un homme et une femme. Liv se tourna vers Oscar, en se demandant si elle devait croire ce qu'il semblait suggérer.

— Vous m'avez dit que les lettres étaient gravées sur des pépins, fit-il. Savez-vous quel genre de pépins ?

Liv croisa son regard profond et repensa à toutes les images qu'elle avait pu voir représentant Adam et Ève au pied de l'arbre de la connaissance, l'un d'eux tenant toujours le lourd fruit de la tentation dans la main.

— Il s'agissait d'une pomme, dit-elle. Elles étaient inscrites sur des pépins de pomme.

Les vastes grottes de la bibliothèque brillaient d'une lueur verte dans la vision nocturne du garde, faisant ressortir tous les détails. Il tira son Beretta de sa manche et pressa le pas maintenant qu'il pouvait voir devant lui. Il tournait la tête à droite et à gauche pour repérer un éventuel halo de lumière qui indiquerait une présence, n'en voyait aucun. Seules les petites lumières de guidage brillaient dans le vert, telle une traîne de vapeur phosphorescente menant à la crypte interdite.

Il lui fallut moins d'une minute pour l'atteindre.

En approchant du dernier couloir, il s'arrêta et s'accroupit en s'appuyant contre le montant de l'arche de pierre taillée. Il passa la tête pour jeter un coup d'œil vers la crypte.

Les lumières dans le sol formaient une ligne verte brillante menant au bout du couloir. Il scruta les ténèbres au-delà, guettant le moindre mouvement.

Rien.

Sans un bruit, il franchit l'arche et avança lentement au milieu du couloir directement vers la crypte, son arme braquée devant lui, la tête parfaitement immobile, un chat traquant une souris.

Athanase vit la ligne de lumières de guidage s'occulter à deux mètres devant lui. Il s'était réfugié dans l'alcôve qui avait été récemment vidée sur les instructions du père Thomas. Elle était basse et se trouvait juste en face de l'entrée de la crypte interdite.

Il regarda la tache d'ombre s'éloigner le long du filament de lumière, indiquant que quelqu'un se trouvait dans le couloir avec lui. La position de son alcôve était telle que cette personne ne pouvait le voir en se rendant à la crypte, par contre il serait immédiatement repéré quand elle se retournerait. Il fallait qu'il soit parti avant que le garde ait fait demi-tour.

Il se glissa en silence hors de sa cachette. Ses oreilles amplifiaient chaque bruit, et il ne quittait pas des yeux la petite tache d'ombre qui continuait de s'éloigner.

Il se releva et commença de se diriger vers la sortie, les bras tendus devant lui dans l'obscurité, en levant et reposant le pied comme un danseur de ballet, terrorisé à l'idée que le moindre frottement de sandale sur la roche alerterait le garde de sa présence et entraînerait aussitôt sa mort.

Sans cesser de surveiller la tache d'ombre, il fit un deuxième pas, la main tendue dans le noir informe, guettant le contact de l'arche qui lui permettrait de s'échapper de ce piège.

Un troisième.

Un quatrième.

Au cinquième, il sentit sous ses doigts la pierre lisse et glacée. Il faillit pousser un soupir de soulagement, puis se figea. La tache d'ombre s'était arrêtée juste à l'extrémité du filet lumineux. Athanase passa la main sur la paroi, entendit le frottement contre sa peau sèche, un bruit qui lui parut assourdissant. Il imagina le garde aux aguets au fond du couloir, son arme à la main, scrutant l'intérieur de la crypte interdite. Combien de temps lui faudrait-il pour se retourner, après avoir constaté qu'il n'y avait personne ? Alors que cette question lui venait à l'esprit, sa main rencontra l'angle du mur. Il franchit l'arche, se retrouva dans le couloir des textes vénérés.

Chaque fibre de son être lui criait maintenant de fuir à toutes jambes, mais il lui restait encore cinq mètres à parcourir pour quitter ce passage, et le moindre bruit pourrait s'entendre dans le couloir qu'il venait de quitter. Il fallait qu'il reste parfaitement silencieux. Il mit un pied devant l'autre aussi vite et aussi furtivement qu'il le pouvait, sachant que quelque part dans les ténèbres derrière lui se tenait un homme armé capable de voir dans le noir.

Le battement de son cœur rythmait sa progression vers la sortie. Il gardait les yeux fixés sur les lumières dans le sol, tellement préoccupé par cette menace dans son dos qu'il ne remarqua qu'à la dernière seconde le halo lumineux qui s'approchait.

Ce n'est qu'arrivé au bout du couloir qu'il la vit, une lueur se reflétant sur la courbe de l'arche qu'il s'apprêtait à franchir. Il s'immobilisa aussitôt. Quelqu'un venait. La lueur grandit.

Plus le temps de se cacher.

Nulle part où aller.

Il ne pouvait que rester là, plaqué contre la paroi. Il vit le possesseur du halo franchir le seuil et apparaître telle une supernova à trois mètres à peine de là où il se tenait. Le père Malachi, qui venait sans aucun doute vérifier que le contenu de la crypte interdite était intact.

Athanase commença à lever les mains pour signifier qu'il se rendait, s'attendant à tout instant à ce que le bibliothécaire lève les yeux, le voie, et appelle le garde à la rescousse. Mais Malachi continua de fixer le sol, plongé dans ses pensées. Son halo lumineux passa devant les yeux d'Athanase telle une comète éblouissante. Malachi poursuivit son chemin avant de disparaître à l'angle du couloir d'où Athanase venait de s'échapper, sans même jeter un regard en arrière.

Athanase resta un moment tétanisé. Sa vision se réadapta à l'obscurité qui venait de lui sauver la vie.

Il partit en courant.

108

Liv regardait le dessin stylisé de l'arbre. Pendant un long moment, la seule activité dans la pièce fut le défilé d'images sur l'écran de télévision et le murmure des informations. Ce fut Kathryn qui finit par rompre ce silence :

— Il faut que nous récupérions ces pépins, dit-elle. Pour les analyser.

Gabriel se leva et s'étira. Son corps svelte se préparait une fois de plus à l'action tandis que son cerveau élaborait un plan.

— Comme ils ne sont pas mentionnés dans le dossier, la Citadelle n'en connaît peut-être pas encore l'existence. Ça nous donne au moins un coup d'avance.

Il s'approcha de la fenêtre, contempla les rangées de caisses empilées.

— Ils doivent se trouver dans les casiers de conservation des indices, ou plus probablement dans le laboratoire, ce qui pose un problème. Les mesures de sécurité ont dû être renforcées après ce qui s'est passé à la morgue.

—Je pourrais les récupérer moi-même, dit Liv. Je pourrais appeler Arkadian et lui dire que je pense avoir trouvé la signification des lettres, mais que j'ai besoin de voir les pépins pour vérifier. Une fois que je les aurai en main, je pourrais les laisser tomber par terre, ou détourner son attention, et en garder un… ou même effectuer une substitution.

Elle leva les yeux vers Gabriel.

—Un seul vous suffira, n'est-ce pas ?

Gabriel la regarda un instant d'un air à la fois inquiet et concentré. Son expression s'adoucit en un sourire.

—Oui, répondit Oscar à sa place. Un seul suffira. Il faut que vous deveniez notre Ève et que vous vous empariez du fruit défendu. S'il apparaît que ces pépins possèdent des propriétés extraordinaires, imaginez tout le bien que nous pourrions faire avec eux…

Liv pensa aux implications incroyables de ce qu'il venait de dire, et une idée inquiétante lui vint à l'esprit.

—Mais si ces pépins proviennent vraiment du fruit de…

Elle avait du mal à prononcer le mot.

—…de l'arbre de la connaissance, ce n'est peut-être pas une… très bonne idée de jouer avec ça.

Oscar continua de la regarder sans se départir de son sourire.

—Pourquoi ? fit-il.

—Eh bien, heu… il n'y a qu'à voir ce qui s'est passé la dernière fois…

—Vous voulez parler de la chute de l'homme ? Du péché originel ? D'Adam et Ève chassés du jardin d'Éden pour mener une existence de douleur et de labeur perpétuels ?

—Oui, fit Liv, ce genre de choses…

Oscar rit doucement.

— Et où avez-vous lu tout ça ? demanda-t-il.

Liv réfléchit un instant et comprit ce qu'il voulait dire. Bien sûr... Elle l'avait lu dans la Bible, des textes écrits par les hommes de la montagne, une transcription de documents que personne d'autre n'avait jamais vus. Quel meilleur moyen d'empêcher les gens d'accéder à la connaissance que de les en dissuader par la peur ? Il suffit de leur donner une version officielle des enseignements divins, en commençant par la plus effrayante des histoires, où manger le fruit d'un arbre défendu conduit l'humanité à la damnation.

— Nous savons qu'il y a quelque chose dans la Citadelle, poursuivit Oscar. Quelque chose de... surnaturel. Quelque chose de si puissant que même ceux qui vivent à l'extérieur de la montagne en ressentent les effets bienfaisants. Il n'est pas étonnant que les moines le gardent secret depuis si longtemps. Ce doit être enivrant d'en être aussi proche. Ils doivent se prendre pour des dieux plus que pour des hommes. Mais imaginez que cette source de vie puisse être libérée de la montagne pour se répandre à travers le monde. Imaginez qu'il ne soit plus nécessaire de déverser des millions de tonnes d'engrais sur la terre desséchée, fit-il en désignant les piles de caisses qui remplissaient l'entrepôt. Il suffirait de planter une seule graine pour que des régions entières redeviennent aussi fertiles que le jardin plongé dans l'ombre au centre de la Citadelle. Des déserts entiers pourraient redevenir des jardins, des forêts. Notre Terre qui agonise lentement pourrait renaître.

Liv était stupéfaite. Voilà un rêve pour lequel son frère aurait volontiers donné sa vie... La dernière fois qu'ils s'étaient vus, il lui avait dit qu'il pensait que si sa vie avait été épargnée, c'était qu'il y avait une raison à cela. Il était peut-être mort simplement pour pouvoir lui faire parvenir ces cinq pépins. Elle avait le devoir de s'assurer qu'ils en valaient la peine. Elle glissa sa main dans sa poche pour prendre son portable, puis elle se souvint qu'elle l'avait laissé près des douves.

—Le numéro d'Arkadian était dans mon téléphone, dit-elle en se tournant vers Gabriel.

Elle vit qu'il n'avait cessé de la regarder. Il lui sourit en haussant légèrement les épaules, et elle détourna les yeux en se sentant de nouveau rougir.

—Ses coordonnées sont dans le dossier, dit Kathryn en se penchant sur le bureau pour ouvrir le fichier.

Liv jeta un coup d'œil autour d'elle à la recherche d'un téléphone. Son regard s'arrêta un instant sur l'écran de télévision, et elle se figea en voyant la photo d'un homme au-dessus de l'épaule du présentateur.

—Hé, fit-elle à la fois surprise et inquiète, je le connais, ce type !

Tous se tournèrent vers l'écran et virent le visage souriant de Rawls Baker.

109

Athanase s'arrêta de courir un peu avant d'avoir rejoint la salle des philosophes. Quand il y entra, il vit une lueur sur sa gauche et s'arrêta aussitôt.

Dans cette faible lumière se découpait le contour d'une étagère. Athanase s'en approcha silencieusement et jeta un coup d'œil prudent de l'autre côté.

Ses yeux s'étaient tellement accoutumés à l'obscurité qu'il ne vit pas tout de suite qui se tenait au centre du cercle lumineux. Mais sa vision s'ajusta rapidement et il fut soulagé quand il le reconnut.

Le père Thomas était au milieu de l'allée, en compagnie de Ponti. Celui-ci était penché sur une table chargée de livres abandonnés, son chariot rempli de plumeaux et de brosses à côté de lui. Il poursuivait son travail sans même avoir conscience de la lumière inhabituelle dans laquelle il baignait.

Athanase s'approcha d'eux en s'éclaircissant la gorge.

— Frère Ponti ! Père Thomas ! fit-il d'une voix qui lui sembla anormalement forte après le long silence auquel il s'était astreint. J'ai cru entendre quelque chose…

Ponti releva la tête et le traversa du regard de ses yeux blancs. Thomas sourit, le visage éclairé par le soulagement de revoir son ami.

Dans la salle de contrôle près de l'entrée principale, deux points blancs convergèrent sur un écran et le programme échangea aussitôt leurs identités avant de s'effacer.

— Il s'agit d'un exercice de sécurité, dit Thomas d'une voix calme.

Il vit Athanase tirer rapidement de sa manche quatre feuilles de papier pliées.

— Nous ferions sans doute mieux de rejoindre la sortie, vous ne croyez pas ? ajouta-t-il.

— Allez-y, vous deux, répondit Ponti. La plupart du temps, ils ne me remarquent même pas. Je ne viendrai que si quelqu'un m'y oblige. En attendant, je vais continuer mon travail.

Athanase prit le plus gros des livres ouverts sur la table et y glissa ses feuillets avant de le refermer sans bruit.

— Très bien, dit-il. Si c'est comme ça, nous ne dirons pas que nous vous avons vu.

Thomas et lui firent demi-tour et s'éloignèrent.

— Merci, frère, merci beaucoup, fit la voix de Ponti tandis que sa forme spectrale se fondait de nouveau dans les ténèbres.

Athanase regarda la couverture de son livre. C'était un exemplaire d'*Ainsi parlait Zarathoustra*, de Friedrich Nietzsche, dans son édition originale en allemand. Il contenait maintenant une copie d'une partie de la Bible hérétique, obtenue par frottis. Athanase éprouvait la tentation presque irrésistible d'ouvrir le livre pour étudier ces feuillets, mais c'était beaucoup trop risqué. Le garde pouvait revenir à tout instant, avec le père Malachi. Il valait mieux attendre la fin de l'alerte et la réouverture de la bibliothèque. Il pourrait alors lire tout cela à loisir.

Comme convenu, Thomas marchait seul devant afin qu'on ne les voie pas sortir ensemble des profondeurs de la bibliothèque. Athanase s'arrêta pour examiner les étagères. Il cherchait un endroit où cacher le livre, car il ne voulait pas prendre le risque que celui qui était en train d'étudier Nietzsche revienne et découvre ce que le volume contenait. Arrivé au bout de la rangée, il vit qu'il y avait un espace entre les livres et le fond de l'étagère. Il y glissa rapidement le livre de Nietzsche, puis il recula, remit les volumes en place et examina un des dos. Il s'agissait des œuvres complètes de Søren Kierkegaard. Nietzsche avait été complètement éclipsé par son homologue danois.

Satisfait, il se releva et se dirigea vers la sortie, protégé des ténèbres par son cocon de lumière.

110

La voiture s'arrêta juste devant la barrière, au niveau du poste de sécurité. Le garde releva le nez de son journal et fit glisser le panneau vitré. Sa casquette était posée sur le comptoir devant lui. Un badge officiel y était fixé, portant l'inscription *Sécurité Aéroport*.

— Je peux vous aider ? dit-il en jetant un coup d'œil aux deux hommes à l'intérieur.

— Est-ce qu'un certain Gabriel Mann est venu ici aujourd'hui ? demanda le passager.

— Peut-être bien. Qui êtes-vous ?

Arkadian ouvrit son portefeuille et se pencha par-dessus le conducteur pour le lui montrer. Le garde examina le badge doré, puis il appuya sur un bouton placé sous le comptoir et la barrière se leva.

— Il est passé il y a une bonne demi-heure, dit-il. Il avait sa copine avec lui.

Arkadian sentit ses cheveux se dresser sur sa nuque.

— Comment était-elle, cette copine ? demanda-t-il en remettant son portefeuille dans sa veste.

Le garde haussa les épaules.

— Jeune. Blonde. Jolie.

Ce n'était la plus précise des descriptions, mais Arkadian avait une bonne idée de qui ça devait être. Il n'avait toujours pas eu de nouvelles de Sulley, ni de Liv.

— Et où est-ce que je peux les trouver ?

— Suivez la ligne jaune, dit le garde en se penchant pour leur montrer un marquage sur le tarmac qui s'incurvait en longeant la clôture. Ça vous mènera devant les entrepôts. Ils sont dans le hangar numéro 12, à trois cents mètres sur la gauche. C'est celui avec un vieux cargo garé devant.

— Merci, dit Arkadian. Et surtout, ne les prévenez pas de notre venue. Il ne s'agit pas vraiment d'une visite de politesse.

— Ah, bon, d'accord, fit le garde en hochant la tête d'un air perplexe.

La voiture franchit la barrière et ses phares suivirent la ligne jaune vers la rangée d'entrepôts gris. La plupart étaient fermés et silencieux. Ils défilaient derrière les vitres de la voiture tels des caveaux gigantesques.

Devant eux, un avion était garé sur le tarmac, son arrière tronqué pointé vers un hangar. À l'avant du bâtiment, une grande porte coulissante était entrouverte, laissant filtrer une lumière orangée dans la pénombre grandissante.

— Éteignez vos phares, dit Arkadian en gardant les yeux fixés sur l'ouverture pour essayer de distinguer ce qu'il y avait derrière. On va s'approcher discrètement. J'aimerais faire d'abord une petite reconnaissance.

Le chauffeur éteignit les phares et la route devant eux plongea dans l'obscurité. Il passa au point mort, coupa le moteur. Arkadian pouvait à présent voir les étoiles apparaître dans le ciel d'encre au-dessus du hangar tandis que la voiture poursuivait sa course sans autre bruit que le chuintement des pneus sur le tarmac.

Quand ils ne furent plus qu'à une quinzaine de mètres, Arkadian fit signe au conducteur qui arrêta la voiture au frein à main, pour éviter d'allumer les stop. Arkadian se pencha par la vitre pour guetter des voix ou tout autre bruit venant de l'entrepôt. Il n'entendit qu'un lointain sifflement de réacteurs et le cliquetis du moteur qui se refroidissait dans l'air du soir.

Il défit sa ceinture, sortit son pistolet de son étui. Le conducteur se tourna vers lui.

— Vous voulez que je vous accompagne ?

C'était un jeune policier tout récemment promu. Bien qu'il fût maintenant en civil, on sentait encore sur lui une odeur d'uniforme.

— Non, ça devrait aller. Je vais simplement jeter un coup d'œil, je vous appelle si j'ai besoin de renfort.

Il appuya sur l'interrupteur du plafonnier pour qu'il ne s'allume pas quand il ouvrirait la portière, puis il se glissa dans la nuit.

111

Kathryn saisit la télécommande et augmenta le son tandis que le journaliste donnait des détails.

« ... pompiers accourus au domicile de l'éditeur du journal mondialement connu, Rawls Baker, et nous apprenons à l'instant qu'on a retrouvé son corps carbonisé au volant de sa voiture... »

— Ah, mon Dieu, fit Liv. C'est mon patron.

Une vue d'une rue résidentielle remplie de camions de pompiers et d'ambulances apparut sur l'écran. Un ruban jaune de la police flottait au premier plan pour empêcher la foule de s'approcher, tandis qu'au loin des pompiers, des policiers et des secouristes étaient rassemblés autour d'une carcasse de voiture calcinée d'où s'échappait encore de la fumée.

— Vous lui avez téléphoné ? demanda Gabriel.

Liv hocha la tête.

— Quand ça ?

Elle essaya de se souvenir.

— Un peu plus tôt dans la journée.

— Avez-vous appelé quelqu'un d'autre ?

Elle réfléchit en passant en revue les événements récents. Elle n'avait appelé personne avant d'avoir réussi à échapper aux flics. Ensuite, elle avait appelé son patron, et…

Elle se tourna vers Kathryn.

— Et je vous ai appelée.

Gabriel se leva d'un bond.

— Passe-moi ton téléphone, dit-il à sa mère.

Elle le lui tendit. Il déroula le journal des appels et vérifia l'heure de celui de Liv, puis il éteignit l'appareil et se tourna vers Liv.

— Il faut partir d'ici. On dirait que non seulement ils suivaient la localisation de votre portable mais qu'ils repéraient également vos appels. Tous ceux à qui vous avez parlé sont désormais en danger de mort.

Liv jeta un dernier regard à l'écran qui montrait une autre photo de Rawls. On le voyait devant la façade de l'immeuble de l'*Inquirer*, un grand sourire jusqu'aux oreilles. Elle n'arrivait pas à croire qu'il était mort simplement parce qu'elle lui avait parlé. C'est alors qu'elle baissa les yeux et vit le numéro de téléphone griffonné sur sa paume. Et elle se rappela qui d'autre elle avait joint…

112

Bonnie était à l'étage dans la chambre d'enfants, occupée à mettre les jumeaux au lit, quand elle entendit frapper à la porte d'entrée. Elle ne se donna pas la peine d'aller ouvrir. Myron était en bas, où il préparait le déjeuner. Il l'appellerait si c'était pour elle.

Elle sourit aux deux petits visages coiffés d'un bonnet de coton qui dépassaient de sous leur douce couverture blanche, et elle appuya sur le bouton du boîtier en plastique fixé au grand berceau qu'ils partageaient. Au-dessus d'eux, un mobile se mit à tourner, des silhouettes en noir et blanc virevoltant au son de mouettes et de vagues déferlant sur la plage. La bouche d'un des deux bébés se plissa en un sourire, et Bonnie fut ravie en le voyant – au diable les gens qui disaient que ça n'était que du vent…

Son portable sonna dans la chambre à côté, mettant fin à cet instant magique. Les coups de fil n'arrêtaient pas depuis que Myron avait diffusé un texto annonçant la venue au monde d'Ella – deux kilos huit cents – et de son frère Nathan, cent grammes de moins et son cadet d'une minute. Elle jeta un dernier coup d'œil à ses bébés avant de quitter la pièce sur la pointe des pieds, en éteignant la lumière derrière elle.

Bonnie entra dans sa chambre et s'approcha à pas lents de la table de nuit où elle avait laissé son portable en recharge. Elle n'était pas encore tout à fait remise de son accouchement difficile. Elle prit l'appareil et regarda le numéro d'appelant : masqué. Elle s'apprêtait à le reposer pour laisser sa messagerie répondre quand elle se souvint de l'appel de Liv, un peu plus tôt. C'était peut-être le nouveau journaliste qui voulait prendre un rendez-vous. Elle avait dit à peu près à tout le monde que ses bébés allaient être dans le journal, et elle n'avait pas l'intention de passer pour une menteuse. Elle décrocha.

— Allô ?

— Bonnie !

La voix avait l'air tendue et pressante.

— Qui est à l'appareil ?

— C'est Liv... Liv Adamsen. La journaliste de l'*Inquirer*. Bonnie, écoutez-moi, il faut absolument que vous quittiez votre maison, avec Myron et les enfants. C'est très urgent...

— Voyons, qu'est-ce qui se passe ? demanda-t-elle en reprenant automatiquement son calme professionnel.

C'est alors qu'elle entendit un bruit au rez-de-chaussée. Comme un objet lourd et mou qui serait tombé dans le couloir.

— Attendez deux secondes, dit-elle en s'apprêtant à poser son appareil.

— Non ! hurla Liv. Ne partez pas ! Est-ce que vous avez une arme ?

La question était si inattendue que Bonnie se figea. Alors, elle entendit d'autres bruits, qui venaient d'en bas. Le *clic* d'une porte qu'on referme doucement. Le *shush* de quelque chose glissant sur le parquet de l'entrée. Aucun bruit de conversation. Aucun bruit de pas retournant à la

407

cuisine pour finir de préparer le déjeuner. Elle sentit la terreur monter en elle en écoutant ce silence.

Puis il y eut un autre bruit. Beaucoup plus proche, cette fois, dans le couloir. Le cri aigu d'un bébé qui pleure.

— Il faut que j'y aille, dit-elle d'une voix blanche.

Elle raccrocha.

Liv entendit la tonalité bourdonner dans son oreille, chercha aussitôt sur l'écran la fonction de rappel. Ne la trouvant pas, elle leva une main tremblante et composa de nouveau le numéro qui y était inscrit.

— Reposez ce téléphone, je vous prie.

Une voix familière, et totalement inattendue.

Liv leva les yeux, vit Arkadian sur le seuil, son badge dans une main et son arme dans l'autre. Le canon était pointé sur Gabriel.

Elle entendit les rapides petits bip de la connexion en cours.

— Non, dit-elle en tapant les deux derniers chiffres. Vous allez être obligé de me tirer dessus.

Elle colla l'appareil contre son oreille et regarda froidement l'inspecteur tandis que la première sonnerie se faisait entendre.

113

Dans sa chambre, Bonnie tendait l'oreille.

Le cri de son bébé qui pleurait l'attirait comme une corde invisible, mais elle s'obligeait à l'ignorer et guettait

408

les autres bruits de la maison. Elle scrutait le silence…
mais n'entendait absolument rien.

Elle s'approcha du placard sans faire de bruit sur
l'épaisse moquette beige, ouvrit la porte. Une rangée
d'habits, suspendus à des cintres. Et là, elle l'entendit.
Le lent grincement de la porte de la cuisine battant sur
des gonds qui n'étaient pas tout à fait d'équerre. Il y avait
quelqu'un en bas. C'était peut-être Myron, qui avait fini
de préparer le déjeuner. Mais alors, pourquoi ne montait-il
pas s'occuper du bébé en train de pleurer ?

Elle glissa la main à travers le rideau de vêtements
pour atteindre le petit coffre-fort fixé au fond. Elle avait
demandé à Myron de l'installer dès qu'elle avait su
qu'elle était enceinte. La housse en plastique recouvrant
son uniforme de policier crissa sous ses doigts quand
elle l'écarta pour dégager le clavier placé sur la porte
du coffre. Elle tapa sa date de naissance et l'ouvrit. À
l'intérieur, il y avait son badge, une boîte de cartouches
de 9 mm, deux chargeurs pleins et son arme de service.

Elle prit le pistolet et un chargeur, puis elle écouta les
pleurs et le reste de la maison silencieuse. Elle inséra le
chargeur, qui se mit en place avec un petit bruit métallique
évoquant un os qui se brise.

Les pleurs redoublèrent, désespérés à présent, et elle
sentit un picotement au bout de ses seins, un rappel de
la nature. Sur la pointe des pieds, elle avança jusqu'à la
porte et s'accroupit derrière, en jetant un coup d'œil par
l'entrebâillement.

Il n'y avait personne dans le couloir.

Le cri affamé continua, elle sentit des taches humides
se former sur son soutien-gorge. Elle relâcha légèrement
sa prise sur la crosse de son arme. C'était peut-être tout
simplement une histoire d'hormones, et tout se passait

dans son imagination. Elle était épuisée, aucun doute là-dessus, ses instincts de lionne devaient probablement être en surrégime. Elle écouta encore quelques secondes, en se sentant de plus en plus bête, et elle s'apprêtait à se relever quand elle l'entendit.

Un craquement de pas furtif sur la troisième marche de l'escalier.

Puis sur la cinquième.

Myron blaguait toujours là-dessus en disant qu'aucun cambrioleur ne pourrait s'introduire en silence dans cette maison.

Myron !

Ah, mon Dieu, où était Myron ?

Elle approcha le visage de l'entrebâillement de la porte pour essayer d'apercevoir le haut des marches, en espérant que son mari apparaîtrait pour aller dans la chambre d'enfants. Au lieu de quoi, elle entendit l'autre bébé pleurer à son tour et une légère odeur de brûlé lui emplit les narines. Puis une vision d'enfer lui apparut.

Un homme. Grand, barbu, vêtu d'un blouson rouge dont la capuche lui cachait le haut du visage. Il tenait une arme à la main, avec un silencieux obscène vissé sur le canon. Il semblait hésiter entre les bébés qui criaient au fond du couloir et la porte entrebâillée.

Bonnie sentit l'humidité se répandre sur sa poitrine comme si elle avait reçu une balle. Elle glissa le canon de son arme dans la fente de la porte, au ras du sol, en l'inclinant vers le haut du mieux qu'elle pouvait. Elle avait suivi un entraînement au tir et appris à explorer un bâtiment à la recherche de cibles hostiles. Elle s'exerçait tous les quinze jours pour rester en forme. Mais rien ne l'avait préparée à une telle situation.

Elle crispa ses doigts sur la crosse en observant l'homme qui semblait tendre l'oreille comme elle l'avait fait, guettant un bruit à travers les pleurs.

Le téléphone sonna dans la chambre. Bonnie sursauta, vit le démon se précipiter dans sa direction à une vitesse terrifiante. Le rouge de son blouson emplit sa vision quand l'homme passa la tête par la porte entrouverte, son arme braquée sur la pièce. Bonnie releva son pistolet, l'homme baissa les yeux sur elle. Leurs regards se croisèrent.

Elle tira trois coups de feu en fermant les yeux pour se protéger des éclats de bois arrachés par les balles.

Quand elle les rouvrit, elle constata qu'il n'y avait plus personne dans le couloir. Prise de panique, elle se releva aussitôt, terrorisée à l'idée qu'il ait pu courir se réfugier dans la chambre d'enfants. Sous l'effort, ses agrafes se déchirèrent, mais elle ne sentit même pas la douleur.

Le visage ruisselant de larmes de rage et de terreur, elle sortit sur le palier. Ses oreilles tintaient encore du bruit des détonations. Elle se précipita vers le haut des marches, son arme braquée et prête à tirer. C'est alors qu'elle le vit, gisant sur le dos en bas de l'escalier, à l'endroit où l'impact des balles l'avait projeté.

Son arme pointée devant elle, elle examina rapidement la scène, le cœur battant, tandis que les jumeaux continuaient de hurler.

Sur toute la longueur de l'escalier, le mur et le tapis clair sur les marches étaient éclaboussés de sang, témoignant de la violence de la chute de l'intrus. À mi-hauteur, son pistolet était posé en équilibre au bord d'une marche, tel un crucifix noir brisé.

Bonnie descendit afin de le récupérer, son arme braquée sur l'homme en rouge au bas de l'escalier. Elle vit qu'il avait reçu une balle sur un côté du thorax et une autre dans la tête. Les yeux grands ouverts, il ne bougeait plus. Une flaque de sang noir s'étalait sous lui, faisant comme un trou qui s'ouvrirait pour l'aspirer vers les enfers.

Bonnie descendit encore quelques marches et se baissa pour récupérer le pistolet, ce qui lui permit d'apercevoir une partie du vestibule. Et une chaussure de basket au pied de quelqu'un, allongé immobile par terre.

Elle comprit aussitôt ce qui s'était passé. Son affreux cri de désespoir couvrit les pleurs de ses bébés qui n'avaient plus de père.

114

Dans la nuit qui s'épaississait, une camionnette s'arrêta près d'un des entrepôts silencieux, un peu avant celui devant lequel était garé l'avion-cargo. Johann coupa le moteur. Cornelius jeta un coup d'œil par la vitre vers la voiture banalisée et le hangar dont la porte était entrouverte. Il y avait de la lumière à l'intérieur. Kutlar ne dit rien. Il gardait la tête baissée et observait les deux flèches sur l'écran du notebook, l'une pointant sur le téléphone de Cornelius, l'autre sur le dernier appel enregistré provenant de Kathryn Mann. Les deux se chevauchaient presque.

Cornelius sentit son portable vibrer dans sa poche. Il l'ouvrit et lut un texto. Il fronça les sourcils et le montra à Johann, qui hocha la tête et ouvrit sa portière pour se glisser dans la nuit en emportant les clés avec lui. Kutlar sentit la camionnette se balancer légèrement quand la porte arrière s'ouvrit, et il entendit le bruit étouffé d'objets qu'on déplaçait. L'effet de la morphine avait commencé à se dissiper pendant le trajet jusqu'à l'aéroport, et il sentait la douleur se réinstaller progressivement dans sa cuisse blessée. L'ascension dans les rues pavées de la vieille ville avait arraché la plupart de ses points de suture, et il sentait que le pansement et l'étoffe de son pantalon étaient tout ce qui maintenait encore la blessure fermée. Il avait essayé de le cacher aux autres en pliant sa veste sur ses genoux, mais il sentait l'odeur métallique du sang qui flottait dans l'air.

La camionnette tangua encore un peu quand la porte arrière se referma, et Johann réapparut quelques secondes plus tard, s'avançant lentement sur le tarmac vers l'avion-cargo, son blouson rouge serré contre lui, un sac de toile à l'épaule. Dans l'obscurité, on aurait pu croire qu'il s'agissait d'un employé de l'aéroport faisant sa ronde.

Liv regardait toujours Arkadian quand on décrocha enfin à l'autre bout du fil. Elle entendit des bébés pleurer.

— Bonnie ? fit-elle.

— Il a tué Myron, dit Bonnie d'une voix rauque. Il lui a tiré dessus.

— Qui a fait ça ? Où est-il, en ce moment ?

— Dans l'entrée. Il ne pourra plus faire de mal à mes bébés.

Liv leva les yeux vers Arkadian, qui continuait de la fixer tout en gardant son arme pointée vers Gabriel.

— Écoutez-moi, Bonnie, dit-elle. Il faut que vous preniez les enfants et que vous partiez d'ici, vous m'entendez? Il faut que vous appeliez quelqu'un au commissariat, quelqu'un en qui vous avez confiance, pour qu'il vous emmène en lieu sûr, là où personne ne pourra vous trouver. Est-ce que vous pouvez faire ça pour moi?

— Personne ne fera de mal à mes bébés, répéta la voix pitoyable.

— C'est parfaitement vrai, Bonnie. Alors, appelez le commissariat tout de suite, d'accord?

Elle se tourna vers Arkadian. Elle aurait bien voulu appeler elle-même la police, mais elle savait qu'elle ne pouvait aller plus loin.

Sur la ligne, le bruit étouffé des pleurs des bébés s'enfla comme le hurlement des damnés de l'enfer. Elle pensa à eux. Ils grandiraient sans avoir jamais connu leur papa, tout ça à cause d'un coup de fil – tout ça à cause d'elle.

— Je suis désolée, murmura-t-elle dans le téléphone avant de raccrocher pour ne plus entendre les pleurs.

115

Cornelius regarda Johann s'approcher de la voiture de police. Le message qu'il venait de recevoir de l'Abbé changeait tout. Il n'aimait pas les modifications en plein milieu d'une mission. Ça le rendait nerveux. D'un autre côté, la nouvelle directive simplifiait les choses. Il était beaucoup plus facile de se contenter de s'emparer de la fille et de retourner à la Citadelle, sans avoir en plus à éliminer tous les témoins. Mais il répugnait quand même

414

à abandonner comme ça sa mission d'origine. Il pouvait peut-être encore réussir à accomplir les deux.

Quand Johann fut à mi-distance de la voiture, il ouvrit sa portière et descendit.

— Restez là, dit-il.

Kutlar le regarda s'éloigner vers la clôture derrière les bâtiments. Arrivé à hauteur de l'entrepôt, il disparut en se dirigeant vers le même hangar que Johann. Kutlar posa le notebook à côté de lui et souleva sa veste de ses genoux. Il vit une tache sombre briller à la lueur du ciel étoilé. On aurait dit que sa jambe avait été trempée dans l'huile. Le simple fait de voir sa blessure dans cet état la lui rendit encore plus douloureuse.

Il fouilla dans la poche de sa veste et trouva le flacon de comprimés de morphine – un soulagement instantané à portée de main. Il le sortit, jeta un coup d'œil vers le hangar au loin. Une chaude lumière se répandait sur le tarmac par la porte ouverte. La fille était à l'intérieur. C'était ce que le garde leur avait dit. Et dès qu'ils auraient mis la main sur elle, ou quand elle serait morte, ils le tueraient. Ils le feraient sans doute ici et l'abandonneraient dans le hangar, avec tous ceux qui pouvaient s'y trouver en ce moment.

Son regard se porta sur Johann, qui se trouvait maintenant à côté de la voiture. Il le vit se pencher. Une flamme éclaira brièvement l'intérieur.

Au loin, il apercevait le bâtiment du terminal qui brillait de tous ses feux, tel un mirage. Il était trop loin. Sa seule chance était de retourner à la cabane du gardien. Il devait y avoir une arme rangée quelque part, et un talkie-walkie pour appeler de l'aide. Il repensa à l'air ébahi du garde quand il avait relevé le nez de son journal et vu le canon de l'arme de Johann braqué sur sa tête. Il n'avait pas essayé de résister. Il s'était contenté de répondre aux questions de Cornelius. Il leur avait dit que la fille était dans le hangar, avec un autre type. Un type qui avait bien l'air d'être celui avec qui Kutlar s'était battu la veille. Celui qui avait descendu son cousin Serko. Le responsable de son atroce blessure à la jambe.

Il tourna la tête, vit Johann courir vers le hangar, plié en deux pour éviter la lumière qui se répandait par la porte. Une autre silhouette apparut, venant de l'arrière du bâtiment, et se glissa dans l'obscurité pour le rejoindre près de la porte. Ils restèrent accroupis sur le tarmac, deux démons dans le noir, occupés à vérifier leurs armes. Kutlar eut alors une révélation : c'était l'occasion qu'il attendait. Il se glissa derrière le volant, chaque mouvement comme un coup de poignard dans sa cuisse. Il dévissa son flacon et avala un seul comprimé – juste assez pour calmer la douleur sans émousser son profond désir de survivre.

Il repensa au type dans le hangar, qui ignorait que l'homme qu'il avait blessé était dehors et que deux autres attendaient devant la porte, arme en main. Si Kutlar laissait faire, ce type serait sans doute mort d'ici quelques minutes, mais les tueurs reviendraient ensuite lui régler son compte, et malgré son désir sincère de venger Serko, il tenait encore plus à la vie.

Il marmonna des excuses entre ses dents, en espérant que Serko, de là où il était, pourrait l'entendre. Puis il se remit à surveiller Cornelius et Johann.

116

—Il faut partir, dit Gabriel dès que Liv eut raccroché.

Arkadian ne bougea pas, garda son arme pointée sur lui.

—Que faisiez-vous à la morgue ? demanda-t-il.

Gabriel soupira et secoua la tête d'un air las.

—Je n'ai pas le temps de vous expliquer. Si vous voulez m'arrêter, allez-y… mais il faut que vous laissiez les autres partir. Il n'y a pas une sec…

Un coup de klaxon strident l'interrompit au milieu de sa phrase. Il tourna instinctivement la tête en direction du son, juste à temps pour voir un homme se glisser par la porte ouverte à l'autre bout du hangar et lever son arme vers eux.

—À terre ! cria-t-il en plongeant sur Oscar et Kathryn pour les entraîner au sol avec lui.

Le monde autour d'eux commença à se désintégrer.

Arkadian avait vu le tueur, lui aussi. Il pivota et braqua son arme juste au moment où la vitre à côté de lui explosait, remplissant l'air de minuscules cristaux. Il réussit à tirer deux fois avant de sentir comme un coup de poing à l'épaule, qui lui fit lâcher son arme et le projeta au sol.

Gabriel était accroupi près de la femme et du vieil homme. Arkadian le vit prendre une arme dans un sac noir. Un peu plus loin, de l'autre côté du bureau, il aperçut Liv, tapie derrière une photocopieuse. Elle se protégea la tête avec les mains quand le poste de télé explosa au-dessus d'elle, coupant net le flot des informations et projetant sur elle une pluie d'étincelles.

D'autres détonations retentirent : Gabriel ripostait.

Arkadian voulut s'écarter de la ligne de feu en rampant, mais il ressentit une douleur foudroyante dans le bras droit. Il roula sur le côté en serrant les dents, des mains l'agrippèrent par la veste pour le tirer à l'abri. Il donna des coups de pied pour aider à alléger son poids, et en levant les yeux, il vit le visage de la femme crispé par l'effort. Il glissa sur le sol jonché de débris de verre et se trouva enfin à couvert, au moment même où le chambranle de la porte commençait à cracher des éclats de bois.

La femme le relâcha et saisit son pistolet qui avait fini sa course tout près d'elle. Elle actionna la culasse avec une aisance certaine, pour s'assurer que l'arme n'avait pas été endommagée.

Tout redevint étrangement silencieux.

Quand le klaxon retentit, Cornelius réussit à se jeter derrière une caisse mais Johann n'eut pas cette chance. Quand il s'écroula lourdement sur le béton, d'un bloc, Cornelius comprit qu'il avait été touché. Il le tira à lui, puis le fit rouler sur le dos pour l'examiner.

Il avait une large blessure au bras droit. Elle saignait normalement, l'artère n'était pas atteinte. Mais Cornelius vit alors une autre blessure à son cou, d'où le sang coulait abondamment. Johann leva les yeux vers lui d'un air égaré, porta la main à son cou, sentit le liquide chaud sur sa paume. Il abaissa la main et la regarda fixement, tandis que le sang continuait de s'écouler de sa blessure au rythme des battements de son cœur. Cornelius tenta une compression pour ralentir le débit, se rendit compte que c'était inutile. Johann le comprit, lui aussi.

Il s'écarta et fouilla dans son sac qui était tombé à terre. Il en sortit deux petits objets ronds vert olive. On aurait dit deux pommes en acier. Des grenades.

— Va-t'en, dit-il.

Cornelius regarda Johann dans les yeux, vit que leur lumière commençait à se ternir. Le coup de klaxon avait réduit à néant l'effet de surprise. Il aurait dû tuer Kutlar, au lieu de le laisser seul dans la camionnette. Il avait commis une erreur, et c'était à cause de lui que Johann était en train de mourir. S'il en avait l'occasion, il tuerait Kutlar, en prenant tout son temps.

Il se baissa pour tracer rapidement le signe du Tau sur le front de son camarade du bout de ses doigts rouges de sang.

— Tiens-les occupés, mais ne fais pas de mal à la fille, dit-il en se souvenant du message de l'Abbé.

Il éjecta le chargeur vide de son pistolet, le remplaça. Il jeta un dernier regard vers Johann en hochant la tête, puis il partit à reculons vers la porte restée ouverte.

117

Arkadian avait les oreilles qui bourdonnaient du bruit des détonations, et son épaule le faisait horriblement souffrir, mais il avait encore les idées claires. Il posa la main sur sa blessure, sentit un trou humide dans sa veste. Sur la paume de sa main, il vit que le sang était rouge foncé, ce qui était bon signe – pas d'artère touchée. Il ne saignait pas trop. Il jeta un coup d'œil vers Gabriel qui se tenait à l'affût derrière la fenêtre brisée, guettant le moindre mouvement dans l'entrepôt.

— Ça va ? chuchota la femme.

Accroupie à côté d'une boîte de cartouches, ses longs cheveux noirs tombant sur son visage, elle était en train de remplir le chargeur de son arme.

— Je m'en tirerai, dit Arkadian.

D'un signe de tête, elle désigna le coin de la pièce.

— Vous devriez aller vous occuper d'elle. Ce combat n'est pas le vôtre, et ce n'est pas le sien non plus.

Il suivit son regard. Liv était toujours accroupie derrière la photocopieuse. Il vit autre chose. Derrière les débris du poste de télévision se trouvait une porte, sur laquelle était inscrit *ISSUE DE SECOURS* en grosses lettres vertes.

— À votre place, je ne ferais pas ça, dit le vieil homme comme s'il avait lu dans ses pensées. Ils doivent savoir qu'on peut sortir par l'arrière. Vous risqueriez de vous jeter dans la gueule du loup.

Kathryn inséra une dernière cartouche dans le chargeur, qu'elle replaça dans la crosse du pistolet d'Arkadian.

— Surveillez simplement la sortie sans vous exposer, dit-elle en lui tendant l'arme. Vous avez un portable ?

Arkadian hocha la tête et le regretta aussitôt en sentant la douleur lui poignarder l'épaule.

— Alors, appelez des renforts. Ils réagiront plus vite si ça vient d'un policier…

Il la regarda un instant sans rien dire, puis il prit l'arme de sa main valide. Il mit le pouce sur le cran de sûreté, constata qu'il était déjà dégagé.

Johann savait que les murs du bureau atténueraient l'impact des grenades. Il fallait qu'il s'approche, ou qu'il attende que ces gens en sortent. Il espérait que la fille resterait à l'intérieur. Elle serait peut-être assommée par les explosions, ou blessée par des éclats, mais elle survivrait.

Il sentait un engourdissement glacé prendre possession de son corps, remontant de ses doigts et de ses pieds.

Il entendit, au fond de l'entrepôt, un bruit de verre et le frottement de quelqu'un qui se déplaçait prudemment. Il vit son pistolet par terre, se pencha pour l'attraper. L'arme lui parut incroyablement lourde, ce qui n'était pas bon signe. Il dévissa lentement le silencieux pour l'alléger un peu, puis il la reposa à côté de lui. La sensation de froid gagnait ses genoux tandis que la chaleur de son corps continuait de s'échapper par sa blessure au cou.

Le moment était venu.

Il posa la main sur la première grenade.

118

Gabriel leva légèrement la tête et scruta l'entrepôt par-dessus le rebord de la fenêtre pulvérisée. Il n'y avait plus eu aucun mouvement depuis un bon moment, ce qui pouvait signifier deux choses : ou bien l'homme avait battu en retraite – auquel cas il pouvait fort bien revenir avec des renforts et une puissance de feu accrue –, ou bien il était encore là et attendait son heure. De toute façon, il n'était pas question de rester sans rien faire, à espérer que ça s'arrangerait tout seul. Il fallait agir.

Un bruit de verre brisé attira son attention. L'inspecteur rampait vers Liv, abritée derrière la photocopieuse. Il serrait un portable entre ses dents et tenait son bras blessé contre son corps. Il avait une arme dans l'autre main. Gabriel n'avait pas l'intention d'attendre qu'Arkadian ait appelé la cavalerie en renfort. Après sa visite à la morgue, il serait forcément arrêté – et se retrouver à mijoter dans une cellule pendant quelques jours ne rendrait service à personne.

L'inspecteur finit par rejoindre Liv, lui murmura quelque chose à l'oreille. Elle se tourna vers Gabriel et lui sourit. Il lui sourit en retour, puis il détourna la tête en entendant un bruit de verre derrière lui. Kathryn et Oscar se mettaient en position près de la porte. Gabriel serra la crosse de son pistolet et le leva en examinant de nouveau l'entrepôt silencieux, essayant de repérer du mouvement dans les allées entre les caisses.

Toujours rien. Que des ombres.

Sa mère et son grand-père étaient collés contre le mur à côté de la porte, Kathryn en avant. Elle tenait à la main le Glock qu'il avait récupéré sur l'homme qui reposait maintenant au fond de la carrière. Elle le regarda par-dessus son épaule, le visage tendu par la concentration. Il leva la main gauche et respira profondément avant de l'abaisser.

Au même instant, il leva son arme et commença à tirer par la fenêtre, en se concentrant sur la zone où il avait vu l'homme tomber à terre. Il tira huit coups. D'abord trois en succession rapide, pour essayer d'abattre la cible, puis cinq un peu plus espacés pour l'empêcher de se déplacer.

Il examina alors l'entrepôt à travers le nuage de fumée bleue, ne vit rien. En se penchant au-dessus du rebord de la fenêtre, il aperçut Kathryn, maintenant adossée à une caisse, prête à l'action.

Johann entendit les balles déchirer l'air au-dessus de sa tête et percuter la porte en acier derrière lui. Une balle toucha le haut de la caisse contre laquelle il était assis, faisant pleuvoir sur lui des éclats de bois et d'aluminium avant de ricocher vers la droite en miaulant. Pendant ce temps, il continuait de maintenir la pression sur sa blessure au cou, s'efforçant de ralentir le flot de sang pour se donner encore un peu de temps. Il avait compté les coups de feu, en notant leur fréquence – trois rapides, cinq plus espacés : un tir de couverture classique. Ils étaient en train de changer de position, ce qui voulait dire qu'ils s'apprêtaient à l'attaquer. Il sourit en regardant les deux grenades sur ses genoux. Il commençait à avoir très froid, son esprit s'engourdissait, inéluctablement.

Plus très longtemps, maintenant, pensa-t-il.

Il commença à réciter dans sa tête une des prières des Vigiles.

Il allait mourir en accomplissant l'œuvre de Dieu, et Dieu l'accueillerait parmi les siens.

Gabriel atteignit la porte du bureau et prit la position que sa mère avait occupée l'instant d'avant. Trois coups de feu rapides déchirèrent le silence, et il se précipita dehors avant même que le premier des tirs plus lents ait retenti.

Johann compta les trois premiers tirs et changea légèrement de position, laissant des traces de main sanglantes sur le sol de béton.

Chaque geste était un effort, mais il ne pouvait attendre plus longtemps.

Quatre…

Il referma la main sur la première grenade.

Cinq…

Il arracha la goupille et expédia la grenade par-dessus la caisse qui l'abritait, vers le bureau au fond de l'entrepôt.

Six…

Il roula sur lui-même dans son propre sang, dégoupilla la seconde grenade, la lança de l'autre côté, entre deux rangées de caisses.

Sept…

Il saisit son pistolet et commença à se redresser.

Huit…

Il se leva derrière la caisse et se mit à tirer.

Gabriel vit l'homme en rouge se lever, son arme braquée vers l'endroit où se tenait sa mère. Il vit une flamme jaillir du canon et un coin de caisse en éclats. Sous l'effet du recul, le canon de l'arme se releva légèrement et revint s'ajuster sur sa cible.

Un nouveau coup de feu retentit, tiré cette fois par Gabriel.

Une brume rouge jaillit derrière la tête du tueur, qui fut projeté en arrière comme s'il venait de recevoir un coup de poing. Gabriel le vit s'écrouler tandis que l'écho de la détonation se répercutait dans la vaste salle. Ce n'est que lorsque le bruit s'atténua qu'il entendit le cliquetis d'un objet métallique glissant vers eux sur le béton. Il se tourna, comprit de quoi il s'agissait une seconde avant que l'objet ne vienne rouler pratiquement aux pieds de Kathryn.

Elle se retourna pour le regarder, mais Gabriel était déjà en mouvement. Pour la deuxième fois en quelques instants, il se jeta de tout son poids contre elle, à la façon d'un joueur de rugby interceptant un adversaire, tentant de l'éloigner le plus possible de la grenade sur le point d'exploser.

C'est alors qu'il aperçut la deuxième grenade qui roulait vers l'endroit précis où ils allaient atterrir.

119

De là où il se tenait, à côté de la porte du bureau, Oscar avait une vue dégagée sur l'allée entre les piles de caisses. La grenade était à mi-chemin quand il la repéra, rebondissant vers lui sur le sol de béton. Sa réaction fut instinctive. Il franchit le seuil en levant les mains en signe d'avertissement, la tête tournée vers Gabriel et Kathryn. Quand il les vit enlacés, glissant inexorablement dans sa direction, il éprouva un instant de lucidité divine, et le temps sembla presque s'arrêter.

Il regarda la grenade tournoyer lentement à quelques centimètres à peine au-dessus du sol. Elle rebondit avec un bruit de marteau cognant la pierre et continua sa trajectoire vers lui. Il banda ses muscles et se pencha légèrement en avant.

Quatre-vingt-dix ans… songea-t-il. J'ai esquivé les flèches de l'ennemi et ses lances pendant quatre-vingt-dix ans…

La grenade se rapprocha et ricocha contre le mur du bureau pour finir sa course à ses pieds.

Pas mal, pour un homme mort…

Il se jeta en avant et s'aplatit au sol, recouvrant la grenade de son corps.

Gabriel vit Oscar s'écrouler et comprit aussitôt ce qu'il faisait. En trois pas il fut près de lui et s'apprêtait à le saisir par le col…

… quand la première grenade explosa derrière lui.

L'onde de choc le souleva vers l'avant, par-dessus le corps d'Oscar, et le précipita contre le mur du hangar. Il le percuta la tête la première, avec toute la force du souffle de l'explosion, et retomba lourdement à terre derrière une caisse. Il sentit qu'il allait perdre connaissance, secoua la tête pour tenter de résister. Il essaya de crier pour se forcer à se réveiller. C'est alors que Kathryn atterrit sur lui, lui cognant le crâne contre le béton et achevant le travail que le mur avait commencé.

La dernière chose que Gabriel ressentit avant de s'évanouir fut le sol qui tremblait sous lui et le bruit étouffé de l'explosion de la seconde grenade.

120

Arkadian tenait son portable au-dessus de lui pour essayer de capter le réseau quand la première onde de choc se propagea dans la pièce. Elle le projeta contre la barre horizontale de la porte de secours, qui s'ouvrit sous le choc, et le propulsa dans la nuit. Une explosion de douleur lui déchira l'épaule quand il heurta le sol de gravillons. Il se mordit la lèvre pour ne pas hurler, roula aussitôt sur le côté pour soulager son épaule. Il s'efforça de respirer profondément pour calmer la douleur tout en regardant autour de lui pour repérer un éventuel danger.

Il vit que Liv avait été projetée en travers du seuil, aperçut la lueur bleutée de son téléphone sur le gravier. Il se redressait pour l'attraper quand la seconde explosion fit trembler le sol. Il se précipita sur son portable, perçut un mouvement et releva les yeux vers la porte qui se refermait doucement. Il vit alors l'homme qui se tenait devant...

Liv sentit la seconde explosion plus qu'elle ne l'entendit. Elle se propagea dans la terre avec un grondement de tonnerre, ce qui lui fit reprendre ses esprits. Elle distingua Arkadian, quelques mètres plus loin, assis sur le gravier et attrapant son téléphone. C'est alors qu'il leva les yeux et regarda derrière elle, avec une expression de stupéfaction sur le visage.

Aussitôt, son corps fut agité de soubresauts tandis que deux trous apparaissaient sur le devant de sa chemise. Il retomba en arrière et Liv vit son arme par terre, là où il avait été assis.

Elle s'écorcha les mains sur le gravier en tentant de la récupérer. Derrière elle, le rectangle de lumière de la porte se réduisit en se refermant. Refusant d'y prêter attention, Liv se concentra sur le pistolet.

Sa main se referma sur l'arme et elle se cassa un ongle en passant le doigt derrière la garde de détente. Elle s'apprêtait à se retourner quand quelque chose la frappa derrière la tête, lui emplissant le crâne d'une douleur aveuglante et d'une lumière éblouissante, avant que les ténèbres l'engloutissent.

121

En claudiquant, Kutlar avançait vers le poste de garde. La sueur lui coulait dans les yeux. Il avait beau sentir l'air frais de la nuit sur sa peau moite, rien ne pouvait venir à bout de la fièvre qui bouillait en lui. Pas de doute, sa blessure devait être infectée. Il était également affaibli par la perte de sang. S'il ne trouvait pas rapidement de l'aide, il allait mourir quand même, et ça, il ne le voulait pas. Pas maintenant. Il lui semblait que cela faisait des heures qu'il avait appuyé sur le klaxon et qu'il s'était échappé de la camionnette. Mais ça ne remontait sans doute qu'à quelques minutes.

Il avait entendu le bruit étouffé d'un échange de tirs, deux explosions simultanées, puis le silence était retombé sur les lieux. Peut-être que tout le monde était mort, même le type qui avait tué Serko. En l'absence de témoins, il

428

avait encore une chance de se sortir de cette affaire. Tout ce qu'il lui fallait, c'était atteindre la cabane du gardien pour appeler les secours.

Les phares l'éclairèrent par-derrière alors qu'il n'était plus qu'à dix mètres de son but. Le sang battait si fort dans sa tête qu'il n'avait même pas entendu approcher la voiture. La panique lui monta à la gorge et il trébucha en avant. Il sentit ses dernières agrafes se déchirer.

Les phares se rapprochèrent et éclairèrent le côté du poste de garde. Celui-ci n'avait pas fait mine de prendre une arme, mais il devait quand même bien y en avoir une quelque part. S'il arrivait à la trouver, il aurait peut-être encore une chance.

À présent, il pouvait entendre le bruit du moteur qui couvrait les battements de son cœur. La cabane se rapprochait. Plus que cinq mètres.

Encore quelques pas, atrocement douloureux.

Plus que quatre mètres…

Trois…

Sans même ralentir, Cornelius percuta Kutlar de plein fouet. Il sentit le choc quand la voiture faucha l'homme aux jambes, le pare-brise s'étoilant quand sa tête vint s'écraser dessus.

Cornelius jeta un coup d'œil dans le rétroviseur et vit le corps rebondir sur le béton, les bras ballants et les jambes bizarrement tordues, tel un pantin désarticulé. Il enfonça la pédale de frein et passa aussitôt la marche arrière. Il ne voulait rien laisser au hasard en ce qui concernait Kutlar, et il ne voulait pas non plus abandonner un corps aussi visible.

Le moteur rugit quand il appuya sur l'accélérateur, et il vit le tas de vêtements et de chair grossir dans son rétroviseur. Il freina juste un mètre avant, déverrouilla le coffre et se glissa de son siège en tenant son arme pointée. Il espérait vaguement que Kutlar vivait encore. Il aurait apprécié de l'imaginer infirme le reste de sa vie, buvant avec une paille et chiant dans un sac. Mais il fut accueilli par deux yeux qui contemplaient le ciel sans le voir, et il en fut déçu.

Il se baissa pour ramasser le corps, sentit les os brisés des jambes de Kutlar frotter les uns contre les autres sous les chairs tuméfiées quand il enfourna le corps dans l'espace exigu à côté du cadavre du chauffeur. Il dut peser de tout son poids sur le coffre pour réussir à le refermer.

Il jeta un dernier coup d'œil autour de lui avant de remonter dans la voiture. L'aéroport était désert. Aucun mouvement, aucun hurlement de sirènes. Il aurait voulu pouvoir retourner dans le hangar et faire le ménage, mais il avait ses instructions et son objectif principal était rempli.

Il se remit au volant, regarda la fille allongée sur la banquette arrière. Une paire de menottes passée dans un anneau fixé au plancher lui entravait les poignets.

Il regarda sa poitrine se soulever au rythme de sa respiration, et il se dit que le coup qu'elle avait reçu sur la tête devrait la maintenir inconsciente jusqu'à ce qu'ils arrivent à destination. Il verrouilla quand même les portières, par mesure de précaution, puis il redémarra et s'engagea sur la route qui le ramènerait à la ville de Ruine.

VI

*Je vous en conjure, mes frères, restez fidèles à la terre
et ne croyez pas ceux qui vous parlent d'espoirs
supraterrestres !*

Friedrich Nietzsche, *Ainsi parlait Zarathoustra*

122

—Laissez-nous ! dit l'Abbé.

Les Apothecaria relevèrent la tête, surpris par un ordre venant d'un autre que leur maître. Ils se levèrent et regardèrent le Prélat, puis les appareils dont ils avaient la charge, et enfin la silhouette massive de l'Abbé sur le seuil de la chambre.

—Je vous rappelle, fit la voix sèche du Prélat venant du nid de draps blancs, que c'est moi qui commande. Vous feriez bien de ne plus l'oublier.

—Pardonnez-moi, mon père, dit l'Abbé, mais j'ai des nouvelles urgentes… qui concernent le Sacrement.

Les Apothecaria hésitaient toujours, dans l'attente d'autres instructions.

—C'est bien, dit le Prélat, vous pouvez sortir.

L'Abbé les regarda effectuer un dernier réglage sur leurs appareils et se glisser silencieusement hors de la pièce en refermant la porte derrière eux.

—Approchez-vous, dit le Prélat dans la pénombre. Je veux voir votre visage.

L'Abbé s'avança vers le lit et s'arrêta un instant devant les appareils que les fantômes venaient d'abandonner.

—Je suis désolé de me présenter ainsi à l'improviste, dit-il en baissant le volume de l'alarme, mais il se passe

433

quelque chose à propos du Sacrement. Quelque chose d'extraordinaire.

Arrivé à côté du lit, il fut immédiatement cloué par le regard pénétrant des yeux noirs.

— Et cela a-t-il… un quelconque rapport… avec les… trois Carmina… qu'on n'arrive pas… à retrouver…?

L'Abbé sourit.

— Ah oui, fit-il. *Ça*...

— Oui, *ça*.

Il y avait une énergie surprenante derrière la colère du vieil homme.

— C'est de cela que je voudrais vous entretenir.

L'Abbé regarda le Prélat. Il semblait avoir terriblement vieilli au cours des dernières heures. Son énergie vitale était presque épuisée et ses pouvoirs de régénération semblaient dissipés.

— Je viens d'être informé à l'instant qu'ils ont retrouvé la sœur de frère Samuel, dit-il en guettant la réaction du Prélat. Je leur ai demandé de l'amener ici, dans la Citadelle – de *me* l'amener.

Un soupçon de chaleur colora le visage livide du vieil homme.

— La coutume est d'attendre d'être devenu Prélat avant de se comporter comme tel.

— Pardonnez-moi, dit l'Abbé en tendant la main comme pour lui écarter une mèche de cheveux des yeux. Mais il faut parfois savoir se comporter en chef si l'on veut en devenir un.

Il prit un oreiller et l'appuya fortement sur le visage du Prélat, l'étouffant d'une main tandis qu'il lui saisissait les poignets de l'autre afin que ses ongles acérés ne puissent le griffer. Derrière lui, il entendit le faible bourdonnement d'une alarme émise par une des machines, qui détectait une variation inquiétante des paramètres vitaux. L'Abbé jeta un coup d'œil vers la porte, guettant un bruit de pas. Rien. Il maintint ainsi le Prélat jusqu'à ce que celui-ci cesse de se débattre, puis il retira l'oreiller. Le vieillard regardait fixement l'obscurité au-dessus de lui, sa bouche ouverte formant un cercle. L'Abbé alla rétablir le volume de l'alarme sur l'appareil de surveillance, puis il se précipita vers le lit en criant :

— Au secours ! À l'aide ! Venez vite !

Il y eut un bruit de pas précipités dans le couloir et la porte s'ouvrit brusquement. Un des Apothecaria se rua vers les appareils tandis que l'autre s'occupait du Prélat.

— Il s'est mis à étouffer, dit l'Abbé en s'écartant du lit. Ce n'est pas grave, j'espère ?

L'alarme continuait de retentir dans la pièce et l'Apothecaria commença à frapper la poitrine du vieil homme tandis que l'autre apportait un défibrillateur.

— Faites tout votre possible, dit l'Abbé. Je vais chercher de l'aide…

Il se glissa dans le couloir désert, non pour faire venir des secours mais pour se rendre dans les niveaux inférieurs de la montagne. Il n'y aurait pas d'enquête, car l'Abbé était maintenant le Prélat de fait, et il n'en demanderait pas. De toute façon, cette mort tragique serait bientôt éclipsée par ce qui restait à venir.

L'Abbé avait éliminé le dernier obstacle sur sa route. Il allait maintenant pouvoir accomplir sa destinée.

123

Gabriel reprit lentement ses esprits.

Au début, ses yeux refusèrent de s'ouvrir, et il resta étendu à terre, respirant un air chargé d'odeurs d'explosif et de bois brûlé – et d'autre chose encore. Une odeur qu'il avait connue au Soudan après que des forces de guérilla eurent pris en embuscade un des camions d'Ortus. Quand il était venu inspecter les lieux avec des troupes gouvernementales, la même odeur flottait dans l'air comme un lourd nuage. Ce n'est que lorsqu'il avait vu le corps calciné du chauffeur soudé au volant qu'il avait compris de quoi il s'agissait. En faisant ce rapprochement, il ouvrit les yeux en grand et se souvint de ce qui s'était passé.

Il regarda autour de lui, constata qu'il était allongé contre le mur du hangar, le corps de sa mère effondré sur lui. Il tenta de la ranimer en lui tapotant les joues, puis il posa les doigts sur son cou : les battements de son cœur semblaient forts et réguliers.

Il la prit par les épaules et la fit rouler doucement sur le côté pour se dégager. Il ressentit des élancements dans la tête quand il s'agenouilla pour la mettre en position latérale de sécurité. Il tendit l'oreille pour guetter des signes d'activité dans le bâtiment. Rien.

Son arme était restée là où elle lui avait été arrachée des mains. Il la prit et actionna la culasse pour s'assurer qu'elle n'était pas endommagée, puis il se glissa derrière les caisses, sans regarder vers le bureau. Il ne voulait pas voir ce qu'il savait y trouver, pas avant d'avoir vérifié que la zone était sûre et que le salopard qui avait fait ça était bien mort.

Il se baissa pour s'engager entre deux rangées de caisses et se dirigea rapidement vers l'avant du bâtiment. Le problème était qu'il ne savait pas combien de temps il était resté évanoui. Quand les coups de feu avaient commencé, l'inspecteur était en train d'appeler des renforts. Les gardes de sécurité de l'aéroport faisaient aussi une ronde toutes les vingt minutes. S'il se retrouvait coincé dans un cordon de sécurité, il serait mis sur la touche, ce qui arrangerait bien les affaires de la Citadelle.

Il se tâta le crâne et sentit une bosse qui grossissait, là où sa tête avait heurté le mur. Les cheveux autour étaient humides, son cuir chevelu profondément entaillé. Il regarda le sang sur ses doigts. Il était rouge vif, pas trop poisseux. Il n'avait pas encore commencé à coaguler. Il n'était donc pas resté inconscient très longtemps, ce qui était une bonne chose, mais il lui fallait quand même agir au plus vite.

Arrivé au bout de l'allée, il s'accroupit en tenant son arme braquée devant lui et jeta un rapide coup d'œil à droite et à gauche, son arme suivant la direction de son regard, prête à tirer. Un homme gisait à terre entre la porte du hangar et la première pile de caisses. Il avait les yeux ouverts et il lui manquait l'arrière du crâne. Gabriel s'approcha de lui, puis il se dirigea vers la sortie du hangar, tout en continuant de guetter le moindre mouvement.

Dehors, tout était calme – pas de voitures de police, ni de vigiles de l'aéroport. Une camionnette blanche était garée un peu plus loin. Il était pratiquement sûr que c'était celle qu'il avait suivie un peu plus tôt. Il y avait eu trois hommes à bord, mais il n'en avait trouvé qu'un pour l'instant.

Il tira la porte du hangar pour la refermer et rabattit une lourde barre métallique pour la verrouiller. Maintenant qu'il avait sécurisé ses arrières, il retourna examiner le cadavre.

La balle mortelle avait pénétré à l'intersection des deux barres du Tau dessiné sur son front. Il n'y avait pas de sang autour de la blessure. La mort avait dû être instantanée. Dommage. Gabriel s'obligea à souffler doucement pour évacuer l'émotion qui lui serrait la gorge et lui piquait les yeux. Il avait besoin de rester concentré. Il y avait encore deux hommes dans la nature, et les flics ne devaient plus être très loin.

Il s'accroupit, entreprit de fouiller le corps. Il passa la main sur le tissu sec du blouson rouge, en évitant les chairs ensanglantées de la blessure au cou. Au moins, il avait souffert avant de mourir.

Gabriel trouva les clés du véhicule et un rectangle de plastique blanc de la taille d'une carte de crédit. Il se souvint de la camionnette attendant au fond de la ruelle près du mur de la vieille ville. Le conducteur avait passé une carte dans un lecteur. Il la glissa dans sa poche avec les clés et ramassa l'arme du mort. Il y avait aussi un silencieux à côté d'un sac de toile. Gabriel alla récupérer le cylindre de métal noir et s'en servit pour soulever le rabat du sac.

Il y avait à l'intérieur quatre chargeurs de cartouches de 9 mm, deux grenades et une boîte en plastique contenant des seringues hypodermiques préremplies, identiques à celles que les soldats emportent au combat. Il y avait également deux ampoules remplies d'un liquide clair. Il regarda l'étiquette. De la kétamine, un puissant sédatif généralement utilisé par les vétérinaires pour endormir les chevaux.

Gabriel mit le Glock et le chargeur dans le sac, qu'il se passa en bandoulière, puis il se glissa entre les caisses pour retourner vers le bureau.

En s'approchant, il sentit l'odeur âcre des explosifs et vit le mur criblé d'éclats. Sur le sol, un cercle noirci indiquait le point d'impact. Il y en avait un autre sous le toit d'acier au-dessus. Le béton renforcé du sol avait manifestement réfléchi le souffle vers le haut, ce qui lui avait sauvé la vie. Arrivé au bout du passage, il respira profondément pour calmer la rage qui montait en lui, puis il s'avança.

Ce qui restait du corps d'Oscar gisait devant la porte.

Gabriel avait déjà vu des victimes sur les champs de bataille, les chairs déchiquetées et lacérées par les dents et les griffes des armes modernes – mais jamais quelqu'un de proche. Il s'avança vers son grand-père en refoulant son chagrin, s'efforçant de ne pas regarder l'amas de chairs sanglantes et se concentrant uniquement sur le visage qui était resté remarquablement intact. Oscar était allongé sur le ventre, la tête tournée de côté, les yeux fermés comme s'il dormait. Il avait l'air presque serein. Une tache de sang ressortait sur sa joue profondément hâlée. Gabriel l'essuya doucement avec le pouce. La peau était encore tiède. Il se baissa pour l'embrasser sur le front, puis il se redressa et regarda autour de lui, cherchant quelque chose à faire qui l'empêcherait de céder à ses émotions. Il n'avait pas encore sécurisé la zone, ni retrouvé Liv. Il retira une bâche d'une des caisses et s'en servit pour envelopper le corps d'Oscar, puis il entra dans le bureau.

124

Quand Gabriel vit la porte de secours entrouverte, il comprit aussitôt qu'il y avait quelque chose d'anormal. Il leva son arme, s'approcha lentement pour jeter un coup d'œil à l'extérieur. L'inspecteur était étendu à terre, et Liv avait disparu.

Il sortit et vérifia qu'il n'y avait personne d'autre, puis il prit l'inspecteur sous les épaules et le traîna à l'intérieur. Il faillit le lâcher quand Arkadian poussa un gémissement rauque.

Il referma la porte et lui tâta le cou. Il sentit le battement de cœur sous ses doigts et fronça les sourcils en regardant les deux trous sur le devant de sa chemise. Les bords étaient irréguliers, et les deux blessures étaient très rapprochées. Il passa le doigt dans l'un des trous et sentit un contact de métal chaud. Il fit de même avec le second trou puis arracha le tissu entre les deux, révélant un gilet pare-balles. Et deux balles aplaties à l'emplacement du cœur. L'impact avait été suffisant pour faire perdre conscience à l'inspecteur, et peut-être même lui fêler des côtes, mais pas pour le tuer.

— Hé, fit Gabriel en lui appliquant des claques sur les joues. Allez, réveillez-vous.

Il continua de le frapper jusqu'à ce que la tête d'Arkadian roule sur le côté et qu'il ouvre péniblement les yeux. Il regarda Gabriel et tenta de se redresser.

— Doucement, dit Gabriel en lui posant la main sur la poitrine là où les balles l'avaient touché. Vous êtes blessé. Si vous vous levez, vous risquez de retomber dans les pommes et de vous fêler le crâne. J'ai besoin de savoir dans quel genre de voiture vous êtes venu.

— Une voiture banalisée, répondit Arkadian d'une voix rauque qu'il ne reconnut pas.

— Elle n'est plus là, dit Gabriel en fouillant dans sa poche pour prendre son portable. L'homme qui l'a prise est sans doute le même qui vous a tiré dessus et vous a laissé pour mort. Appelez la police pour signaler le vol. Elle doit être en ce moment quelque part sur le chemin de la Citadelle. Mais dites-leur d'être prudents. Il a pris la fille avec lui.

Arkadian repensa à son collègue, qui l'avait attendu au volant.

— Le chauffeur ? demanda-t-il.

Gabriel le regarda d'un air inexpressif.

— Il doit être dans la voiture, lui aussi.

Arkadian hocha la tête et prit un air sombre. Il saisit le téléphone de sa main valide et commença à composer le numéro du dispatching central, mais il n'en était qu'au troisième chiffre quand les deux hommes se figèrent : ils avaient entendu du bruit dans le hangar.

Gabriel se précipita vers la porte du bureau en se baissant pour rester au-dessous du niveau des fenêtres. Il entendit de nouveau le bruit. On aurait dit un craquement de parasites, ou un froissement de plastique. Il comprit ce que c'était une seconde avant d'avoir franchi le seuil. Un son affreux déchira l'air – un hurlement de douleur et de chagrin.

De l'autre côté de la porte, tenant la bâche dans sa main, Kathryn venait de découvrir ce qu'il restait du corps de son père.

441

125

Cornelius roulait entre les montagnes qui s'élevaient doucement, en restant prudemment un peu au-dessous de la vitesse limite. Avec son pare-brise éclaté et deux cadavres entassés dans le coffre, ce n'était pas le moment d'attirer l'attention. Il y avait encore pas mal de circulation au sortir de la ville, mais peu de monde allant dans la même direction que lui.

Il atteignit le boulevard du Sud et s'engagea sur le périphérique intérieur avant qu'Arkadian ait pu signaler que sa voiture avait été volée. Il était déjà sur la bretelle de sortie et se dirigeait vers le quartier Ombrien quand le dispatcheur lança l'avis de recherche à la radio. Une fois terminé l'exode quotidien des autocars et des voitures après la fermeture des grilles de la vieille ville, le quartier était pratiquement désert. Cornelius tourna dans la ruelle et s'arrêta devant la porte d'acier. Il tapa un message sur son portable pour signaler où il se trouvait et qui était dans la voiture avec lui.

Puis il attendit.

Au bout d'une longue minute, il y eut un bruit sourd derrière le volet métallique qui commença à se relever, découvrant l'entrée d'un tunnel plongé dans l'obscurité. Cornelius s'y engagea et ses phares éclairèrent des parois de béton, puis de pierre grossière quand le tunnel s'incurva sur la droite. Derrière lui, le volet se referma lentement.

Cornelius écoutait le grondement rythmé des pneus sur le sol irrégulier. Il se rendit soudain compte que c'était sans doute la dernière fois qu'il conduisait une voiture, et qu'il ne retournerait probablement plus jamais à l'extérieur de la Citadelle. Cette pensée l'apaisa. Il n'aimait pas le monde moderne, pas davantage les gens qui l'habitaient. Il avait suffisamment connu l'enfer sur la terre pendant ses années d'armée. Le salut se trouvait devant lui, loin du monde, là-haut dans la montagne – plus près de Dieu.

Les amortisseurs de la voiture gémirent quand elle aborda la pente menant à la salle au bout du tunnel. Les phares éclairèrent deux silhouettes qui se tenaient tels des fantômes au centre de la crypte. Cornelius braqua à droite pour les éviter avant de s'arrêter dans un nuage de poussière et de gaz d'échappement. Il coupa le moteur, garda les phares allumés. Dans la lumière des faisceaux réfléchie sur les parois, les deux fantômes flottèrent lentement vers lui à travers la brume. Tous deux portaient la soutane verte des Sancti. Cornelius ouvrit sa portière et descendit. Il sentit aussitôt deux bras puissants l'enserrer.

— Bienvenue, dit l'Abbé en s'écartant un instant pour le regarder, tel un père accueillant un fils qu'il croyait perdu. Êtes-vous blessé ?

Cornelius fit signe que non.

— Eh bien, alors, vous devez vous changer rapidement et nous accompagner.

L'Abbé passa un bras sur l'épaule de Cornelius et l'entraîna vers la porte du fond. Quand Cornelius en franchit le seuil, il remarqua quelque chose sur le sol de la petite antichambre. L'Abbé sourit en lui faisant signe de s'approcher. Cornelius sentit les larmes lui monter aux yeux quand il se baissa pour prendre la Crux en bois posée sur la soutane verte d'un Sanctus pleinement ordonné.

443

126

La communication s'interrompit brusquement. Arkadian regarda l'écran de son portable : il n'y avait plus de signal. Il fronça les sourcils, préoccupé non seulement par la perte de contact mais aussi par ce que le dispatcheur venait de lui dire. Il jeta un coup d'œil à sa blessure à l'épaule. Il fallait qu'il aille rapidement à l'hôpital. Il fallait aussi qu'il prévienne sa femme pour qu'elle n'apprenne pas tout ça par un autre.

Il se releva péniblement en tendant l'appareil devant lui pour tenter de retrouver le réseau. Il entendit une autre crise de sanglots et se rendit compte qu'il n'était sans doute pas le seul à avoir besoin de soins. Il se fraya un chemin au milieu des débris de verre et retourna dans le bureau.

Ce qu'il y découvrit évoquait une scène de lamentation biblique digne d'un tableau de la Renaissance. Le corps brisé du vieil homme était étendu sur le sol, recouvert d'un linceul en plastique qui brillait comme de la soie dans la lumière des plafonniers. Gabriel était agenouillé à côté, ses bras tenant la tête de sa mère contre sa poitrine. Elle pleurait et serrait le tissu de sa veste dans son poing crispé. Gabriel leva les yeux.

— La voiture ? demanda-t-il d'une voix tendue par le chagrin.

— Ils savent où elle est, répondit Arkadian. Tous les véhicules de patrouille sont équipés d'une balise automatique qui permet de les localiser rapidement si une radio ne fonctionne plus. Le dispatcheur me dit que cette balise doit être défectueuse, parce que la voiture semblait se déplacer en ligne droite à travers les bâtiments et les rues de la vieille ville avant de s'arrêter – en plein milieu de la Citadelle.

Gabriel ferma les yeux.

— Alors, c'est trop tard, dit-il.

— Non, fit une voix déchirée par la douleur.

Kathryn releva la tête et regarda Arkadian droit dans les yeux.

— Les pépins que le moine a avalés ! Il faut vous assurer qu'ils sont en lieu sûr, dit-elle.

Arkadian fronça les sourcils. Personne n'était censé être au courant. Voyant sa réaction, Kathryn expliqua :

— Nous pensons qu'ils pourraient être le Sacrement.

Arkadian secoua la tête.

— Mais ce ne sont que de vulgaires pépins de pomme, dit-il. Nous les avons fait analyser…

Un lourd silence suivit ses paroles. Plus personne ne bougea pendant de longues secondes. Arkadian observait Gabriel et Kathryn qui intégraient cette nouvelle information à ce qu'ils savaient déjà.

Enfin, Gabriel se pencha pour embrasser tendrement sa mère sur le front, puis il se releva.

— Si ce ne sont pas les pépins, dit-il en entrant dans le bureau, alors c'est la fille. Elle est la clé de tout. Elle l'a toujours été. Et je vais la ramener.

En faisant crisser le verre sous ses pieds, il alla prendre son sac de toile noire et le posa sur une table.

— Laissez-moi m'en occuper, dit Arkadian en jetant un coup d'œil à son portable dont l'écran affichait maintenant une barre.

Il appuya sur la touche bis pour rappeler le dispatching central.

— Si elle a été enlevée et emmenée dans la Citadelle, ils ne pourront tout simplement pas le nier, poursuivit-il. Nous pouvons faire intervenir le préfet de police, exercer des pressions politiques. Les obliger à coopérer.

— Ils nieront tout en bloc, répliqua Gabriel en fouillant dans son sac. Et ça prendrait beaucoup trop de temps. La fille sera morte avant qu'un politicien accepte de s'impliquer. Vous m'avez dit que la voiture se déplaçait encore quand vous avez parlé au dispatcheur. Cela veut dire qu'ils n'ont que vingt minutes d'avance sur nous. Nous devons partir d'ici tout de suite et aller la libérer.

— Et comment allons-nous nous y prendre pour faire ça ?

Rapide comme l'éclair, Gabriel se retourna et Arkadian sentit comme une tape sur son bras.

— Il ne s'agit pas de *nous*, fit Gabriel.

Arkadian baissa les yeux et vit une seringue plantée dans son bras, là où Gabriel l'avait touché. Il fit un pas en arrière en titubant, essayant vainement d'arracher la seringue. Son bras était déjà lourd et ne lui obéissait plus. Il se cogna contre le mur, sentit ses jambes plier sous lui. Gabriel le saisit sous les bras pour le retenir. Arkadian essaya de parler, mais sa langue était paralysée.

— Je suis vraiment navré, dit Gabriel d'une voix qui semblait liquide et lointaine.

La dernière pensée d'Arkadian fut que son épaule ne lui faisait plus mal.

127

Cornelius n'était encore jamais venu dans cette partie de la montagne. L'escalier de pierre, qui semblait monter indéfiniment, était très ancien et étroit, et les marches couvertes de poussière indiquaient qu'il n'avait pas servi depuis longtemps. Le garde marchait devant, tenant un flambeau qui projetait une lumière orangée sur les parois et sur le corps de la jeune femme qu'il portait sur l'épaule. Elle était inerte, ses bras pendaient comme les pattes d'une biche tuée par un chasseur. Cornelius n'entendait aucun murmure de conversations, pas le moindre écho d'une quelconque activité – aucun des bruits qui résonnaient d'habitude dans la montagne. Le seul bruit qui pouvait troubler ce silence était celui de leur respiration et du frottement de leurs pieds sur les marches de cet escalier interminable.

Il leur fallut près de vingt minutes pour en atteindre le sommet et, quand il pénétra enfin dans la petite crypte qui marquait la fin de leur ascension, Cornelius transpirait abondamment sous sa nouvelle soutane verte. Des bougies fixées aux murs répandaient suffisamment de lumière pour qu'on puisse distinguer plusieurs tunnels partant de la pièce, tous étroits et grossièrement taillés dans la roche. Une faible lueur tremblait au bout du tunnel central, et le garde se dirigea vers elle d'un pas toujours ferme bien qu'il ait dû transporter la fille tout du long.

Cornelius lui emboîta le pas, suivi de près par l'Abbé, et il dut baisser la tête pour entrer dans ce tunnel creusé des milliers d'années plus tôt par des hommes dont la taille dépassait rarement celle des hautes herbes qui murmuraient autrefois dans le vent des grandes plaines autour de la montagne. Il continua d'avancer la tête baissée, un signe de révérence approprié à ce qui l'attendait au bout. La Chapelle du Saint Secret de Dieu – l'endroit où était gardé le Sacrement.

À mesure qu'ils s'approchaient, la lueur au bout du tunnel devenait plus forte et Cornelius put voir les détails des parois et du plafond. Toutes les surfaces étaient couvertes de centaine d'icônes sculptées, qui étaient bien loin d'avoir été grossièrement travaillées au burin, comme il l'avait cru tout d'abord. Il en nota quelques-unes au passage : un serpent enroulé autour du tronc d'un arbre chargé de fruits ; un autre arbre, en forme de Tau celui-là, avec un homme se tenant à l'ombre du feuillage. Il y avait aussi des sculptures plus grossières représentant des femmes soumises à différentes sortes de supplices – l'une avait les membres brisés sur une roue, une autre hurlait au milieu des flammes, une autre encore était taillée en pièces par des hommes armés d'épées et de haches. À ses yeux, ces femmes se ressemblaient toutes. Elles ressemblaient à cette femme qu'il avait imaginée dans sa burqa, et le fait de voir leurs horribles souffrances lui procura un certain sentiment de paix. Cela lui rappela la fois où, quelques jours avant qu'il ne perde ses hommes, ils avaient trouvé un ancien temple au milieu des broussailles du désert, un peu à l'écart de la route principale de Kaboul. Les murs en ruine étaient couverts de hiéroglyphes semblables, de simple lignes érodées par le temps et le sable, décrivant des actes anciens et brutaux depuis longtemps oubliés et réduits en poussière.

Les icônes devinrent progressivement plus difficiles à distinguer, comme si des milliers d'années de passage dans ce tunnel les avaient usées, des souvenirs anciens qui finirent par se fondre dans la roche là où le tunnel s'ouvrait sur une grande antichambre.

Cornelius se redressa et plissa les yeux pour se protéger de la lumière soudaine. Elle émanait d'une petite forge creusée dans la paroi du fond, où un lit de charbon rougeoyait. Alignées devant la forge, quatre meules à aiguiser placées sur des cadres en bois se découpaient sur ce fond lumineux. Derrière elle, une grande roue en pierre couvrait une partie du mur. À peu près de la taille d'un homme, elle ressemblait à une ancienne meule à grain avec quatre barres de bois dépassant de sa surface, disposées à intervalles réguliers près du bord. Le signe du Tau était gravé en son centre. Quand Cornelius la vit, il crut un instant que cette étrange pierre était le Sacrement, et il se demanda quelle pouvait en être la signification. C'est alors qu'il remarqua les profondes rainures creusées dans la roche au-dessus et au-dessous, et qu'il vit que la paroi derrière était lisse.

C'était une porte.

Et derrière cette porte devait se trouver le véritable Sacrement.

Dans les tunnels obscurs au bas de la montagne, des lumières commencèrent à apparaître à mesure que les moines revenaient dans la bibliothèque. L'une de ces lumières appartenait à Athanase. Il avait fallu près d'une heure aux gardes pour inspecter les lieux à fond avant de déclarer qu'il s'agissait d'une fausse alerte et de rouvrir enfin les portes.

Le vestibule d'accès était beaucoup plus éclairé que d'habitude quand Athanase y entra. Cela était dû aux halos combinés des moines qui s'y étaient rassemblés pour commenter les événements récents et échafauder des hypothèses. Il aperçut le père Thomas qui sortait de la salle de contrôle en arborant un air préoccupé. Il fut suivi de près par le père Malachi, qui lui collait aux talons comme une oie anxieuse.

Athanase détourna aussitôt les yeux de peur que leurs regards ne se croisent et que leur secret partagé ne jaillisse entre eux tel un arc électrique. Il serra contre sa poitrine la liasse de documents qu'il tenait à la main et s'avança d'un air décidé vers les ténèbres au-delà de l'arche menant à la bibliothèque principale et au savoir défendu qu'il y avait caché.

128

Kathryn fit rouler le dernier tonnelet vers la camionnette blanche garée devant le hangar, les portes arrière ouvertes. Elle transpirait sous l'effort, les muscles de ses bras et de ses jambes étaient en feu, mais cette douleur était la bienvenue : elle lui permettait d'occulter celle, autrement plus profonde, qui menaçait de lui briser le cœur.

Gabriel sauta à bas de la camionnette pour soulever le tonnelet qui rejoignit tout ce qu'ils avaient déjà rassemblé : des sacs de sucre, des couvertures roulées, des tuyaux en plastique et des bâches, tout ce qui pouvait servir de matériau explosif ou inflammable et dégager beaucoup de fumée. Ce matériel avait été soigneusement disposé autour d'une pile de sacs blancs sur chacun desquels était inscrit au stencil KNO_3. Ils contenaient du nitrate de potassium, l'engrais riche en azote qui devait être expédié au Soudan et qui allait maintenant servir la cause d'une autre façon.

Gabriel cala le tonnelet d'essence, puis il se retourna et regarda le visage défait de sa mère. Elle avait la même expression que lorsque son mari avait été tué : un profond chagrin mêlé de colère et de peur.

—Tu n'es pas obligée de faire ça, lui dit-il.

—Toi non plus.

Il comprit que la douleur qu'il lisait dans ses yeux ne venait pas seulement de ce qui venait de se passer, mais aussi de ce qui pourrait se passer maintenant. Il redescendit de la camionnette.

—Nous ne pouvons pas l'abandonner comme ça, dit-il. Si la prophétie est exacte, et si elle est la croix, elle pourrait tout changer. Mais si nous ne faisons rien… rien ne changera, et tout ce qui est arrivé aura eu lieu pour rien. Et nous passerons le reste de notre vie à regarder par-dessus notre épaule. Parce qu'ils vont la torturer. Ils vont la torturer pour découvrir tous ceux à qui elle a pu parler, et ensuite ils la tueront et se lanceront à notre recherche. Je ne veux pas passer le reste de ma vie à me cacher. Il faut que nous mettions fin à tout ça maintenant.

Elle leva vers lui ses yeux noirs.

—Ils ont d'abord pris ton père, dit-elle, et maintenant, ils ont pris le mien. Je ne peux pas les laisser te prendre, conclut-elle en lui posant doucement la main sur la joue.

—Ils n'y arriveront pas, répondit-il en essuyant une larme qui coulait sur le visage de sa mère. Ce n'est pas une mission suicide. Je suis devenu soldat après la mort de papa pour pouvoir les combattre d'une autre façon.

Les arguments théoriques et les manifestations devant les cathédrales ne font pas s'écrouler les murailles.

Il jeta un coup d'œil au chargement de la camionnette.

— Mais nous, nous les ferons tomber.

En le regardant, Kathryn crut voir son mari. Elle vit aussi son père, et elle-même. Elle savait qu'il était vain d'essayer de discuter. De toute façon, il n'y avait plus de temps pour cela.

— Très bien, dit-elle. Allons-y.

Il se pencha pour l'embrasser tendrement sur le front – suffisamment longtemps pour marquer l'occasion, mais pas trop pour qu'elle ne pense pas qu'il s'agissait d'un baiser d'adieu.

— Voici ce que tu vas faire… commença-t-il.

129

Le Sanctus laissa la fille glisser à terre devant la forge, puis il prit une tige métallique accrochée au mur. Il la plaça au centre des braises et actionna les soufflets, emplissant la pièce du rugissement rythmé des flammes. La lumière jaune de la forge éclaira les pierres à aiguiser placées devant elle. L'Abbé s'en approcha en retirant sa soutane qu'il laissa tomber à terre. Cornelius vit le réseau de cicatrices sur son corps.

— Êtes-vous prêt à recevoir la connaissance du Sacrement ? demanda l'Abbé.

Cornelius hocha la tête.

— Eh bien, faites exactement comme moi.

L'Abbé dégaina sa dague de cérémonie de sa Crux et posa le pied sur la pédale d'une des meules pour la faire tourner. Il posa le fil de sa lame contre la pierre et commença à l'aiguiser sans la quitter des yeux. Cornelius se défit de sa soutane et sentit la chaleur du feu sur sa peau. Il retira sa dague de sa Crux et entreprit à son tour de l'aiguiser.

— Avant d'entrer dans la chapelle, lui dit l'Abbé de sa voix grave au milieu du sifflement des soufflets et des pierres à aiguiser, vous devez recevoir les marques sacrées de notre ordre. Ces marques taillées dans notre chair sont là pour nous rappeler notre incapacité à tenir le serment que nos ancêtres ont fait à Dieu.

Il leva sa lame et en examina le tranchant à la lumière.

— Ce soir, grâce à l'immense service que vous venez de nous rendre, cette promesse va enfin être honorée.

Il se plaça face à Cornelius et posa la pointe de sa dague en haut de l'épaisse cicatrice verticale au centre de sa propre poitrine.

— La première… dit-il en enfonçant la lame et en la faisant descendre jusqu'à l'estomac. Ce sang nous unit dans la douleur avec le Sacrement. Nous devons souffrir comme il souffre, jusqu'à ce que toute souffrance prenne fin.

Cornelius vit la lame glisser le long de l'ancienne cicatrice jusqu'à ce que le sang s'écoule du corps de l'Abbé sur le sol de pierre. Il leva sa propre dague, en enfonça la pointe dans sa chair. Fermant son esprit à la douleur, il força sa main à lui obéir et pratiqua la première incision d'où le sang commença à se répandre à terre.

L'Abbé leva de nouveau sa dague, qu'il s'enfonça dans l'épaule gauche pour faire une entaille horizontale.

Cornelius fit de même, imitant fidèlement chacun des gestes de l'Abbé jusqu'à ce que son corps porte les marques de la confrérie dont il faisait désormais partie.

Quand l'Abbé eut pratiqué la dernière entaille, il posa la pointe ensanglantée de sa dague sur son front et y traça le signe du Tau. Ce fut au tour de Cornelius, qui ne put s'empêcher de repenser à Johann. Les larmes coulèrent sur ses joues couvertes de cicatrices. Johann était mort en héros afin d'assurer le succès de leur mission. Grâce à ce sacrifice, lui-même allait recevoir dans un instant la bénédiction de la révélation du Sacrement.

L'Abbé remit sa dague dans la gaine de bois de sa Crux et s'approcha de la forge. Il souleva la barre de fer du cœur des flammes et s'approcha de Cornelius.

—N'ayez crainte, frère, dit-il en se méprenant sur la cause de ses larmes. Toutes vos blessures vont bientôt guérir.

Il leva la pointe rougie au feu et Cornelius en sentit la chaleur s'approcher de son avant-bras. Il détourna les yeux et repensa à la fournaise de l'explosion qui l'avait brûlé autrefois. Il sentit de nouveau la douleur aveuglante quand le fer se posa sur sa peau. Il serra les dents pour réprimer un cri, se forçant à endurer le supplice tandis que la puanteur de sa chair brûlée s'élevait dans la pièce.

Une fois le fer retiré, la douleur persista et Cornelius s'obligea à regarder son bras pour se convaincre que c'était terminé. Le souffle court, il examina la partie de peau calcinée et boursouflée qui le marquait à présent comme étant l'un des élus. Et il vit la chair commencer à se durcir et à se cicatriser.

Un long crissement dans la pénombre détourna son attention. Le garde était en train de peser de tout son poids sur les barres serties dans l'énorme meule de pierre pour la faire rouler dans des rainures polies par les millénaires, révélant une crypte qui, à première vue, semblait vide. Mais, en regardant plus attentivement les ténèbres, Cornelius finit par distinguer la flamme d'une bougie.

— Venez, dit l'Abbé en le prenant par le bras. Voyez par vous-même. Vous êtes des nôtres, à présent.

130

Athanase scrutait l'obscurité de la salle des Philosophes afin de repérer d'éventuels halos de lumière.

Il n'y en avait aucun.

Il s'approcha rapidement de l'étagère au milieu de la pièce, passa la main au-dessus des œuvres complètes de Kierkegaard. Il sentit sous ses doigts le mince volume de Nietzsche. Il le glissa dans sa manche sans oser regarder à l'intérieur, puis il s'éloigna rapidement de l'allée centrale pour se rendre à une des tables de lecture placées à l'écart. Il en trouva une contre un mur, entourée d'ouvrages aux titres obscurs, et après s'être encore une fois assuré qu'il était seul, il y déposa délicatement son livre.

Il se contenta de le regarder un long moment, comme si c'était un piège qui s'apprêtait à se refermer sur lui. Estimant que l'ouvrage paraîtrait anormalement seul sur cette table dégagée, il prit quelques autres volumes sur une étagère voisine, les disposa sur la table, en ouvrit quelques-uns au hasard. Satisfait de l'atmosphère de travail ainsi créée, il s'assit, jeta un dernier coup d'œil autour de lui et ouvrit enfin le livre à la page où il avait glissé les feuillets. Il prit le premier, le déplia soigneusement avant de l'étaler sur la table.

La page était blanche.

Sans paniquer, il sortit de sa poche un petit bout de charbon de bois récupéré un peu plus tôt dans l'âtre de la cuisine. Il le frotta contre la table pour obtenir un petit tas de fine poudre noire dans laquelle il posa le bout du doigt, qu'il passa ensuite très doucement sur la surface graisseuse du papier. À mesure que la poussière s'incrustait dans les incisions minuscules de la cire, de petits symboles noirs apparurent sur le blanc laiteux, jusqu'à ce que deux colonnes de texte dense remplissent la page.

Athanase examina ce que la poudre avait révélé. Il n'avait jamais vu autant de texte dans le langage interdit des Mala rassemblé dans un seul document. Il se pencha en retenant son souffle et commença à le lire en traduisant mentalement :

Au commencement était le Monde
Et le Monde était Dieu, et le Monde était bon.
Et le Monde était l'épouse du Soleil
Et le créateur de tout.
Au commencement le Monde était sauvage,
Un jardin regorgeant de vie.
Et une créature apparut,
Une incarnation de la Terre,
Pour apporter l'ordre dans le jardin.
Et là où Elle marchait,
Le sol se mettait à fleurir
Et les plantes à pousser là où il n'y en avait jamais eu,
Et les créatures s'y nichèrent et prospérèrent,
Et Elle donna un nom à chacune,

Et chacune prenait à la Terre ce dont elle avait besoin et pas plus,

Et chacune se redonnait à la Terre

Quand son existence prenait fin.

Et il en fut ainsi pendant l'ère des fougères géantes,

Et celle des grands lézards,

Jusqu'à l'aube du premier âge de glace.

Et un jour l'homme apparut – le plus grand de tous les animaux.

Il était proche d'être un dieu – mais pas assez pour lui.

Et il commença à voir non pas les grands dons qu'il possédait

Mais ceux qui lui faisaient défaut.

Il se mit à convoiter ce qui n'était pas à lui.

Et ce désir créa en lui un grand vide.

Et plus il convoitait ce qu'il n'avait pas,

Plus ce vide grandissait.

Il tenta de le combler avec les choses qu'il pouvait posséder :

Des terres, des troupeaux, le pouvoir sur les animaux,

Et le pouvoir sur d'autres hommes.

Il vit ses frères et désira plus que sa part.

Il voulait plus de nourriture, plus d'eau, un meilleur abri.

Mais rien de tout cela ne pouvait combler le vide immense.

Et par-dessus tout il voulait plus de vie.

Il ne voulait pas que son temps sur la Terre

Soit mesuré par le lever et le coucher du soleil,

Mais par le mouvement des montagnes.

Il voulait que son temps ne soit pas mesurable.

Il voulait être immortel.

Et il vit Celle qui marchait sur la Terre,
Sans jamais vieillir, sans jamais se flétrir.
Et la jalousie s'empara de lui.

131

Gabriel grimpa dans le cockpit de l'avion et regarda par le pare-brise. Il vit au loin les feux stop de la camionnette s'allumer en passant devant la cabane du gardien avant de s'engager sur la route. Il faudrait sans doute une demi-heure à sa mère pour rejoindre la Citadelle et se mettre en position. Lui-même n'en aurait que pour une dizaine de minutes.

Il s'installa dans l'un des deux sièges, examina le tableau de bord. Il avait eu l'occasion de faire plusieurs vols en tant que copilote, mais cela faisait déjà longtemps, et il n'avait jamais volé en solo. Le C-123 n'était pas conçu pour être piloté par un homme seul. À pleine charge, il pesait vingt-sept tonnes, et il fallait bien être deux pour tenir les commandes. L'atterrissage était le moment le plus difficile, surtout par vent de travers, mais là au moins, ce ne serait pas un problème.

Il effectua rapidement le check-up avant décollage en fouillant dans sa mémoire pour retrouver les procédures apprises au cours de son entraînement militaire, puis il testa les commandes des volets et de la gouverne de direction. Elles étaient plus lourdes que dans son souvenir. Il engagea le frein, pompa le carburant, appuya sur le starter. Le manche à balai vibra dans sa main quand le moteur

Double Wasp de tribord crachota avant de se mettre à rugir. L'autre moteur démarra à son tour dans un épais nuage de fumée noire, et Gabriel sentit dans le manche la puissance des hélices qui ne demandaient qu'à faire s'élancer l'avion. Il réduisit un peu les gaz, mit son casque radio et activa la communication pour appeler la tour de contrôle. Après s'être identifié et avoir indiqué sa destination, il demanda une autorisation de décollage immédiat.

Et il attendit.

L'aéroport ne comportait que deux pistes. Heureusement, les avions de transport empruntaient essentiellement la piste numéro deux, la plus proche du hangar. Mais si le vent n'était pas favorable, il pourrait être obligé de rouler longtemps jusqu'à l'autre piste. Les secondes s'écoulèrent.

Il perçut du mouvement sur sa droite, deux séries de lampes bleues tournant doucement au-dessus d'un faisceau de phares qui s'approchaient. C'était une camionnette de patrouille, qui roulait le long de la clôture. Elle se dirigeait vers le poste de garde, et Gabriel la vit ralentir.

Il était temps d'y aller.

Il poussa les deux manettes des gaz vers l'avant, relâcha doucement le frein et sentit l'avion s'ébranler tandis que les deux hélices l'entraînaient sur le tarmac. Sur sa gauche, un gros avion de ligne attendait au bout de la piste principale. Il était orienté dans la même direction, ce qui voulait dire que Gabriel avait le vent debout, et par conséquent, s'il était obligé de décoller sans autorisation, il se retrouverait au moins dans le flot du reste du trafic aérien.

Le C-123 avança en cahotant, puis il accéléra vers le départ de la piste numéro deux. La camionnette de patrouille venait de s'arrêter et un type en uniforme en descendait.

Une voix nasillarde le fit sursauter :

— Roméo-neuf-huit-un-zéro-Québec. Vous êtes autorisé à partir, piste deux. Mettez-vous en position d'attente.

Gabriel desserra sa prise sur le manche à balai et confirma l'instruction reçue.

Sur sa gauche, il vit l'avion de ligne accélérer sur la piste principale. Il était le suivant. Il avait laissé l'inspecteur étendu à terre, son badge posé sur sa poitrine. De cette façon, on le trouverait rapidement et les secours ne tarderaient pas. Il ne savait pas quelle quantité de kétamine il lui avait injectée, mais la dose était probablement forte. Pour rien au monde il ne voulait avoir sa mort sur la conscience.

La voix métallique crachota dans son casque :

— Roméo-neuf-huit-un-zéro-Québec, fit-elle tandis que le jet sur sa gauche quittait la piste et rentrait ses roues. Vous êtes autorisé pour décollage immédiat.

— Bien reçu, fit Gabriel.

Il relâcha les freins, poussa la manette des gaz presque à fond. L'accélération soudaine le plaqua contre son dossier jusqu'à ce que le nez de l'appareil se lève et que les roues quittent le tarmac dans un bruit sourd. Il atteindrait la Citadelle bien avant sa mère.

Il passa au-dessus de la clôture d'enceinte et amorça un virage sur la gauche. Au loin, il apercevait les monts Taurus qui s'élevaient de la plaine. Une lueur se reflétant sur les nuages lui indiqua la position de Ruine. Il continua de grimper en décrivant un large virage qui l'amena au-dessus des montagnes, jusqu'à ce qu'il approche de la ville antique par le nord. Il s'efforça de maintenir la stabilité de l'appareil contre les courants ascendants, aperçut enfin la cuvette dans laquelle était nichée la ville, avec le tracé du grand boulevard du Nord pointant vers la tache sombre en son centre.

Gabriel entra dans le système de pilotage automatique un cap qui mènerait l'avion juste au-dessus de la Citadelle, puis vers la côte au-delà. Il restait assez de carburant pour trois quarts d'heure de vol – suffisant pour que l'appareil soit loin en mer quand il s'écraserait.

Il vérifia le cap une dernière fois, puis enclencha le pilote automatique et lâcha le manche, qui se trouvait maintenant dans les mains d'un fantôme. Il laissa l'appareil voler ainsi pendant quelques minutes, observant la tache sombre jusqu'à ce qu'elle disparaisse sous le nez de l'avion. Une fois assuré que le pilote automatique fonctionnait correctement et que le cap était bien maintenu, il déboucla sa ceinture et se rendit dans la soute pour se préparer.

132

Cornelius franchit la porte de pierre et entra dans la chapelle du Sacrement.

Après la clarté rugissante de la forge, il régnait dans cette pièce une obscurité presque surnaturelle, qui convenait à merveille aux secrets qui s'y trouvaient, quels qu'ils puissent être. Quelques cierges près de la porte éclairaient à peine une étagère dans un coin. Leurs flammes vacillèrent quand le garde passa à côté pour se diriger vers le fond de la salle. Cornelius distingua une forme étendue à terre au centre de la chapelle. Le garde s'en approcha et déposa la fille juste à côté. C'était le corps de frère Samuel, les pieds tournés vers le fond de la pièce, les bras écartés pour former le signe du Tau.

Le garde prit Samuel par les épaules et le tira vers le fond, où il l'abandonna sans plus de cérémonie avant de revenir s'occuper de la fille. Il lui tourna les pieds vers les ténèbres, puis lui écarta les bras, dans la même position que son frère précédemment.

— Merci, Septus, dit l'Abbé. Vous pouvez nous laisser, maintenant. Mais ne vous éloignez pas.

Le moine hocha la tête sans un mot et fit de nouveau vaciller les chandelles en quittant la chapelle.

Cornelius sentit la main de l'Abbé se poser sur son bras pour le faire avancer.

— Approchez-vous, dit-il.

Cornelius obéit, les yeux fixés devant lui là où l'obscurité commençait à prendre forme. Il fit un autre pas en avant, sentit ses blessures commencer à le picoter, comme si des fourmis en parcouraient les bords déchirés. Il baissa les yeux, vit la peau commencer à se refermer, comme de la cire chaude qui se fige. Il releva la tête et aperçut quelque chose, au fond des ténèbres, qui prenait de la consistance à chaque pas qu'il faisait, s'élevant au-dessus de l'autel, une forme à la fois familière et étrange. Puis il vit une autre chose, tellement inattendue qu'il eut un mouvement de recul.

L'Abbé resserra sa prise sur son bras et se pencha vers lui.

462

— Oui, murmura-t-il. Maintenant, vous voyez. Le Sacrement. Le plus grand secret de notre ordre, et notre plus grande honte. Et ce soir, vous allez assister à sa fin.

133

Le faisceau des phares balaya le mur de béton du parking quand Kathryn s'engagea dans l'allée. Au bout, elle pouvait apercevoir la muraille médiévale marquant la limite de la vieille ville qui s'élevait au-dessus des constructions modernes.

Elle s'arrêta devant le volet d'acier, passa dans le lecteur la carte électronique que Gabriel avait récupérée sur le cadavre du tueur. Elle attendit, dans le grondement sourd du moteur de la camionnette qui se répercutait sur les murs sombres. Il ne se passa rien.

Elle leva les yeux vers le petit rectangle de ciel entre les murs des parkings. Son fils était quelque part là-haut. Une image du corps disloqué d'Oscar lui traversa l'esprit et elle ferma les yeux pour la chasser. Ce n'était pas le moment de se laisser aller au chagrin. Elle se rendait bien compte qu'elle était en état de choc, et qu'elle finirait par s'effondrer – mais pas maintenant. Il fallait qu'elle soit forte, pour son fils. Ce qu'elle s'apprêtait à faire l'aiderait à rester en vie. Il fallait qu'il vive. Elle ne pouvait pas le perdre.

Elle sursauta en entendant un grand bruit métallique. Le rideau de fer commença à se lever, lentement. Arrivé en haut, il s'arrêta avec un claquement sec.

Kathryn jeta un dernier coup d'œil au ciel noir avant d'embrayer et de s'engager dans le tunnel.

134

Gabriel avançait lentement dans la soute vide du C-123 qui vibrait tellement qu'on aurait cru qu'il allait voler en éclats. Il atteignit la partie où le plancher se relevait et s'arrima par un bras et une jambe au filet qui tapissait le fuselage. Il banda ses muscles, anticipant l'effet d'aspiration, et il appuya sur le bouton rouge commandant la descente de la rampe.

Un bruit métallique ponctua le grondement des moteurs tandis qu'une mince fente horizontale apparaissait à l'arrière de l'appareil, aspirant l'air de la soute pendant que la rampe commençait à se déployer. Gabriel tint bon, résistant au souffle qui faisait claquer les pans de sa combinaison spéciale de saut, une *wingsuit*. Un nouveau claquement métallique lui indiqua que la rampe était complètement sortie. Dehors, il distinguait le reflet des lumières de la ville sous la queue de l'appareil. Il mit ses lunettes en place et rampa vers le bord. Il jeta un coup d'œil, vit, trois mille mètres plus bas, la ville de Ruine, avec ses quatre grands boulevards convergeant vers la tache sombre au centre.

Cet avion était une façon commode de passer outre, quand des gouvernements traînaient des pieds pour délivrer un visa alors que des gens au sol attendaient désespérément de l'aide. Il avait déjà sauté de sa soute, mais jamais la nuit, et jamais d'une telle hauteur.

Il dégagea sa jambe du filet et se plaça au centre de la rampe, les pieds dirigés vers la nuit hurlante. Il vérifia une dernière fois les deux sacs qu'il portait, un sac-harnais sur la poitrine et un sac à dos, puis il recula lentement vers le bord de la rampe en s'agrippant toujours au filet pour résister à l'aspiration.

Quand ses pieds se retrouvèrent au-dessus du vide glacé, il continua de reculer jusqu'à ce qu'il ne soit plus retenu que par les mains. Il était maintenant en position horizontale à l'arrière de l'appareil, le corps soutenu par le flot d'air de la nuit. Toujours agrippé, il regarda la tache sombre se rapprocher lentement. Il ferma un œil et la fixa de l'autre, comme s'il visait avec un fusil.

Et il lâcha tout.

L'avion volait un peu au-dessus de cent trente kilomètres à l'heure quand Gabriel plongea dans les turbulences provoquées par les hélices. Quand il en fut dégagé, il écarta les bras et les jambes pour déployer les membranes de sa combinaison et gonfler l'aile. Sous l'effet de la vitesse, la portance eut aussitôt tendance à le faire remonter. Il ajusta la position de ses bras sans jamais perdre de vue la cible noire vers laquelle il se dirigeait.

L'entraînement au saut en combinaison ailée avait fait partie de ses derniers cours avant de quitter l'armée. C'était l'avancée la plus récente dans les techniques de saut HALO – pour «*High Altitude Low Observability*», altitude élevée et observabilité réduite –, un des éléments fondamentaux des opérations clandestines. Le principe était qu'un largage à haute altitude permettait à l'avion de rester hors de portée de missiles sol-air, et que le déploiement du parachute à très basse altitude minimisait les risques d'être repéré par des forces hostiles au sol. Un homme en chute libre est beaucoup trop petit pour être détecté par les radars. C'était la méthode idéale pour infiltrer rapidement et discrètement des troupes super-entraînées en territoire ennemi. Cela semblait également recommandé, s'agissant de s'introduire dans une forteresse de montagne que personne n'avait jamais réussi à forcer.

Gabriel regarda l'altimètre qu'il portait au poignet. Il était déjà au-dessous de douze cents mètres, et sa vitesse était de deux mètres cinquante par seconde. Il se pencha légèrement de côté pour amorcer un virage serré. Il vit la tache sombre grossir tandis qu'il descendait en spirale vers elle, cherchant des yeux le jardin qui se trouvait en son centre.

135

Kathryn aperçut de la lumière dans le tunnel et ses doigts se crispèrent sur son volant. Elle fouilla dans le sac noir posé à côté d'elle, en sortit son pistolet.

Elle repensa à tout à l'heure, dans la ruelle, quand elle avait passé sa carte dans le lecteur et que le volet d'acier avait tardé à se lever. Peut-être qu'ils l'attendaient, et qu'elle fonçait tête baissée dans une embuscade. Si c'était le cas, cela ne servirait à rien de s'arrêter maintenant.

Le tunnel était trop étroit pour qu'elle puisse faire demi-tour, et rebrousser chemin en marche arrière serait trop difficile. Et puis, ce n'était pas en fuyant qu'elle aiderait Gabriel. Elle garda donc le pied sur l'accélérateur et les yeux fixés sur la tache de lumière qui brillait de plus en plus au-delà du faisceau de ses phares. Arrivée au bas de la pente, elle leva son arme au-dessus du tableau de bord, aperçut une grotte où une voiture était garée, tous feux allumés. Personne à l'intérieur, les deux portières avant ouvertes.

Elle donna un coup de volant juste à temps pour éviter l'arrière de la voiture et freina brutalement. Elle examina les alentours en tenant son arme bien serrée, mais l'endroit semblait désert. Le seul détail notable était la porte d'acier dans le mur devant elle.

Elle coupa le contact, laissant elle aussi ses phares allumés. Le silence soudain était oppressant. Elle prit le sac noir et se glissa hors de la cabine, puis elle contourna la voiture, canon pointé devant elle, pour vérifier que personne ne se cachait derrière. Toujours rien. Elle retourna à l'arrière de la camionnette et l'ouvrit.

Le chargement s'était un peu déplacé pendant le trajet, mais la pile d'engrais, de sucre et de matériaux inflammables était intacte.

«Une bombe fumigène géante, avait dit Gabriel. Et suffisamment puissante pour faire sauter toutes les portes au bas de la montagne.»

Elle posa doucement son sac sur le plancher métallique à côté d'un grand carton calé contre le passage de roue arrière. Le carton contenait une lampe-tempête et deux sacs de couchage en drap, du modèle qu'ils utilisaient dans les pays chauds. Elle prit la lampe, la posa à côté, puis elle noua les deux sacs de couchage ensemble pour former un long cordon de coton blanc. Elle en plaça une extrémité dans le carton et tira l'autre vers le bouchon du réservoir d'essence.

C'est en passant derrière la camionnette qu'elle repéra la caméra fixée en haut du mur du fond, avec sa petite lampe rouge à côté de l'objectif. Elle retira le bouchon et tourna le dos à la caméra pendant qu'elle introduisait le bout du cordon dans le réservoir, en laissant la partie du milieu par terre. Elle retourna à l'arrière du véhicule, se baissa pour y prendre la lampe-tempête, dont elle dévissa le bouchon. Elle imbiba ensuite la cordelette de pétrole lampant, en versa une bonne quantité sur la partie déroulée sur le sol.

« C'est ta mèche », avait expliqué Gabriel.

Elle versa le reste du pétrole dans le carton à l'arrière de la camionnette, puis elle sortit deux grenades de son sac. Leur surface vert foncé était maintenant recouverte d'élastiques multicolores. C'était tout ce qu'elle avait pu rassembler en fouillant le bureau du hangar. Elle posa délicatement les grenades au milieu du carton imprégné de pétrole.

« Ce sont tes détonateurs, avait dit Gabriel. Attends la toute dernière minute pour les armer. »

Elle prit une des grenades et glissa le doigt dans l'anneau, mais elle s'arrêta aussitôt. Elle se trompait. Elle reposa la grenade, tendit le bras pour attraper le dernier objet que Gabriel avait chargé dans la camionnette avant de l'envoyer remplir sa mission.

La moto de cross ultralégère glissa sur le plancher de la camionnette et rebondit sur le sol. Le casque était passé dans le guidon, mais elle le laissa là. Chaque seconde comptait, et il y avait aussi la caméra de surveillance…

Elle posa la moto contre le pare-choc, reprit la grenade. Cela fit un petit *snick* quand elle tira la goupille.

« Si jamais la cuillère saute tout de suite, tu as six secondes pour courir te mettre à l'abri », lui avait dit Gabriel.

Kathryn regarda fixement la pièce métallique tandis qu'elle s'obligeait à la relâcher.

Elle ne bougea pas. Les élastiques l'avaient maintenue en place.

Kathryn poussa un long soupir de soulagement et prit l'autre grenade qu'elle s'empressa de dégoupiller avant que ses nerfs ne la lâchent. Elle la reposa dans le carton, près de sa sœur jumelle, et repoussa le tout vers le fond de la camionnette, contre les fûts d'essence et les sacs d'engrais. Elle prit une pochette d'allumettes dans le sac – le dernier élément de la bombe.

Elle enfourcha la moto et sortit de sa poche la carte en plastique qu'elle se mit entre les dents. Elle craqua ensuite une allumette, mit le feu à la pochette et la jeta dans la flaque d'essence, qui s'enflamma aussitôt. Le feu se propagea au cordon, d'un côté vers le réservoir de la camionnette et de l'autre vers les grenades.

« Une fois la mèche allumée, tu auras une minute pour t'échapper du tunnel, avait dit Gabriel. Peut-être moins. »

Kathryn fit pivoter la moto vers la sortie du tunnel, puis elle tourna la poignée des gaz et donna un grand coup de kick.

Rien ne se passa.

Dans la lumière des flammes grandissantes, elle tira à fond sur la manette du starter, essaya à nouveau de démarrer.

Toujours rien.

Elle repoussa la manette, terrifiée à l'idée de noyer le moteur. Le feu ronflait de plus en plus fort derrière elle, et elle poussa la moto avec les jambes pour s'en éloigner. Elle alluma le phare et la moto commença à rouler dans la pente qui se terminait trois ou quatre mètres plus bas. C'était sa dernière chance.

Elle débraya, passa en seconde. La moto tressauta quand elle embraya, et le moteur se mit à tousser avant de démarrer enfin en rugissant.

Kathryn mit les gaz et s'éloigna dans le tunnel, laissant derrière elle la camionnette en feu.

136

Tandis qu'il plongeait vers la Citadelle, la tache sombre s'élargissait sous les yeux de Gabriel au centre de la ville illuminée.

Sur le pourtour, il pouvait maintenant distinguer des lampadaires le long des rues désertes de la vieille ville, éclairant des devantures de magasins et des enseignes se balançant sous les toits pentus. Il commençait aussi à voir des formes se découper dans la montagne, et il aperçut le sommet d'où Samuel s'était jeté, avec un côté en à-pic et l'autre qui se terminait par une crête dans la partie inférieure de la montagne.

Il ne voyait toujours pas le jardin.

Il continua de plonger en spirale, tout en visant dans la tache centrale un endroit qu'il avait mémorisé d'après la photo aérienne. Quand son repère fut au centre de sa vision, il tira d'un coup sec sur l'anneau de son sac-harnais. Il sentit un léger choc quand le parachute de guidage se déploya, puis le choc plus brutal de la voilure principale. Il glissa les mains dans les poignées de commande et commença à orienter sa descente dans le noir.

Maintenant qu'il n'était plus assourdi par le sifflement du vent, il pouvait entendre les bruits de la ville : le chuintement de la circulation sur le boulevard circulaire, la musique des bars au sud de la muraille se mêlant aux conversations et aux rires. Tous ces bruits cessèrent brusquement et la plupart des lumières disparurent quand il descendit au-dessous de la crête pour plonger dans le sombre cratère au cœur de la montagne.

Gabriel avait gardé l'œil droit fermé pendant toute sa chute. Il l'ouvrit maintenant et ferma l'autre, de sorte que la vision nocturne qu'il avait préservée lui permit de distinguer les détails dans les ténèbres. Il vit des fissures dans la paroi rocheuse et des formes arrondies dans une large zone qui semblait plus claire que le reste. Le jardin. Beaucoup plus près qu'il ne l'imaginait. Et qui s'approchait très vite.

Il tira de toutes ses forces sur ses élévateurs et sentit son estomac se retourner quand le parachute oscilla. Il leva les jambes pour tenter d'éviter la cime d'un arbre qui se dressait dans l'ombre, mais ses bottes se prirent dans les branches. Il tira sur l'élévateur droit et réussit à se dégager, mais, lorsqu'il releva les yeux, il vit un autre arbre surgir des ténèbres droit vers lui.

Assis devant l'âtre, le moine releva la tête, surpris.

Il se leva et s'approcha de la porte. Sa soutane rouge était la seule tache de couleur dans ce couloir monochrome

471

situé au niveau inférieur des appartements privés du Prélat. Il colla son oreille contre la porte donnant sur le jardin, entendit de nouveau le bruit – moins fort, cette fois. C'était comme un immense oiseau s'agitant dans les feuillages, ou peut-être quelqu'un qui se frayait un chemin au milieu des buissons.

Le garde fronça les sourcils. Personne n'était autorisé à se promener dans le jardin la nuit. Il sortit son Beretta de sa manche, éteignit les lumières puis il ouvrit la porte.

Il s'en fallait encore de quelques heures avant que la lune ne se lève, et le moine ne pouvait rien distinguer dans la profonde obscurité. Il referma doucement la porte derrière lui, scruta les ténèbres en tournant la tête comme une chouette, à l'affût du moindre mouvement.

Un craquement sec brisa le silence et il se tourna aussitôt vers sa source. Il entendit alors une sorte de chuchotement, comme une branche qu'on secoue, puis le silence retomba. Le bruit semblait provenir du verger. À pas de loup, il descendit les marches de pierre menant au sentier. Il enjamba les gravillons, atteignit une étendue d'herbe qui susurra sous ses pieds tandis qu'il s'approchait du bosquet, son arme tendue devant lui.

Sa vision commençait à s'adapter à l'obscurité et il put distinguer les arbres, et autre chose au centre du verger, une tache plus claire qui flottait dans le noir tel un fantôme. Le garde braqua son arme vers elle et s'approcha en restant sous le couvert des arbres. Il remarqua alors des cordes qui pendaient, puis le harnais qui leur était attaché. Il venait juste de comprendre ce que c'était quand un éclair blanc remplit sa vision dans un bruit assourdissant. Il essaya de se retourner pour tirer sur son agresseur, mais les communications entre son cerveau et le reste de son corps étaient déjà rompues. Il s'écroula à terre, la nuque brisée, dans l'odeur humide de la terre mêlée au tapis de feuilles mortes. Il sentit vaguement qu'on lui défaisait sa ceinture et qu'on tirait sur sa soutane. Puis ses yeux se fermèrent et les ténèbres l'engloutirent.

137

Le phare de la moto balaya les parois du tunnel, à l'endroit où il formait un coude menant au volet métallique de la sortie.

En s'approchant, Kathryn freina brutalement et dérapa sur le sol de béton. La roue avant vint heurter le volet et la moto s'arrêta, le moteur calant aussitôt. Elle prit la carte qu'elle tenait entre ses dents et la passa dans le lecteur. Derrière elle, elle crut entendre les flammes crépiter et elle se jeta à terre, prête à rouler sous le rideau de fer dès qu'il commencerait à se soulever.

Ce qu'il ne fit pas.

Elle regarda sa carte, qui était légèrement pliée là où elle l'avait mordue. Elle redressa le plastique, fit une autre tentative.

Toujours rien.

Elle chercha des yeux une autre issue, aperçut une caméra de surveillance perchée tel un corbeau dans un coin, qui la fixait de son grand œil de verre. La lumière rouge clignotait, et Kathryn sentit la panique monter en elle en comprenant que la porte n'allait pas s'ouvrir.

Elle était prise au piège.

Gabriel avait le bras gauche en feu, mais il réussit à envelopper le corps dénudé du moine dans le parachute, qu'il traîna ensuite sur l'herbe humide jusqu'à un tas de bûches.

Il s'était violemment cogné le bras au cours de sa chute, et maintenant que le flot d'adrénaline s'était calmé, la douleur était presque insoutenable. Il arrivait tout juste à bouger les doigts, mais il ne pouvait rien saisir avec. Il devait s'être fracturé un os.

En prenant bien soin de garder son bras blessé le long du corps, il tira avec l'autre quelques branches pour cacher le cadavre du moine, puis il retourna au pommier où il avait posé son sac à dos. Il entendait au-dessus de lui le bruissement des feuilles et le lointain bourdonnement de la ville, mais pas de grondement d'explosion sous ses pieds. Les choses avaient peut-être mal tourné pour Kathryn.

Il mit sa main dans son sac, alluma le Smartphone qui s'y trouvait. Il ferma l'œil droit pour préserver sa vision nocturne, baissa la tête dans l'ouverture pour le consulter.

L'écran affichait un gros point blanc clignotant. Il n'y avait aucune autre information. Le schéma des rues avait disparu. Sans points de repère, il ne pouvait s'en servir que comme d'un détecteur directionnel, en suivant le signal émis par le transpondeur caché dans le corps de Samuel. Gabriel était certain que Liv ne devait pas en être éloignée.

Il referma le sac et serra les dents en enfilant la soutane rouge par-dessus sa tête. À travers le bosquet d'arbres, il apercevait une faible lumière derrière une fenêtre découpée dans la paroi. Il continua de l'observer tout en sortant successivement son arme et son Smartphone du sac. Toujours pas d'explosion.

Il avait compté sur le souffle et la fumée qui en résulteraient pour créer une confusion qui lui permettrait de se mettre en sécurité dans la montagne. Mais il ne pouvait attendre indéfiniment. Quelqu'un pourrait remarquer l'absence du garde qu'il venait de tuer et se lancer à sa recherche, ou déclencher l'alerte. Il ne pouvait se le permettre, s'il voulait sortir Liv d'ici vivante. Ses pensées s'égarèrent un instant sur ce qui pouvait être arrivé à sa mère, mais il se reprit aussitôt. Cela ne changeait rien à sa mission.

Il attendit encore quelques secondes en crispant sa main gauche pour évaluer les dégâts. Elle lui faisait affreusement mal, mais il ne pouvait rien y faire. La lumière derrière la fenêtre clignota un instant. Quelqu'un avait bougé devant. Gabriel se releva et mit les mains dans ses manches – la main valide tenant son pistolet et l'autre agrippant autant qu'il le pouvait son Smartphone.

Il avança dans l'herbe en longeant le sentier qui le mènerait à une porte et, de là, à l'intérieur de la Citadelle.

Kathryn sentait la panique l'envahir.

Elle ne savait pas combien de temps il lui restait avant que la camionnette n'explose. Elle chercha désespérément une issue, animée du seul désir de survivre.

Réfléchis, bon sang !

Le tunnel était incurvé, et il était possible que cela la protège de l'impact direct de l'explosion. Elle imagina l'onde de choc parcourant l'espace étroit et la projetant contre le rideau de fer tel un marteau frappant une enclume. Il fallait qu'elle s'aplatisse à terre, aussi près du mur que possible pour présenter la surface minimale au souffle de l'explosion. Elle enjamba la moto, remarqua le casque resté accroché au guidon. Elle se le mit sur la tête et roula à terre sur sa gauche, là où la courbe du tunnel pourrait dévier une partie du souffle. Elle se blottit contre le mur tout en se demandant s'il y avait encore autre chose à faire. Sous son casque, le bruit de sa respiration était assourdissant.

Elle inspira fortement, se pinça le nez et attendit.

138

L'explosion retentit à travers la montagne comme un grondement de tonnerre essayant de s'échapper de la terre. Dans les ténèbres de la grande bibliothèque, elle fit voler les livres en l'air et tomber une pluie de poussière de la voûte. Athanase releva la tête, totalement médusé. C'était comme si la montagne venait de lire par-dessus son épaule et avait tremblé en découvrant ces mots.

Il replia les feuillets pour les remettre dans le livre de Nietzsche, puis il se leva. Il fallait qu'il sache si ce qu'il venait de lire dans cette langue morte était vrai. Sa foi en dépendait. La foi de tous en dépendait.

Il sortit par le couloir menant au vestibule central en enjambant les livres tombés à terre. Il ne prêta pas attention au chaos qui régnait autour de lui, ni aux voix qui s'élevaient tandis qu'il approchait de l'entrée. Il se sentait totalement détaché, comme s'il était devenu un pur esprit libéré des contraintes de son être physique. Il entra dans le grand vestibule et se dirigea vers le sas d'accès, à peine conscient des bibliothécaires qui gémissaient et s'arrachaient les cheveux en contemplant le désastre autour d'eux.

Quand il sortit du sas, la fumée le prit aussitôt à la gorge. Elle avait une odeur âcre et soufrée, et se mélangeait à la confusion et à la peur dans les couloirs. Deux moines vêtus de la soutane marron des guildes de maintenance passèrent à côté de lui en courant pour rechercher la cause de cette fumée. Athanase les imagina se faufilant vers une crevasse dans la roche d'où cette fumée pestilentielle s'échappait : une crevasse ouverte sur les profondeurs de l'enfer...

Il poursuivit son chemin pour remonter dans la montagne vers sa révélation personnelle. Il savait qu'il empruntait un sentier interdit qui le conduirait probablement à la mort, mais il n'en éprouvait aucune crainte. Il ne pouvait pas continuer de vivre dans l'ombre froide projetée par les mots qu'il venait de lire. Il préférait mourir en découvrant qu'ils étaient faux plutôt que de vivre en soupçonnant qu'ils étaient vrais.

Il baissa la tête pour s'engager dans un petit escalier, en gravit les marches. Arrivé en haut, il prit un couloir étroit qui donnait sur plusieurs passages. Au fond, un homme en soutane rouge montait la garde devant la porte menant à la partie supérieure de la montagne. Athanase n'avait aucune idée de la façon dont il pourrait franchir cet obstacle, mais dans son cœur il avait la certitude qu'il y parviendrait.

Se rendant compte qu'il tenait encore à la main le livre contenant les pages volées de la Bible hérétique, il le posa contre sa poitrine comme une sorte de talisman protecteur. Il fit deux pas vers le garde, qui tourna la tête dans sa direction juste au moment où une autre porte s'ouvrait au milieu du couloir. Un autre garde en sortit, son capuchon baissé couvrant le haut de son visage.

C'est alors que les lumières s'éteignirent, plongeant le couloir dans une obscurité totale et impénétrable.

139

Liv se réveilla en pensant au tonnerre.

Elle ouvrit les yeux.

Des centaines de petits points lumineux flottaient dans l'obscurité. Elle se força à se concentrer et sentit le sol glacé trembler un instant sous elle. Des flammes de bougie se reflétaient sur des lames brillantes disposées sur une paroi rocheuse. Puis elle vit autre chose par terre. Un corps au torse dénudé sur lequel se dessinait un réseau de lignes familier.

Elle tendit la main vers lui, malgré la douleur que ce geste provoqua dans sa tête, et elle toucha un visage aussi froid que la montagne. Elle le fit tourner vers elle et un gémissement animal sortit de sa gorge. Malgré la violence de sa mort, et la brutalité des investigations médicales qui avaient suivi, Samuel semblait presque serein.

Liv s'approcha de lui en rampant, les yeux brûlants de larmes, et se redressa pour l'embrasser. En posant les lèvres sur sa peau glacée, elle sentit quelque chose changer au fond de son être. Puis tout bascula quand on l'agrippa violemment par les épaules pour l'arracher à son frère.

Gabriel repéra le garde quelques instants avant que les lumières ne s'éteignent.

Il s'accroupit aussitôt dans l'obscurité soudaine, et un éclair de douleur traversa son bras. Il s'efforça d'avancer silencieusement dans le noir vers le fond du couloir, la main tendue devant lui, attentif à ne pas heurter le mur de pierre avec son arme quand il l'atteindrait. Malgré la douleur lancinante, il tenait toujours son Smartphone de la main gauche, caché dans sa manche. Il avait jeté un coup d'œil à l'écran juste avant d'entrer. Le signal du transpondeur venait de quelque part derrière la porte devant laquelle le garde était en faction.

Le dos de sa main entra en contact avec le mur glacé et il s'accroupit encore plus, son arme pointée là où il avait vu le garde un instant plus tôt. Derrière lui, des cris s'élevaient des profondeurs de la Citadelle : certains réclamaient des lampes ou encore des lances d'arrosage pour lutter contre l'incendie, d'autres du secours. La panique était tangible. Rien de tel que l'odeur de la fumée pour affoler les gens.

Gabriel tendit son Smartphone devant lui, faillit hurler de douleur quand il l'alluma avec le pouce. La froide lueur de l'écran éclaira le couloir. Le garde n'était plus devant la porte. Gabriel l'aperçut, accroupi un peu sur la gauche. Les deux hommes firent feu en même temps, le moine tirant un peu au-dessus de la source de lumière, cherchant sans doute à toucher l'intrus à la tête. Le bruit des détonations fut assourdissant.

Gabriel vit le garde lâcher son arme et retomber en arrière contre la porte. Il bondit vers lui en se servant de la lueur du Smartphone pour se guider et écarta le pistolet d'un coup de pied. Il déposa arme et Smartphone au sol, entreprit malaisément de fouiller sa victime, trouva ce qu'il cherchait.

Il récupéra son Smartphone et en braqua la lumière sur la lourde porte cloutée. Le trou de la serrure était au centre. Gabriel y introduisit la clé qu'il venait de récupérer sur le corps du garde, tourna. Il poussa le battant et se retrouva au bas d'un escalier qui menait dans les ténèbres de la montagne.

140

Des mains brutales relevèrent Liv et la firent pivoter. Elle se trouva face à face avec une créature de cauchemar dont les yeux gris la fixaient par-dessus une barbe épaisse. Son torse luisait du sang qui s'écoulait de nombreuses coupures à l'aspect familier.

— Les marques de notre dévotion, dit l'Abbé en suivant son regard. Votre frère les portait, lui aussi… mais c'est notre secret qu'il n'a pu supporter.

Il la prit par les épaules et l'obligea à regarder le fond de la caverne plongé dans le noir. Liv essaya de tourner la tête pour voir son frère, mais une main lui agrippa les cheveux et la força à regarder devant elle.

— Scrutez bien les ténèbres, ordonna l'Abbé. Voyez par vous-même.

Elle obéit.

Elle ne vit d'abord rien d'autre que des ombres, puis une brise sembla lui parcourir le corps et quelque chose commença de se dessiner dans la pénombre.

L'objet, de la forme du Tau, était au moins aussi grand qu'elle. Tandis qu'elle s'efforçait d'en distinguer les détails, la brise se renforça, apportant avec elle un murmure très doux, comme le souffle du vent dans les feuillages. Liv la sentait glisser sur son corps et emporter avec elle toutes ses douleurs.

— Voici le grand secret de notre ordre, fit la voix derrière elle. La cause du malheur des hommes.

Les mains rudes la forcèrent à s'approcher, et d'autres détails apparurent. La partie verticale avait la grosseur d'un arbuste, bien que sa surface fût plus lisse et plus sombre que du bois. Par une grille fixée à sa base s'écoulait un liquide qui se déversait dans des rigoles creusées dans le sol. On aurait dit la sève qu'elle avait vue suinter de l'arbre agonisant dans le parc de l'hôpital de Newark. Là où cette substance visqueuse coulait, de fines vrilles végétales poussaient et s'enroulaient autour du tronc du Táu. En les suivant du regard, Liv remarqua que des plaques de fer grossièrement martelées avaient été soudées pour former le pilier central.

La brise se renforça, plus chaude à présent et chargée de l'odeur rassurante de l'herbe baignée de soleil. Liv distinguait maintenant l'endroit où le tronc central rejoignait la partie transversale plus mince. C'est alors qu'elle vit autre chose – quelque chose à l'intérieur du Tau – et elle cessa de respirer, sous l'effet du choc.

— Regardez bien, chuchota l'Abbé, qui avait décelé sa réaction.

Une étroite fente était découpée dans la surface métallique du Tau – et Liv y vit deux yeux vert pâle fixés sur elle.

—Le secret de notre ordre. La plus infâme créature de l'humanité, condamnée à mort pour ses crimes contre l'homme – mais impossible à tuer.

L'Abbé s'avança et pointa un doigt vers le corps de Samuel gisant à terre.

—«La croix tombera», dit-il, avant de pointer le doigt vers Liv et d'ajouter : «La croix se relèvera…»

Désignant le Tau, il conclut :

—«… pour ouvrir le Sacrement, instaurant un nouvel âge par sa mort miséricordieuse…»

Un bruit métallique se répercuta dans la chapelle quand il défit l'un des fermoirs placés sur le côté de la croix.

—Celle qui a autrefois volé à l'homme sa divinité va maintenant la lui restituer…

D'autres claquements secs retentirent jusqu'à ce que le devant du Tau s'ouvre lentement, tirant de la femme qu'il contenait un affreux cri d'agonie.

Le Tau n'était pas une croix. C'était un cercueil de métal dont l'intérieur était tapissé de pointes qui brillaient toutes de la même couleur sinistre. Liv avait cru que c'était de la sève, mais la terrible vérité lui apparut : c'était du sang, et il s'écoulait de centaines de minuscules blessures uniformément réparties sur le corps frêle de la femme à l'intérieur. Elle était jeune, plutôt une adolescente. Cependant, ses longs cheveux étaient blancs dans l'obscurité et tombaient en lourdes tresses sur un corps couvert de sang et lacéré d'entailles rituelles, toutes horriblement familières.

—Les cicatrices que nous portons sont un rappel constant de notre incapacité à débarrasser le monde de ce mal, déclama l'Abbé comme s'il récitait une prière. Les rites que nous pratiquons permettent de la conserver exsangue et affaiblie jusqu'à ce que justice puisse enfin être rendue.

Liv regarda dans les yeux de la jeune femme. Ils étaient verts comme un lac et grands comme ceux d'un enfant, mais paraissaient sans fond et emplis de souffrance. Malgré l'horreur de la situation, Liv éprouva un intense sentiment d'intimité avec elle, comme si la chapelle était une simple chambre où elle se retrouvait avec une amie d'enfance qu'elle avait crue perdue. Elle avait l'impression de voir une version d'elle-même, comme si elle venait d'apercevoir son reflet au fond d'un puits. C'était comme si la brise qui s'en échappait, apportant avec elle une odeur d'herbe coupée, formait un lien entre elles. Les yeux verts plongeaient dans les siens, et Liv se sentait mise à nu et acceptée. Vue, mais non jugée. Et, telle une fenêtre, ils lui permettaient aussi de voir. Liv voyait tout en elle, et la voyait dans tout. Elle était le désespoir de toutes les femmes qui ont voulu être mère mais ne l'ont pas pu. Elle était la propre mère de Liv, hurlant de douleur en donnant sa vie pour ses deux enfants. Elle était tous les cœurs qu'on avait brisés, et toutes les larmes qui avaient été versées. Elle *était* la femme, et la femme était elle. Leur souffrance était la sienne, et cette souffrance était inimaginable.

Liv vit tout cela, et elle éprouva un immense désir de tendre la main et de la réconforter par ce simple contact, comme si elle était la mère, et que cette enfant torturée dans cette croix de supplice était la sienne, perdue dans un cauchemar qui durait depuis l'éternité. Mais son bourreau invisible la tenait trop solidement, et Liv ne pouvait faire obéir sa main. Elle eut donc recours aux mots qu'elle pouvait prononcer :

— Tout ira bien, dit-elle en clignant des yeux pour en chasser les larmes qui coulaient. Tout… tout ira bien.

La jeune fille fixa encore un instant Liv de ses yeux limpides, puis elle eut un sourire presque imperceptible et poussa un léger soupir, comme si elle avait été libérée. Liv sentit alors qu'on lui mettait un objet dans la main. Elle vit la fine lame d'une dague dépasser de son poing.

— Accomplis ta destinée, lui dit l'Abbé en lui tenant étroitement la main. Débarrasse l'humanité de la grande traîtresse.

En regardant la lame effilée, Liv comprit soudain avec horreur pourquoi on l'avait amenée ici. Elle essaya de lâcher la dague, révulsée à l'idée de ce qu'on voulait l'obliger à faire, mais les mains qui la retenaient étaient trop puissantes. Tandis qu'elle se débattait, les paroles de Samuel remontèrent dans son esprit affolé.

« Si d'autres meurent pour que tu vives, c'est que Dieu t'a épargné pour une raison précise. »

Elle s'était souvent demandé quelle était sa propre raison de vivre, mais elle savait que ce n'était pas celle-là. Cette femme torturée ne pouvait pas mourir. Pas de sa main. Elle leva les yeux vers ce visage pâle aux traits fins, et elle sentit la brise la traverser, avec une odeur d'herbe encore plus forte, tandis que le son qu'elle transportait se transformait en quelque chose de liquide, comme des vaguelettes sur une plage. Liv se sentit étrangement réconfortée, et les souvenirs affluèrent.

Elle se revit assise dans l'herbe au bord du lac avec Samuel, écoutant leur grand-mère raconter les légendes de leur passé scandinave.

«Ils ne sont pas censés être évidents pour n'importe qui», avait dit Arkadian en parlant des pépins de pomme et du message inscrit dessus. «Ils vous sont peut-être spécialement destinés…»

Les odeurs, et les souvenirs qu'elles apportaient avec elles, rendirent soudain la chose terriblement limpide. «Ask» n'avait pas été une instruction. C'était une allusion à la légende d'Ask et Embla – les deux premiers humains créés par Odin. Le message que Samuel lui avait envoyé était :

$$\text{Ask} + \underline{?}$$
$$\text{Mala } \underline{\text{T}}$$

Le « T » se trouvait sous le point d'interrogation car ils étaient une seule et même chose. La croix des Mala – le Tau – était Embla. Le Sacrement était Ève.

141

L'espace d'un instant, en voyant les yeux verts qui le regardaient par la fente du Tau, Cornelius avait cru qu'il s'agissait de la femme en burqa, amenée ici par quelque procédé miraculeux. Ce n'est que quand l'Abbé avait révélé son identité qu'il avait compris la nature profondément merveilleuse du Sacrement. Ce n'était pas seulement la femme en burqa, pas seulement la mère qui l'avait abandonné à sa naissance – c'était la source originelle de toute la traîtrise féminine.

Ève devait mourir, pour expier les crimes qu'elle avait commis contre l'homme et contre Dieu. C'était la seule façon de débarrasser le monde de son poison, et la fille qui se débattait dans ses bras était la clé. Il la vit essayer de détourner la dague du symbole de sa haine emprisonné dans la croix, et sans même réfléchir il la poussa en avant de toutes ses forces.

Liv eut le souffle coupé un instant par l'impact, mais elle fut aussitôt enveloppée par une odeur puissante, une odeur d'humus et de pluie qui s'annonce. C'était l'odeur d'Ève, et elle en fut dans l'instant réconfortée. Elle sentit la dague entre leurs deux corps, coincée par leur étreinte et rendue ainsi inutilisable. Mais elle ressentit aussi une brûlure douloureuse. Elle provenait de sa gorge et de son épaule droite, où les pointes du Tau s'étaient enfoncées.

Elle entendit des ordres rageurs lancés derrière elle, et elle fut tirée en arrière aussi brutalement qu'elle avait été projetée en avant. Elle poussa un gémissement quand une douleur inouïe lui traversa le corps, puis un liquide chaud jaillit de son cou et se répandit sur sa poitrine. Ses jambes cédèrent et elle glissa à terre.

L'Abbé vit Liv tomber, et tous ses rêves s'effondrer avec elle.

Une lueur de meurtre brillait dans ses yeux quand il se tourna vers Cornelius, sa main se posa sur la poignée de la dague cachée dans sa Crux. Mais un bruit l'arrêta dans son geste.

C'était un son très doux, comme une vague caressant des coquillages, et il venait d'Ève. Elle sanglotait. Les yeux verts d'une infinie profondeur étaient baissés vers la jeune femme étendue à terre, et ses frêles épaules étaient secouées par ses pleurs. L'Abbé vit une larme tomber dans la pénombre et disparaître dans la flaque de sang qui s'élargissait sous le corps de Liv.

Puis un autre son déchira le silence de la chapelle, un cri si puissant que les deux hommes se pressèrent les mains sur les oreilles pour ne pas l'entendre.

On eût dit le tronc d'un arbre géant qui se fend, ou le craquement d'un glacier qui se déplace. C'était un chant de sirène – et il était plein de rage et de douleur.

L'Abbé regarda Ève pour défier sa colère. Et alors que le hurlement affreux commençait à faiblir, il vit du sang commencer à couler de ses blessures. D'abord en minces filets, puis le flot s'accéléra, jaillissant des centaines de trous dans sa chair et des entailles cérémoniales plus profondes sur ses bras et des jambes. Médusé, il regardait ce sang ruisseler sur son corps, bien plus qu'il n'en avait jamais vu, et se déverser dans les rigoles pour se joindre à celui de Liv.

Elle est en train de mourir, pensa-t-il avec un sentiment de triomphe.

C'est alors qu'Ève parla, d'une voix qui n'avait presque pas de substance :

— KuShikaaM, dit-elle dans un murmure apaisant dirigé vers le sol où Liv perdait son sang. KuShikaaM.

Liv releva faiblement la tête vers elle, telle une enfant qui se tourne vers sa mère. Puis elle sourit et ses yeux se fermèrent doucement – tout comme ceux d'Ève.

142

Gabriel venait d'atteindre le sommet des marches de pierre quand le son affreux déchira les ténèbres. Il se mit aussitôt à courir, profitant de ce cri effroyable pour couvrir son déplacement. Il se baissa pour pénétrer dans le tunnel faiblement éclairé, son arme tendue devant lui, guettant le moindre mouvement et avançant aussi vite qu'il l'osait. La douleur dans son bras était maintenant presque insupportable, et il commençait à ressentir les effets du choc.

Le cri s'arrêta brusquement alors qu'il atteignait le bout du tunnel. Il se plaqua contre la paroi et jeta prudemment un coup d'œil par l'ouverture. Il vit la forge rougeoyante, les meules à aiguiser et la grande pierre ronde sur le mur du fond, avec un Tau gravé au centre. Un moine se tenait à côté, le regard tourné vers les ténèbres au-delà d'une porte entrouverte. Gabriel devina que c'était de là qu'était venu le cri. Liv était là, ainsi que le Sacrement. Il s'avança dans la pièce.

Le moine se retourna et vit Gabriel. Il sortit aussitôt son pistolet de sa manche, mais n'eut pas le temps de le lever. Deux balles l'atteignirent à la poitrine et le projetèrent contre la grande roue de pierre. Son index se crispa sur la détente et un coup de feu partit, la balle allant se perdre contre la paroi rocheuse.

Il était mort avant d'avoir touché terre.

L'Abbé et Cornelius se retournèrent en entendant les coups de feu.

— Allez voir ce qui se passe, dit l'Abbé.

Puis il se tourna de nouveau vers Ève, maintenant si pâle qu'elle brillait presque tandis que sa force de vie éternelle l'abandonnait. Plus elle s'affaiblissait, plus il se sentait fort. Finalement, la prophétie s'était réalisée. Il allait devenir immortel. En tuant un dieu, il en était devenu un. Mais alors que son âme s'emplissait d'extase à cette pensée, il prit soudain conscience de picotements sur différentes parties de son corps. Il baissa les yeux vers la profonde entaille cérémoniale qui entourait son épaule gauche, il vit la blessure qui s'était récemment refermée commencer à se rouvrir lentement. Il posa la main dessus, sentit la chaleur du sang qui coulait entre ses doigts. Il vit que ses autres cicatrices se rouvraient de la même façon. L'espace d'un instant, il éprouva une sorte de détachement, comme si ce phénomène macabre se produisait sur quelqu'un d'autre. Puis une sensation de faiblesse l'envahit, comme si toute l'énergie et l'exaltation de son récent triomphe s'échappaient maintenant de son corps avec le sang qui s'écoulait sur le sol.

Il posa la main contre le Tau pour ne pas tomber, et pour la première fois, depuis toutes ces années où il s'était trouvé en présence du Sacrement, il eut peur.

Gabriel avait été ébloui un instant par la flamme de l'arme du garde, et il cligna des yeux pour rétablir sa vision nocturne avant de s'adosser à la grande roue de pierre et de s'approcher prudemment de l'entrée. Les occupants de la pièce avaient dû être alertés par les détonations, et il allait devoir agir vite.

Il respira profondément, sentit une étrange déman-geaison dans son bras cassé. Il essaya de plier les doigts, tout en se préparant à une douleur aveuglante. Mais il ne ressentit qu'une douleur sourde dans ses os, et il réussit à serrer les doigts normalement. Il avait encore mal, et sa prise était encore trop faible pour être utile, mais le fait, incroyable, était là : sa fracture semblait guérie.

Il fut tellement distrait par cette découverte qu'il ne vit pas la lame briller dans l'obscurité avant qu'elle vienne le frapper à la poitrine. Il s'écarta instinctivement, sentit la lame lui déchirer la chair, glisser sur ses côtes. C'est alors qu'il vit son agresseur, le torse nu couvert de sang. Il avait au visage des cicatrices cireuses qui brillaient dans la lumière de la forge. Gabriel reconnut aussitôt l'incarnation du Mal qui se tenait devant lui. Il repensa au cri qui l'avait amené ici, et au corps déchiqueté de son grand-père sur le sol de l'entrepôt. Une lueur brilla dans les yeux du démon quand il vit comment Gabriel tenait son bras – le regard du prédateur qui jauge les faiblesses de sa proie.

La lame brilla de nouveau, Gabriel recula en levant son bras armé pour se protéger. La vision de cauchemar abattit de nouveau son couteau et le jeune homme ressentit l'impact comme un simple coup au poignet. Il braqua son arme sur Cornelius, vit les yeux du démon dans la mire et appuya sur la détente… rien ne se passa.

Gabriel remarqua alors le sang qui coulait abondamment de son poignet, et avec la lucidité propre à ces instants de combat qui semblent se dérouler au ralenti, comprit ce qui s'était passé. Il se laissa tomber à terre et roula de côté malgré sa fracture, son pistolet serré contre son torse, tandis que le démon s'élançait de nouveau vers lui. La lame avait dû sectionner les tendons fléchisseurs de sa main, qui était maintenant aussi inerte que l'autre.

Sa roulade l'amena juste devant la fournaise de la forge. Il vit Cornelius debout au-dessus de lui, tenant une grosse tige métallique semblable aux fers dont on se sert pour marquer les bestiaux. L'homme sourit en voyant Gabriel tenter de maîtriser son arme de ses mains impuissantes. Puis quelque chose détourna son attention. Il baissa les yeux pour regarder son corps, d'où le sang s'était mis à couler à flots de ses blessures récentes. D'une poussée des jambes, Gabriel réussit à glisser en arrière, gagnant quelques mètres précieux. Il passa le doigt de sa main gauche sur la détente de son pistolet.

En percevant le mouvement, Cornelius reporta son attention sur lui et s'approcha en levant la barre au-dessus de sa tête avec un rictus de triomphe. Gabriel serra le poing sur la crosse, sans plus ressentir aucune douleur. Toute sa force était revenue dans son bras fracturé. Il leva son arme vers Cornelius et tira trois coups de feu à la suite.

Cornelius resta immobile un instant, l'air stupéfait, puis il baissa les yeux sur les trois trous qui venaient d'apparaître sur sa poitrine, d'où le sang se mit à jaillir pour rejoindre le torrent rouge qui le recouvrait déjà.

Il fit encore un pas vers Gabriel avant que la vie l'abandonne et il s'écroula.

143

Liv avait l'impression de s'enfoncer dans une eau chargée de souvenirs qui nageaient autour d'elle, des images de sa vie qui apparaissaient et disparaissaient tels des poissons scintillants. La brise qu'elle avait sentie à travers son corps était devenue un courant transportant un murmure de voix oubliées et des fragments de souvenirs lointains. Elle continua de s'enfoncer et les images s'estompèrent tandis qu'une lumière beaucoup plus brillante apparaissait au-dessous d'elle.

C'est la mort, songea-t-elle en la regardant monter des ténèbres pour venir à sa rencontre.

La lumière l'engloutit et de nouvelles images apparurent en masse derrière ses paupières.

Il y avait un jardin, une végétation luxuriante, et un homme le parcourait sous le soleil, ou quelque chose qui ressemblait au soleil. Puis l'ombre d'un arbre s'éleva et s'interposa, et Liv se retrouva dans une grotte entourée d'hommes aux yeux remplis de haine.

Puis il y eut la souffrance.

Une éternité de souffrance et d'obscurité pendant laquelle sa chair fut déchiquetée, tailladée et brûlée dans les flammes et l'huile bouillante.

Et il y eut l'odeur du sang.

Et un désir désespéré et sans fin de revoir le soleil, de sentir sa chaleur sur sa peau et de pouvoir de nouveau marcher sur la fraîcheur de la terre.

Et la souffrance était partout, surgissant des ténèbres, l'emprisonnant et la dominant pour toujours.

Puis elle vit un visage aux yeux remplis de tristesse et de compassion.

Le visage de Samuel.

Liv se concentra sur cette image pour qu'elle ne s'échappe pas comme les autres. Elle la fixa du regard jusqu'à ce que d'autres détails apparaissent.

Elle vit le corps de Samuel ruisselant du sang de profondes entailles dans son torse. Puis une grotte remplie d'hommes qui se tailladaient l'épaule avec des lames effilées. Et elle entendit des voix psalmodiant à l'unisson dans un langage ancien qu'elle pouvait néanmoins comprendre :

La première, répétaient-elles. La première. La première.

Et la douleur surgit des ténèbres et explosa dans son épaule gauche avec un bruit de chairs déchirées. Et une nouvelle voix s'éleva soudain, chargée d'angoisse et de souffrance :

— Où est Dieu, dans tout cela ? s'écria Samuel. Où est Dieu, dans tout cela ?

Et les images s'enfuirent. Pendant un instant, tout ne fut plus que silence et ténèbres.

Et elle sentit qu'elle commençait à remonter.

144

Les paupières de Liv battirent doucement et elle ouvrit les yeux.

Elle était de retour dans la chapelle, toujours allongée là où elle était tombée. En se concentrant, elle distingua le visage de Gabriel penché au-dessus d'elle et lui souriant comme un rayon de soleil. Elle lui rendit son sourire, pensant qu'elle était toujours plongée dans son rêve, jusqu'à ce qu'il lui pose la main sur la joue. Elle sentit alors la chaleur de sa paume et comprit qu'il était vraiment là.

Elle jeta un coup d'œil vers le Tau. Le sang qui en recouvrait l'intérieur tapissé de pointes était le seul signe qu'Ève y avait été emprisonnée. Liv suivit des yeux le flot tombant à terre et s'écoulant par les rigoles où il venait se mêler au sien. Puis elle vit un homme se dresser derrière la croix de métal, son corps ruisselant lui aussi de sang. Dans la faible lueur de la pièce, on aurait dit un démon. Il leva la torche qu'il tenait à la main, et la lumière éclaira les traits de son visage déformé par la haine. Gabriel perçut le mouvement, mais avant qu'il ait pu se retourner la torche s'abattait déjà vers sa tête dans un rugissement de flammes. Un coup de tonnerre secoua alors la pièce, projetant le démon en arrière vers l'autel.

Liv se tourna vers l'entrée, d'où le bruit était venu. Un moine à la silhouette frêle se tenait sur le seuil. Il avait une arme à la main, et son crâne lisse brillait comme un halo à la lueur des bougies.

Athanase contempla la scène de carnage qu'il venait de découvrir. L'impact de la balle avait projeté l'Abbé contre les ignobles pointes garnissant l'intérieur du sarcophage vide au fond de la pièce. Il entra dans la chapelle en gardant son pistolet pointé sur le corps ensanglanté de son ancien maître. L'Abbé ne bougeait plus.

Le nouvel arrivant se tourna vers l'homme et la femme qui l'observaient d'un air circonspect. Il abaissa son arme, s'approcha d'eux. L'homme portait une soutane, mais Athanase ne le reconnut pas. Il était blessé au côté ainsi qu'à l'épaule, à en juger par le sang qui maculait l'étoffe déchirée.

La jeune femme était dans un état beaucoup plus grave. Elle avait une profonde entaille au cou d'où le sang s'écoulait encore. Il se pencha pour l'examiner de plus près, se figea en voyant les chairs commencer à se refermer autour de la blessure. En silence, il regarda le miracle s'opérer. Quelques instants plus tard, le flot de sang s'était réduit à un mince filet, qui s'arrêta presque aussitôt. Lorsqu'il regarda le visage de la jeune femme, il vit dans ses yeux quelque chose d'intemporel, et il repensa aux mots qu'il avait lus dans la Bible hérétique.

La lumière de Dieu, enfermée dans les ténèbres.

Il tendit la main pour lui toucher le visage, mais un bruit près de l'autel les fit se retourner tous les trois.

L'Abbé avait bougé. Ils le regardèrent tourner lourdement la tête vers eux jusqu'à ce que son regard plonge dans les yeux d'Athanase. Le flambeau était resté là où il l'avait lâché et la flamme léchait le bas de sa soutane, l'enveloppant d'un nuage de fumée.

— Pourquoi ? demanda-t-il avec une expression d'égarement et de déception. Pourquoi m'as-tu trahi ? Pourquoi as-tu trahi ton dieu ?

Athanase regarda un instant l'intérieur effrayant du Tau et les menottes qui pendaient au bout de la barre transversale.

Non pas une montagne sanctifiée, mais une prison maudite.

Il se tourna de nouveau vers la femme dont le cou élancé était à présent complètement cicatrisé et dont les yeux verts brillaient de vie.

— Ce n'est pas mon dieu que j'ai trahi, répondit-il en souriant à la femme miraculeuse. C'est Elle que j'ai sauvée.

VII

Et il vit Celle qui marchait sur la Terre.
Sans jamais vieillir. Sans jamais se flétrir.
Et la jalousie s'empara de lui.

Il convoita Ses pouvoirs et voulut les posséder.
Il pensa que s'il pouvait La capturer,
Il pourrait apprendre le secret de Sa vie éternelle
Et le faire sien.
Il commença donc à raconter une histoire contre Elle,
Qu'il nomma « Ève ».
Une histoire fausse destinée à tourner tous les hommes contre Elle.
L'histoire disait comment, au commencement, il y avait eu un homme,
Un homme qui avait été Son égal – et même plus grand encore,
Un homme nommé Adam.
Adam avait marché tel un dieu dans le jardin de la Terre,
Faisant fleurir la vie comme Ève l'avait fait.
Et l'histoire disait comment Ève était devenue jalouse de lui.

Elle haïssait son corps grossier et les poils qui le recouvraient,

Et le considérait plus proche de la bête que de la divinité.

C'est ainsi qu'Elle fit pousser un arbre étrange

Et le persuada d'en manger le fruit,

En lui promettant qu'il lui apporterait un grand savoir.

Mais le fruit était empoisonné et le rendit faible,

Lui dérobant tous ses pouvoirs divins

Et lui emplissant la tête de colère et de peur.

Cette histoire fut racontée maintes fois

Jusqu'à ce que tous les hommes envieux croient qu'Ève était leur ennemie

Et que Sa mort était la seule façon de recouvrer leur divinité.

Un jour, alors qu'Ève marchait près des grottes où vivaient les hommes,

Elle y entendit le cri plaintif d'un animal blessé.

Elle suivit ce bruit dans les profondeurs glacées de la montagne,

Et trouva un chien sauvage attaché au sol,

Tailladé et sanglant, et hurlant de douleur.

Quand Ève s'en approcha, toute la tribu émergea des ténèbres.

Les hommes La battirent à coups de massue et La tailladèrent avec leurs lames,

Mais Elle ne mourut pas.

Au contraire, la vie coulait en Elle depuis la Mère Terre

Pour La guérir et La rendre forte.

Affolés, les hommes firent un feu et y poussèrent Ève.

Mais le sang coula de Ses chairs boursouflées pour éteindre les flammes,

Et Son corps redevint entier.
Quelques hommes partirent de par le monde
Pour rassembler tous les poisons de la terre
Et ils obligèrent Ève à les manger.
Mais Elle ne mourut toujours pas.
Ils firent donc en sorte qu'Elle reste affaiblie,
La lumière de Dieu, enfermée dans les ténèbres,
Car ils n'osaient pas La relâcher, de peur de ce qui
pourrait s'ensuivre,
Et ils ne pouvaient pas non plus La tuer, car ils ne
savaient pas comment.
Le temps passa, et les hommes se retrouvèrent
enchaînés à leur propre honte,
Et leur foyer devint une forteresse
Contenant la seule connaissance de l'acte qu'ils
avaient commis,
Non pas une montagne sanctifiée, mais une prison
maudite,
Où Ève resta captive,
Un secret saint – un Sacrement,
Jusqu'au jour prédit où Ses souffrances prendront
fin.
L'unique vraie croix apparaîtra sur la terre,
Tous la verront en un seul instant, émerveillés,
La croix tombera,
La croix se relèvera,
Pour ouvrir le Sacrement
Instaurant un nouvel âge
Par sa mort miséricordieuse.

Nouveau Livre de la Genèse, la Bible hérétique
(traduit par frère Marcus Athanasius)

145

Des sons lointains commencèrent à s'infiltrer à travers le coton qui semblait remplir la tête d'Arkadian, des cris étouffés et pressants, un crissement de semelles en caoutchouc sur le béton. Il essaya vainement d'ouvrir les yeux. Ses paupières étaient trop lourdes, et il se contenta donc de rester allongé, à écouter, en laissant ses sens se ranimer tandis que la douleur se réveillait dans sa poitrine et son épaule.

Il respira profondément et consacra toute son énergie à ouvrir les yeux. Ses paupières s'écartèrent un dixième de seconde, et il les referma aussitôt.

La lumière était aveuglante. Il avait maintenant sur la rétine une image en négatif de ce qu'il avait vu : les dalles d'un plafond, une tringle avec un rideau suspendu. Il comprit qu'il était dans un hôpital.

Et il se souvint pourquoi.

Il essaya de s'asseoir, mais une main le retint fermement.

— Holà… fit une voix d'homme. Tout va bien. J'examine simplement votre blessure. Qu'est-ce qui vous est arrivé ?

Arkadian s'efforça de se souvenir. Sa langue était sèche et sa bouche pâteuse.

— Mon bras… réussit-il enfin à dire.

— Oui, effectivement, vous avez été touché au bras.

— Non, fit Arkadian en secouant la tête.

Il regretta aussitôt son geste, attendit que le lit arrête de tanguer.

— Piqûre… au bras, dit-il. Drogué. Je ne sais pas… avec quoi…

— Bon, on vous va faire une analyse de sang. Il faudra peut-être vous donner encore un sédatif pour vous soigner…

— Non ! dit Arkadian en secouant de nouveau la tête.

Cette fois, le lit tourna un peu moins.

— Il faut que j'appelle le Central, pour les prévenir.

Le rideau s'écarta et une petite femme trapue en blouse blanche entra. Elle prit une pochette accrochée au pied du brancard.

— Ah, la Belle au bois dormant se réveille, dit-elle en lisant les notes inscrites dessus.

Un badge agrafé sur sa poitrine indiquait qu'elle était le Dr Kulin. Elle jeta un coup d'œil au bras d'Arkadian.

— Qu'est-ce que vous en dites ? demanda-t-elle à l'infirmier.

— La blessure est propre. Ça saigne encore un peu, mais rien d'important n'est touché. La balle n'a fait que traverser.

— Très bien, dit le médecin en remettant les papiers dans la pochette. Faites un pansement compressif et sortez-le de là. Nous allons avoir besoin de la place d'une minute à l'autre.

— Pourquoi ? demanda Arkadian.

Elle eut l'air interloquée.

— Pourquoi un bandage serré ? Parce que vous avez reçu une balle dans le bras et que vous saignez encore.

— Non, je voulais savoir pourquoi vous avez besoin de la place…

Le Dr Kulin vit le badge d'Arkadian accroché à sa ceinture par les secouristes. C'était la procédure standard. Ainsi, en cas d'affrontements violents, quand les blessés des deux côtés se retrouvaient dans le même hôpital, les « bons » étaient soignés en priorité.

— Il y a eu une explosion. Nous avons de nombreuses victimes qui arrivent. Et d'après ce que j'ai entendu dire, inspecteur, leurs blessures sont beaucoup plus graves que la vôtre.

— Où ça ? demanda Arkadian, qui se doutait déjà de la réponse.

Un bruit dans le couloir attira l'attention du médecin.

— Près du mur de la vieille ville, dit-elle en refermant le rideau d'un coup sec. Tout près de la Citadelle.

Arkadian eut juste le temps d'apercevoir un chariot qui passait rapidement, transportant un homme couvert de sang. Il était vêtu exactement comme celui qu'il avait examiné à la morgue deux jours plus tôt.

Arkadian ferma les yeux et respira l'odeur de sang et de désinfectant. Il se sentit soudain plus épuisé qu'il ne l'avait jamais été. Ce qu'il avait espéré pouvoir empêcher s'était finalement produit. Il aurait tellement préféré pouvoir parler à sa femme et entendre sa voix douce plutôt que tout ce chaos autour de lui. Il voulait lui dire qu'il l'aimait, et l'entendre dire qu'elle l'aimait aussi. Il voulait lui dire qu'il allait bien, qu'elle ne devait pas s'inquiéter, qu'il serait bientôt à la maison.

Puis il pensa à Liv Adamsen, à Gabriel et à la femme de l'entrepôt – et il se demanda s'ils étaient encore en vie.

146

Le Dr Kulin suivit le chariot jusqu'à la salle d'examen et s'arrêta net. Depuis dix ans qu'elle travaillait aux urgences, elle n'avait jamais rien vu de pareil. Le torse de l'homme était couvert d'entailles rectilignes et soigneusement tracées, d'où le sang coulait continûment sur l'étoffe verte de sa soutane. Il y avait tellement de sang qu'on aurait dit qu'on l'avait plongé dedans.

Elle se tourna vers le secouriste qui l'avait amené.

— Je croyais que c'était une explosion, dit-elle.

— Oui, effectivement. Elle a fait une grande brèche au pied de la montagne. Ce type vient de l'*intérieur* de la Citadelle.

— Vous me faites marcher !

— C'est moi-même qui l'ai tiré de là.

Le Dr Kulin projeta le faisceau de sa lampe dans l'œil du moine.

— Hello. Est-ce que vous m'entendez ?

La tête de l'homme roula sur le côté, et la profonde blessure qu'il portait au cou s'ouvrit et se referma comme si elle respirait.

— Pouvez-vous me dire votre nom ? insista le médecin.

Il murmura quelque chose qu'elle ne put saisir. Elle se pencha plus près et sentit son souffle sur son oreille quand il répéta ce qui ressemblait à « Ego Sanctus »... Manifestement, le malheureux délirait.

— Vous avez fait quelque chose pour arrêter l'hémorragie ? demanda-t-elle en se redressant.

—Oui, des pansements compressifs et une perfusion de plasma pour qu'il reste hydraté. Mais il continue de saigner.

—Tension artérielle ?

—Six-quatre, et elle continue de baisser.

Pas critique, mais tout juste.

Le moniteur émit aussitôt un bip d'alarme quand une infirmière posa des électrodes sur la poitrine du moine. Le rythme était beaucoup trop lent, lui aussi. Le Dr Kulin jeta de nouveau un coup d'œil aux blessures. Il n'y avait aucun signe de coagulation. C'était peut-être un hémophile. Le bruit annonçant de nouveaux arrivants l'obligea à prendre une décision.

—Cinq cents unités de prothrombine et vingt millilitres de vitamines K. Et vérifiez rapidement son groupe sanguin pour qu'on puisse le transfuser. Il va perdre tout son sang si on ne se dépêche pas.

Elle écarta le rideau pour retourner dans le couloir. Trois autres moines passèrent rapidement devant elle. Chacun perdait des quantités étonnantes de sang par des blessures identiques à celles qu'elle venait de voir.

—Où voulez-vous que je mette celle-là ?

La voix d'un secouriste la tira de ses réflexions. Elle fut soulagée de voir que cette fois-ci, ce n'était pas encore un moine sur le chariot.

—Juste ici, dit-elle en désignant le mur à côté d'elle.

Les compartiments d'examen se remplissaient rapidement, et cette victime ne semblait pas souffrir d'hémorragie. Le secouriste poussa le chariot sur le côté et appuya sur le frein pour le bloquer.

—Alors, qu'est-ce qui s'est passé, là ? demanda le Dr Kulin en ouvrant doucement la visière fêlée et noircie du casque de motard et en projetant le faisceau de sa lampe dans l'œil droit de la femme.

—Je l'ai trouvée dans le tunnel. Les signes vitaux sont bons, mais elle était inconsciente quand on l'a trouvée, et elle est restée comme ça pendant tout le trajet.

Le Dr Kulin passa à l'œil gauche. La pupille se dilata un peu moins que la droite. Elle se tourna vers le secouriste.

—Directement aux rayons X, dit-elle. C'est peut-être une fracture du crâne. Ne lui retirez pas son casque tant qu'on ne saura pas à quoi on a affaire.

Le secouriste fit signe à un brancardier, et il repartait avec le chariot quand les portes s'ouvrirent brusquement. Deux autres moines apparurent, avec les mêmes blessures et la même hémorragie massive.

Bon sang, mais qu'est-ce qui se passe ?

Le Dr Kulin suivit le premier dans un box où elle procéda à un examen rapide avant de prescrire le même dosage de produit coagulant. Elle entendit un autre médecin au fond du couloir demander qu'on lui apporte cinq litres de sang O+. Abasourdie, elle entra dans le box suivant en repoussant le rideau. Là, une autre surprise l'attendait. C'était encore un moine, mais celui-là ne saignait pas. Debout à côté d'un chariot sur lequel était allongée une jeune femme, il était en pleine discussion avec une infirmière.

—... pas question que je l'abandonne, disait-il.

Il avait une grande quantité de sang sur sa soutane, mais pas autant que les autres. La jeune femme était également couverte de sang. La disposition des taches semblait indiquer une grave blessure au cou. Le Dr Kulin se pencha sur elle et abaissa le col de son sweat-shirt. La peau était tachée de rouge, mais elle ne vit aucune trace de coupure.

—Son état? demanda-t-elle à l'infirmière en continuant de chercher d'où pouvait venir tout ce sang.

—Paramètres vitaux assez bas, mais stables. Huit-cinq de tension.

Le médecin fronça les sourcils. C'était suffisamment bas pour indiquer une perte de sang importante, mais elle n'arrivait pas à en trouver la source. C'était peut-être le sang de quelqu'un d'autre.

—Maintenez-la sous perfusion et surveillez sa tension, dit-elle.

Puis elle sourit à la jeune femme en lui disant:

—À part ça, tout semble aller bien.

Elle se sentit un instant hypnotisée par la luminosité presque surnaturelle des deux yeux verts qui lui rendaient son regard, puis elle se ressaisit et reporta son attention sur le moine.

—Non, moi, je vais très bien, je vous assure, lui dit-il en reculant.

—Si c'est le cas, vous ne verrez pas d'objection à ce que je jette un coup d'œil, répliqua-t-elle.

Elle écarta le tissu ensanglanté de sa manche déchirée pour examiner la peau maculée de rouge. Elle vit aussitôt d'où venait le sang: une vilaine entaille très profonde en travers du poignet. Elle semblait remonter à plusieurs jours, à en juger par le degré de cicatrisation, et pourtant le sang était tout frais.

—Que vous est-il arrivé? demanda-t-elle.

—Oh, j'ai été un peu secoué, dit-il, mais rien de grave. Je m'en tirerai. Mais je vous en prie, dites-moi: avez-vous vu une femme d'une quarantaine d'années, un mètre soixante-sept, cheveux noirs?

Le Dr Kulin repensa à la femme au casque de motard.

—Elle est en radiographie.

Le son aigu d'une alarme cardiaque retentit quelque part derrière elle.

—Elle aussi a été un peu secouée, ajouta-t-elle. Mais ne vous inquiétez pas, elle devrait s'en sortir.

147

Au milieu de la cacophonie, Liv entendit le bruit des pas du médecin et de l'infirmière qui sortaient précipitamment. Elle entendait aussi des milliers d'autres bruits.

Depuis que Gabriel l'avait transportée hors de la Citadelle, chaque couleur, chaque son, chaque odeur l'appelait, telles des créatures vivantes, comme si elle découvrait tout pour la première fois.

Une fois sortis de l'interminable tunnel rempli de fumée pour se retrouver dans la nuit, quand Gabriel l'eut déposée doucement sur un brancard, elle avait levé les yeux et aperçu la lune suspendue dans le ciel. Elle avait pleuré en la voyant. Elle était si belle et si fragile – et si libre. Et pourtant, ses larmes ne provenaient pas seulement de cette joie débordante. Elles étaient aussi pleines de chagrin. Elle s'était lancée à la recherche de son frère, et bien qu'elle fût pour l'instant incapable de se souvenir de ce qu'elle avait découvert au cœur de la montagne, elle savait que c'était fini, que Samuel était parti pour toujours.

Et maintenant, elle se trouvait dans cet endroit brillamment éclairé et rempli de clameurs – un endroit terriblement familier et pourtant très étrange. Elle percevait le bruit de la mort dans la respiration irrégulière des hommes allongés autour d'elle, et celui du sang qui coulait.

Elle sentit les bras de Gabriel autour d'elle. Il avait perçu sa détresse, et son parfum citronné l'enveloppa, repoussant l'odeur d'antiseptique, de sang et de peur qui flottait dans la pièce. Elle s'y réfugia en fermant les yeux et en se concentrant uniquement sur lui et sur les battements de son cœur, survolant le paysage des autres sons jusqu'à ce qu'elle n'entende plus que lui. C'était un cœur qui ne battait que pour elle, et les larmes lui vinrent de nouveau aux yeux, car c'était aussi beau que la lune qu'elle avait vue tout à l'heure.

C'est alors qu'un autre bruit s'insinua, faible et insistant, à la périphérie de sa conscience.

Un pot de violettes, encore enveloppé de cellophane, était posé sur une étagère au milieu des appareils médicaux et des prises de courant, un cadeau oublié destiné à un occupant précédent. Des violettes… la fleur emblème de l'État du New Jersey. Liv pensa à l'existence qu'elle y menait seulement quelques jours plus tôt, et combien elle lui paraissait étrange à présent. Le son se fit de nouveau entendre, et elle vit une abeille s'envoler d'un pétale velouté et voleter un instant avant de se poser sur une autre fleur.

—Qu'est-ce qui s'est passé, là-bas ? demanda Gabriel, dont la voix vibra dans le corps de Liv pressé contre le sien.

—Je ne sais pas, répondit-elle en s'émerveillant du son de sa propre voix.

Elle réfléchit à sa question jusqu'à ce qu'un autre souvenir flotte devant elle, fragmentaire et incomplet. Elle se souvint de sa terreur dans le noir, de la dague effilée et de sa révulsion devant ce qu'on attendait d'elle.

Elle se souvint des yeux verts qui avaient plongé au plus profond de son âme et deviné son but essentiel. Et ce souvenir fit ressurgir autre chose, un murmure à travers les battements du cœur de l'homme qui la serrait contre elle, un son doux et réconfortant comme la force des bras qui la maintenaient en sécurité.

Ku... Shi... kaamm...

Le murmure la traversa, faisant naître sur son passage d'autres mots anciens qui résonnaient au rythme des battements du cœur de Gabriel.

KuShikaaM...

Clavis...

Namzāqu...

κλάξ/

חתפמ...

KuShikaaM...

Clavis...

Namzāqu...

Et bien qu'elle fût incapable de dire dans quel(s) langage(s) ces mots étaient exprimés, elle les comprenait tous, comme si elle les connaissait depuis sa naissance, comme s'ils faisaient intégralement partie d'elle-même.

Elle se serra encore plus fort contre Gabriel tandis que ces mots emplissaient son esprit, couvrant jusqu'aux battements de son cœur. Ils se regroupèrent pour former une image qui montra enfin à Liv qui elle était, et ce qu'elle était.

« KuShikaaM »... ainsi l'avait appelée le Sacrement.

KuShikaaM...

La Clé...

REMERCIEMENTS

Un premier roman est une chose bizarre. C'est un peu comme une grande fête qu'on passerait des années à organiser soigneusement, sans savoir si quelqu'un va venir.

Vous êtes au moins sûr que les membres de votre famille y seront, parce qu'ils se sont trouvés embringués dans la préparation et qu'ils ont lu les invitations – et pas qu'une seule fois... Parmi ceux-là, je dois citer d'abord mon épouse Kathryn pour son soutien et sa sagesse extraordinaires, et dont le mélange d'enthousiasme et de franchise parfois brutale m'a toujours incité à redoubler d'efforts. Il y a eu ensuite mes deux enfants, Roxy et Stan, qui semblaient toujours repérer le moment où j'avais vraiment besoin d'une distraction pour se glisser dans mon bureau. Et également leurs grands-parents – John et Irene Toyne, Ross et Liz Workman – qui ont relu le manuscrit, nous ont débarrassés des enfants quand ma femme et moi travaillions tous les deux, et n'ont jamais formulé le moindre commentaire sur le fait que j'avais abandonné un travail stable et bien payé à la télévision pour me lancer dans la folle aventure que peut représenter l'écriture d'un roman.

Je tiens aussi à remercier ma sœur, Becky Toyne, pour ses encouragements, son expérience et sa liste d'agents qui ne voudraient sans doute jamais de moi, mais qui valaient quand même la peine d'être contactés. L'un d'eux était LAW, où, contre toute attente, Alice Saunders m'a sorti de la pile et m'a envoyé un mot pour me demander le reste du manuscrit. Tout à coup, j'ai commencé à penser que, finalement, il y aurait peut-être quelques personnes qui viendraient à la fête. Grâce au redoutable trio que constituent Alice, Peta Nightingale et Mark Lucas, le roman s'est trouvé amélioré et significativement raccourci. Ils ont également fait appel à leur équipe de gens tous plus adorables et brillants les uns que les autres pour s'asseoir à la table et aider à l'envoi des cartons d'invitation. Je mentionnerai George Lucas d'Inkwell, Sam Edenborough, Nicki Kennedy, Katherine West et Jenny Robson à ILA.

Et finalement, les invités ont commencé à arriver. D'abord les éditeurs, qui ont tous dit des choses tellement gentilles que je me suis demandé de quel livre ils pouvaient bien parler. Et maintenant vous, cher lecteur. Alors, bienvenue à la fête, et merci à vous. Merci à tous d'être venus.

Achevé d'imprimer par N.I.I.A.G.
en février 2012
pour le compte de France Loisirs, Paris

N° d'éditeur : 67358
Dépôt légal : août 2011

Imprimé en Italie